AFGESCHREVEN

Turks goud

Turks goud

Sherief Mukhtar

Van Gennep Amsterdam

Eerste druk januari 2007
Tweede druk april 2007

Dit boek is gebaseerd op een waargebeurd verhaal.
Scènes waarvan de ik-figuur geen getuige is geweest zijn
gereconstrueerd op basis van informatie van derden.

© 2007 Sherief Mukhtar / Uitgeverij Van Gennep
Nieuwezijds Voorburgwal 330, 1012 RW Amsterdam
Ontwerp omslag Erik Prinsen
Verzorging binnenwerk Hannie Pijnappels
Drukwerk Bariet, Ruinen
ISBN 9789055157358 / NUR 301

'Er is geen groter verdriet dan zich,
in dagen van ellende,
de tijden te herinneren
toen men gelukkig was.'

Dante

Voorwoord

Khadija Arib

Bij het lezen van het boek van Sherief had ik gemengde gevoelens. Enerzijds een gevoel van optimisme en anderzijds een gevoel van machteloosheid. Optimisme toen ik las hoe vriendschappen tussen jongeren met verschillende culturele en religieuze achtergronden kunnen ontstaan. Afkomst doet er eigenlijk niet toe. Een Turks meisje gaat met een Sudanees of een Marokkaan om. Ondanks de sociale controle en de tradities waar zowel meisjes als jongens onder moeten lijden, gaan ze hun eigen gang. Ze zoeken elkaar op, vangen elkaar op, steunen elkaar in moeilijke tijden, weten elkaars geheimen en delen alles met elkaar. Een multiculturelere samenleving bestaat niet. Jongens en meisjes zetten hun leven op het spel voor deze vriendschappen. Zodra ze buitenshuis zijn vergeten ze alle traditionele regels en gaan hun eigen gang.

Turks goud biedt een kijkje in de wereld van allochtone jongeren met al hun problemen. Het is bewonderenswaardig om te zien hoe deze jongeren hun best doen om, in een spagaat tussen deze twee verschillende werelden, hun evenwicht te houden. Hetgeen overigens niet altijd lukt.

Het boek is een mooie weergave van het dubbelleven dat veel allochtone jongeren leiden, maar ook van het leven in een stad waar verschillen er eigenlijk niet toe doen. Deze jongeren hebben een eigen cultuur gecreëerd. Maar er hangt voortdurend een donderwolk boven hun hoofden. Die donkere wolk bestaat uit de negatieve tradities en strenge culturele normen die nog steeds heersen binnen bijvoorbeeld de Turkse gemeenschap. De familie, die geborgenheid en steun aan deze jongeren moet bieden, kan ook verstikkend zijn. Vaste patronen en gedragscodes worden jongeren opgedrongen. Wie hier van afwijkt wordt per definitie ongelukkig.

Deze jongeren worstelen vaak, ze balanceren tussen twee werelden. Ze proberen te leven volgens de heersende normen en waarden, ze zijn loyaal aan hun ouders, geloof, cultuur en tradities maar ze zijn ook jongeren die net als alle anderen van hun leeftijd in hun eigen tijd leven, hechten aan mooie kleren, de disco, het uitgaansleven en andere aspecten van de moderne samenleving. De ouders hebben vaak geen beeld van de leefwereld van hun kinderen. De verschillen tussen de twee werelden zijn dan ook vaak te groot.

De jongeren in het boek van Sherief zijn allemaal loyaal en proberen te voldoen aan de verwachtingen die hun ouders van hen hebben. Ondanks het feit dat zij in Nederland zijn geboren en opgegroeid kunnen ze zich nooit helemaal aan de cultuur en de tradities van hun ouders onttrekken. De prijs die ze hiervoor moeten betalen is veel te hoog. De vrije keuze en het zelfbeschikkingsrecht die in Nederland zo vanzelfsprekend zijn, blijken voor deze jongeren lang niet altijd zo vanzelfsprekend. De vrijheid van partnerkeuze is voor Nederlandse jongeren normaal, maar sommige meisjes en jongens wordt een vrije keuze ontnomen. Bij hen is het de familie die bepaalt met wie de dochter trouwt. Het geluk van je dochter of zoon is bij die keuze van ondergeschikt belang, het gaat om de eer van de familie.

Bij eer wordt vaak vooral gedacht aan de vrouwen, die meestal het slachtoffer van dergelijke opvattingen zijn, maar de ervaringen van Sherief laten zien dat mannen eveneens slachtoffer van eergerelateerd geweld kunnen zijn. Het is onbegrijpelijk hoe in een samenleving als de onze een jongen die midden in het leven staat en verliefd wordt op een meisje met een Koerdisch-Turkse achtergrond in zijn bestaansrecht wordt bedreigd. Zijn enige 'zonde' is dat hij van zijn vriendin houdt en met haar wil trouwen. Dit geluk wordt hem niet alleen ontnomen, hij moet zelfs onderduiken en vrezen voor zijn leven.

Eerwraak is cultuurgebonden en blijft niet beperkt tot moord, maar houdt ook psychische en fysieke mishandeling in, opsluiting, intimidatie en bedreiging, zoals uit *Turks goud* blijkt. Het is geen verschijnsel dat alleen door de eerste generatie in stand wordt gehouden, ook jongeren worden hierin meegetrokken en doen onder druk van de familie mee. *Turks goud* legt veel bloot. Niet alleen hoe deze verwerpelijke tradities in Nederland worden voortgezet, maar ook hoe in Nederland, ondanks alle voorzieningen, werkelijke hulp ontbreekt. Nog altijd is Sherief op de vlucht, uit angst voor de familieleden van het meisje van wie hij houdt. Vrouwen en mannen die ernstig worden bedreigd kunnen nog steeds niet rekenen op bescherming, zoals Sherief heeft ervaren. Er bestaat geen opvang voor mannelijke slachtoffers van eerwraak. Sherief moet steeds opnieuw een onderduikadres vinden en raakt intussen zijn vrienden, zijn baan en zijn gewone leven kwijt. Het boek laat ook zien hoe de politie steken laat vallen door niet tijdig in te grijpen, begrip op te brengen voor de situatie waarin de ouders van het meisje verkeren en zelfs voor familieleden die in feite een criminele daad aan het voorbereiden zijn – in dit geval achter Sherief aanzitten om hem te vermoorden – maar rechtvaardiging vinden door dat 'eerzuivering' te noemen.

De directe omgeving van de dader van eerwraak speelt een belangrijke rol bij de daadwerkelijke totstandkoming van een eerwraakactie, zoals ook uit Sheriefs verhaal blijkt. Maar deze omgeving wordt zelden tot nooit betrokken bij het strafproces, meestal omdat het openbaar ministerie inschat dat de kans op een veroordeling klein is. In *Turks goud* is te lezen hoe machteloos en alleen de slachtoffers staan. Er wordt niet ingegrepen, het slachtoffer moet maar naar een andere stad verhuizen en zelf zien hoe (en hoe lang) hij aan zijn moordenaars weet te ontkomen.

Dit boek zou door alle hulpverleners die te maken hebben met eergerelateerd geweld moeten worden gelezen, door iedere politieambtenaar, door iedereen die werkt in het onderwijs. Eigenlijk vind ik dat dit boek door iedereen gelezen moet worden die woont en werkt en leeft in Nederland. Want wéten dat dit in Nederland voorkomt en alert zijn op alle mogelijkheden die er zijn om dit te voorkomen en de nodige hulp te bieden is wel het minste wat we kunnen doen. Liefde overwint alles. In Nederland is dat kennelijk niet altijd het geval.

I

Ik was twintig en woonde bij mijn Nederlandse moeder en haar nieuwe man. Zij hadden twee dochters samen, mijn zusjes. Mijn biologische vader en mijn moeder zijn gescheiden toen ik nog erg jong was, maar daar heb ik nooit problemen mee gehad. Ik zag mijn biologische vader nog regelmatig en mijn contact met hem was goed. Ook hij was inmiddels hertrouwd. Met zijn nieuwe vrouw had hij vier dochters; nog eens vier zusjes voor mij. Al met al vormden we een grote familie.

Ook mijn vaders familie was groot, en zeer gerespecteerd. Mijn opa genoot veel aanzien. Hij had twee vrouwen en maar liefst achttien kinderen. Het merendeel van hen is net als mijn vader naar Europa getrokken. Zelf ben ik ondanks mijn achtergrond – half Nederlands en half Sudanees – gewoon Hollands opgevoed. Wel ben ik net als mijn vader moslim, dat wil zeggen; ik doe mijn best om volgens de islamitische wetten te leven. De Sudanese normen en waarden die ik van hem meekreeg, heb ik altijd in mijn achterhoofd gehouden, zelfs toen ik me een tijdlang als verwesterde moslim gedroeg.

Ik was twintig en had mijn leven al helemaal voor mezelf uitgestippeld. Een serieus type zou ik zijn, en zonder strafblad. Ik had al veel bekenden in het criminele circuit zien belanden en was vastberaden zelf op het rechte pad te blijven.

Na mijn eindexamen was ik tijdelijk fulltime in de horeca werkzaam. Ik nam mijn werk heel serieus. Met een liefhebbende familie om mij heen, of beter gezegd, met twee liefhebbende families om me heen, had ik alles wat mijn hartje begeerde. En dat straalde ik ook uit. Die tevredenheid maakte me populair. Bovendien was ik aantrekkelijk, met mijn lichtgetinte huidskleur en intelligente kop, met mijn vaste inkomen en dure wagen. Het enige waar ik nog naar verlangde was een liefhebbende echtgenote aan mijn zijde. Dus wachtte ik af, klaar om me te binden...

* * *

Daar stond ik dan, voor een publiek van ongeveer driehonderd koppen. Moslims van allerlei nationaliteiten tezamen in één moskee, dat bracht een enorm saamhorigheidsgevoel teweeg. De imam stond naast me en alle oren en ogen waren op mij gericht.

Mijn vader zag ik met tranen in zijn ogen op de eerste rij staan, zijn vrienden om zich heen. Ik voelde het zweet in mijn handpalmen. Voor mijn neus was een microfoon geplaatst, waarin ik begon te vertellen wie ik precies was en waarom ik voor dit publiek wilde staan.

'... en ik weet dat iedereen met een islamitische vader automatisch als een moslim door het leven gaat, maar ik sta nu voor u om dat nog eens te bestempelen. Niet speciaal tegenover jullie, maar tegenover Allah, de Barmhartige,' sprak ik plechtig door de microfoon.

Na mijn toespraak werd er luid gejuicht en geklapt. Ik wiste het zweet af dat op mijn voorhoofd parelde. Tientallen mensen toonden hun respect door naar voren te lopen en mijn hand te kussen. Ze waren erg onder de indruk van mijn toespraak. Aan de verblijde blik van de imam zag ik tot mijn grote geruststelling dat ook hij mijn woorden waardeerde.

Na deze gebeurtenis gingen we verder met bidden. Ik had plaatsgenomen naast mijn trotse vader en de imam was met een luide stem het gebed voorgegaan, waarna de massa fluisterend reciteerde.

★ ★ ★

Op een zonnige dag in de lente besloot ik in mijn spiksplinternieuwe, dikke BMW 325i cabrio een ritje te maken, met het dak open. Het was al laat in de ochtend en ik sprak af met een vriend van mij, Emre: 22 jaar, Turks, goed gekleed, grote haakneus en in elke stad een andere vriendin. Vandaag had hij een afspraak met een Koerdisch-Turkse meid en ik mocht mee. Ik haalde hem op bij het café van zijn vader in de stad. We reden direct richting haar school, waar hij met haar had afgesproken. Toen we arriveerden was ze net uit en liep richting de bushalte schuin tegenover het gebouw. Het was erg druk, alle scholieren kwamen op hetzelfde moment naar buiten, maar we zagen haar meteen lopen. Ook zij herkende ons moeiteloos aangezien we de kap helemaal open hadden en iedereen de auto in kon kijken. Ze liep een stukje door, tot aan een vrije parkeerplaats waar we de auto kwijt konden. Daar bleef ze staan. Ik parkeerde naast haar en bleef samen met Emre in de auto zitten. Ze kwam naast het portier staan, aan Emre's zijde, en stelde zich aan mij voor. Aselya was haar naam. Een moderne zeventienjarige meid, sexy gekleed en voortdurend met haar mobiel in de weer.

'Dus jij bent die mysterieuze vriend met die gouden tand over wie ik zo veel heb gehoord?' vroeg ze lachend.

Ik knikte. Met ingehouden adem keek ik haar aan. Ik schudde haar hand.

Doordat ze over Emre heen moest hangen om mij een hand te kunnen geven, trok haar witte topje strak en zag ik haar geweldige lichaam. Over het topje droeg ze een zwarte leren jas, die open stond. Bij het vooroverbuigen werd een stukje van haar borsten ontbloot.

Ik keek haar in de ogen en zag meteen dat ze me zag zitten. Haar blik sprak boekdelen.

Ze begon met Emre over allerlei onderwerpen te praten, ik luisterde niet. Het enige wat ik wilde was oogcontact met deze Turkse schone. Mijn ogen hadden geen rust meer. En ik had het idee dat zij hetzelfde probeerde. Ze leek af en toe van de conversatie af te dwalen en keek me dan recht in de ogen. Die ogen. Die lippen. Die tanden. Die lach.

Na vijf minuten onderbrak ik het gesprek en nam het van Emre over. Ze glimlachte en leek opgelucht dat Emre eindelijk zijn mond hield.

'Aselya is een stad op het eiland Cyprus,' vertelde ik haar.

Ze knikte. 'Dat weet ik,' zei ze met een glimlach.

'Ben je daar naar vernoemd?' vroeg ik haar.

Ze schudde haar hoofd.

Na een halfuur besloten Emre en ik weer te gaan. Aselya liep verder richting bushalte. Emre zette ik weer af bij het café van zijn vader. Onderweg waarschuwde hij me om niet verliefd te worden op dit meisje.

'Ze is geen maagd meer. Ik heb haar zelf ook gehad,' liet hij me weten.

Het feit dat ze geen maagd meer was kon me niks schelen, dat was ik zelf bepaald ook niet meer, maar dat Emre met haar naar bed was geweest, was een zware domper. Toch bleef deze schone onderweg naar huis constant door mijn hoofd spelen.

Vóór deze eerste ontmoeting had ik al veel over haar gehoord. De Turkse gemeenschap is klein en mijn Turkse vrienden hadden haar regelmatig aan de telefoon. Nadat ik haar naam een paar keer had horen vallen was ik nieuwsgierig vragen gaan stellen, en mijn vrienden vroegen wel eens of ik haar wilde spreken. Mijn antwoord was altijd nee, ik wilde haar pas aan de telefoon hebben nadat ik haar in levende lijve ontmoet zou hebben. En nu was het dan zo ver, en het was alsof ze me betoverd had.

Aselya bleek zoals ik had aangevoeld inderdaad eveneens zeer onder de indruk van mij. Ze startte een onderzoek. Wie was ik? Waar woonde en werkte ik? Was ik een goed mens? Ze ging al haar vriendinnen af voor informatie en kwam zo het een en ander over mij te weten.

Ik probeerde ook zo veel mogelijk over haar te weten te komen, maar dat bleek moeilijker dan ik dacht. Ik moest erg uitkijken wie ik om informatie vroeg want het was allerminst de bedoeling dat Aselya's familie achter mijn overmatige belangstelling voor haar zou komen. Daarom besloot ik na ruim een week om maar niet langer over haar te mijmeren en gewoon af te wachten tot ik haar weer eens zou zien.

* * *

Enkele weken later had Selçuk zijn meisje meegenomen naar mijn huis. Selçuk was een 21-jarige Turkse jongen, goed gekleed, met kort haar en erg bleek van huidskleur. Ik beschouwde hem als een van mijn beste vrienden.

Zijn vriendin heette Ayşe en was een achttienjarige Turkse. Ze had donkere ogen, lange zwarte haren en grote borsten. Hij had haar kort geleden op het besnijdingsfeest van zijn neefje leren kennen. Ze was niet echt zijn vriendin, eerder zijn neukertje. Hij gaf niets om haar maar was zeer geïnteresseerd in haar vrouwelijke vormen.

We zaten met z'n drieën boven op mijn zolderkamer. Selçuk en ik naast elkaar op de bank, zij tegenover ons. Er was een intensief gesprek tussen hen aan de gang, maar ik verstond er niets van aangezien het in het Turks was.

Het hield op toen ze op zijn schoot ging zitten. Hij kuste haar. Terwijl ze met hem zoende, keek ze mij aan. Ik zag aan haar dat ze opgewonden was en haar zinnen op mij had gezet. Terwijl ze nog op zijn schoot zat begon ze ook mij te kussen. Ik was totaal verrast en wist niet wat er gebeurde. Wat een slet! Maar het boeide me niet. Ik keek mijn vriend aan, terwijl haar tong in mijn mond dwaalde. Hij lachte.

Ze verplaatste zich naar mijn schoot en kuste me in de nek. Nu werden we allebei gretig. Mijn handen kropen onder haar blouse naar haar borsten. Selçuk, die zich nu overbodig voelde, verliet stilletjes de kamer en liet ons alleen.

Ayşe pakte me bij mijn arm en sleurde me het bed op. Ze wilde mij. Of ze wilde gewoon geneukt worden, ook dat boeide me niet. Ik knoopte haar spijkerbroek open en duwde deze naar beneden. Mijn handen gleden tussen haar benen. Ik vingerde haar tot ze vochtig genoeg was. Daarna trok ze me de kleren van het lijf en ging op haar knieën zitten. Ik kwam achter haar en duwde haar benen uit elkaar. Haar broek hing om haar knieën; geen tijd om dat allemaal uit te doen. Haast. Ik neukte haar zoals ze het in mijn ogen verdiende: hard en gevoelloos. Met stevige bewegingen gleed ik steeds opnieuw in haar. Vlak voordat ik kwam, trok ik me terug.

Ik stond meteen op en deed mijn trainingsbroek weer aan. Geen moment langer wilde ik naast haar liggen of bij haar in de buurt zijn. Mijn behoeften waren bevredigd en nu moest ik zo snel mogelijk van haar af.

Ik liep naar beneden en zag daar Selçuk in de woonkamer voor de tv zitten. Hij keek me aan en lachte. Hij wist voldoende. Met een enorme paal in zijn broek stond hij op en rende naar boven. Ik nam plaats op de sofa en staarde voor me uit. Wanneer zou deze onzin eindelijk eens ophouden?

Even later kwam Selçuk met een bevredigd gezicht weer naar beneden. Ayşe was nog boven.

'Je raadt nooit wat ze me net vertelde,' zei hij.

Ik keek hem nieuwsgierig aan. 'Wat?' vroeg ik ongeduldig.

'Zij is een goede vriendin van dat meisje dat jij zo leuk vindt,' gniffelde hij.

Ik kon er helemaal niet om lachen. Ik was geschrokken.

'Ze zitten bij elkaar op school en hebben hetzelfde stageadres,' vertelde hij verder.

'Kutzooi!' schreeuwde ik. Ik baalde als een stekker. Hij draaide zich om en snelde weer naar boven om Ayşe daar niet te lang te laten wachten.

Ik stond op en ging achter de computer zitten. Op mijn MSN zag ik dat iemand zich had toegevoegd aan mijn contactlijst, er stond iets in het Turks. Ik opende het venstertje en ontdekte dat er door deze persoon al iets gezegd was tijdens mijn afwezigheid.

'Hé! Ik ben het. Aselya. Ken je me nog? Van drie weken geleden...'

Ik wist niet hoe snel ik iets terug moest zeggen. 'Hoi. Natuurlijk ken ik je nog. Alles goed? Hoe ben je aan dit adres gekomen?'

Ze antwoordde direct. 'Gaat goed hoor. Het duurde even, maar nu heb ik je adres. Via connecties, hihi.'

Ik vertelde dat ik bezoek had en dat we de volgende keer wel verder zouden praten. Met haar wilde ik in alle rust een gesprek voeren, nu was niet het moment. Voordat ik afsloot gaf ze me haar telefoonnummer en vroeg ze of ik haar binnenkort wilde bellen.

★ ★ ★

Diezelfde week nog belde ik Aselya. Ze zei dat ze me een betere middag kon bezorgen dan haar vriendin Ayşe. Ik wist niet wat ik daarop moest zeggen. Blijkbaar was ze erachter gekomen. Maar aan haar toon te horen leek het haar verder niet te boeien, dus ging ik er niet op in.

'Wat heb je in gedachten dan?' vroeg ik.

'Dat zie je dan wel,' antwoordde ze uitdagend.

'Wanneer heb je tijd voor me?' vroeg ik gelijk.

Ze vertelde me dat ze het deze week nog erg druk had met school, maar dat ze volgende week zeker zou kunnen.

Achteraf besloot ik om onze afspraak uit te stellen. Ik vond haar zo bijzonder dat ik haar eerst beter wilde leren kennen. Alleen bellen, spraken we af, voor nu dan. Dat gaf een spannende dimensie aan onze relatie.

Zo begonnen onze regelmatige telefoongesprekken, waarin ik haar onder andere alles vertelde over mijn Koerdisch-Turkse ex-vriendin, Dilara, en over hoe moeilijk haar familie het mij gemaakt had toen ze erachter waren gekomen dat ze met mij omging. Dat Dilara absoluut niet mocht trouwen met een niet-Turkse jongen als ik. Ik maakte Aselya duidelijk dat ik als de dood was dat de angstaanjagende gebeurtenissen van toen zich zouden herhalen.

'Maak je niet druk. Mijn familie is niet zo. Ik mag zelf kiezen met wie ik trouw,' stelde ze me vol vertrouwen gerust.

★ ★ ★

Het was een doordeweekse dag en ik was aan het werk. Al vijf jaar was ik werkzaam in het enorme restaurant van de grootste sauna van Nederland, dat was opgesplitst in een Japanse en een Franse eetruimte. Ik was hier parttime begonnen toen ik nog studeerde en daarna werd ik fulltimer en promoveerde ik tot de leidinggevende functie van tweede hoofd horeca. Het was vandaag erg druk maar de stemming op het werk was feestelijk, omdat de baas na een hele tijd te hebben gezeten net vrij was gekomen uit de gevangenis.

Toen ik vond dat het tijd was voor een korte pauze ging ik even in het kantoor zitten om wat te rusten. Ik nam plaats achter het bureau waar ik normaal de bestellingen doorfaxte en stak een sigaret op. Van hier uit kon ik mijn collega's in de keuken aan het werk zien. Ik pakte mijn telefoon en ging het lijstje met nummers af. Haar naam kwam voorbij.

Zou ik bellen of niet? Twee maanden waren er inmiddels verstreken nadat ik haar had ontmoet. Ik was tot over mijn oren verliefd geworden door onze intieme gesprekken aan de telefoon. Nachtenlang bleven we op om met elkaar te praten, inmiddels wist ik alles over haar en vice versa.

Ja, besloot ik. Ze nam gelijk op.

'Waarom heb je niet eerder gebeld?' was het eerste wat ze vroeg.

Ik legde uit dat ik het druk had gehad op mijn werk.

'Maakt niet uit, lekker ding,' zei ze. 'Zullen we deze week afspreken of heb je het nog steeds zo druk?'

'Ik heb deze week wel tijd om af te spreken. Ik wil je echt graag zo snel mogelijk zien. Maar ik ben nu aan het werk meid, dus ik kan niet te lang aan de telefoon blijven. Kan je morgen?' Ik gluurde even de keuken in. Koks renden heen en weer.

'Morgen kan ik wel. Dan moet je mij van school ophalen. Goed? Kunnen we van daar uit naar jouw huis gaan, of waar je maar naartoe wilt.'

'Oké. Ik haal je om twaalf uur op. Bij de poort van je school.'

'Prima. Tot morgen.'

'Tot morgen.'

Mijn sigaret was inmiddels op en ik was eigenlijk al veel te lang weggebleven voor tijdens het spitsuur. Snel ging ik terug naar de werkvloer, waar ik meteen op Léon afliep, mijn beste maatje op het werk. Een 26-jarige krullenbol die het leven als één groot feest zag en bij wie ik altijd alles kwijt kon. Ik vertelde hem over mijn afspraakje morgen; ik hield hem altijd op de hoogte van mijn dates. Hij waarschuwde me dat het niet verstandig was om met Turkse meisjes af te spreken, zeker na mijn ervaringen met Dilara. Volhardend vertelde ik hem dat ik haar erg leuk vond en haar per se moest zien.

'En ze heeft me zelf verteld dat zij niet met een Turk hoeft te trouwen van haar familie, dat ze haar eigen huwelijkspartner mag kiezen. Dus voor zoiets als met Dilara hoeven we niet bang te zijn,' zei ik terwijl ik hem strak aankeek.

Hij keek verbaasd terug. 'Dat kan ik haast niet geloven. Waarschijnlijk zei ze dat alleen om je niet af te schrikken.'

Ik keek bedenkelijk en wendde me toen af om ons twee spatjes Bacardi-cola in te schenken.

'Ik wil er niet meer over praten,' zei ik koppig en goot de inhoud van het glas in één keer achterover.

Léon haalde zijn schouders op en deed hetzelfde.

$$\star \star \star$$

De volgende dag besteedde ik extra veel tijd aan mijn uiterlijk. Toen ik klaar was ging ik ter beoordeling voor de spiegel staan. Ik droeg een nette blauwe pantalon met een mooi overhemd erboven. Het overhemd had ik zelf gestreken, terwijl ik dat normaal gesproken mijn moeder liet doen omdat ik er een bloedhekel aan had. Mijn lange haren zaten goed in model en mijn ringbaardje was netjes bijgewerkt. Zelfs mijn vingernagels had ik van tevoren geknipt en mijn oksels waren geschoren. Ja, ik zag er goed uit en ik was er helemaal klaar voor.

In mijn auto reed ik richting haar school. Mijn horloge hield ik constant in de gaten. Het was net twaalf uur geweest, ik was iets te laat.

Inderdaad stond Aselya al op me te wachten. Ik parkeerde langs de weg en liet haar instappen. Toen ze naast me zat keek ik haar aan en begon vanzelf te glimlachen.

'Wat is er?' vroeg ze.

'Niks. Ik ben gewoon blij dat je nu eindelijk naast me zit.' Ik inspecteerde haar kledingdracht zorgvuldig en stelde tevreden vast dat ook zij haar best had gedaan.

Terug bij mijn huis parkeerde ik de auto precies voor de deur. Door het raam zagen we mijn moeder al, die in de huiskamer geconcentreerd een boek zat te lezen.

'Dit is nou Aselya,' riep ik terwijl die op haar afliep om haar een hand te geven.

'Aangenaam,' zei mijn moeder.

'Kom. We gaan naar boven,' fluisterde ik snel in Aselya's oor.

Ze volgde me gewillig de huiskamer uit en ik pakte haar jas aan om die over de kapstok te gooien. We liepen de trappen op, naar mijn kamer. Daar gingen we op de sofa zitten, zij tegenover mij. Ze begon over haar schooldag te vertellen, totdat tijdens het gesprek dat volgde een pasfotootje haar aandacht trok. Ze pakte het van de plank om het beter te kunnen bestuderen.

'Dus dit is Dilara?' vroeg ze toen.

'Ja,' antwoordde ik een beetje ongemakkelijk.

Ze glimlachte. 'Echt lief van je, dat je die nog hebt,' zei ze. Ze zette het lijstje terug.

Ik stak een sigaret voor haar op en vervolgens een voor mezelf. Intussen zette ik heel zachtjes muziek op: LL Cool J – I need love. Ik keek in haar richting en liet rook uit mijn mond kringelen.

Ze zocht oogcontact en ik wist niet goed wat ik moest doen. Dus stak ik er na mijn sigaret gelijk nog één op, maar voordat ik het wist zei ik: 'Na deze sigaret ben je van mij.' Ik kon niet geloven dat dit uit mijn mond kwam. Zo brutaal. Maar het werkte.

Aselya keek me verlekkerd aan en begon te glimlachen. 'Ik ben benieuwd,' zei ze.

Zich verheugend op mijn belofte kwam ze naast me zitten,

waarop ik mijn halve sigaret meteen uitdrukte in de asbak. Ik had er genoeg van. Ik wilde haar. Nu. Met beide handen pakte ik voorzichtig haar hoofd vast en kuste haar vol passie op haar mond. Ik overviel haar, maar voelde haar handen al meteen over mijn hele lichaam glijden. We hadden dezelfde verlangens en zochten al snel automatisch het bed op. Ze kleedde me uit en ontdeed zichzelf vervolgens nonchalant van haar eigen kleren. Bij het zien van haar prachtige lichaam ontsnapte er een diepe zucht van verlangen aan mijn lippen. Haar vingers liet ze verleidelijk de plooiingen van haar huid volgen. Mijn zichtbaar groeiende opwinding moedigde haar aan.

Ze had zich reeds op het zachte, met tijgerprint bedekte bed neergevlijd en keek me begerig aan. Haar ogen zeiden genoeg. Ze wilde genomen worden. En ik wilde haar niet langer laten wachten. Ik dook het bed in. Zij trok de deken over ons heen en verdween met haar hoofd onder de deken. Ze hield het er lang uit. Toen haar hoofd weer boven het dekbed verscheen ging ik naast haar liggen en liet mijn vingers in haar opening glijden. Ik voelde de nattigheid. Pas toen haar hele lichaam trilde van genot ging ik in haar. Zonder condoom. Op het moment dat ik bij haar binnenkwam, hoorde ik haar gekreun in mijn oor. Het wond me nog meer op. Stevig nam ik haar. Ga door, seinde ze met haar ogen, ga door. Ze schreeuwde het uit. Al snel volgde mijn orgasme.

Hierna sloeg ik mijn armen liefkozend om haar heen.

'Dat was geweldig,' zei ze terwijl ze lag na te zweven in bed.

Dat kon ik beamen, het wás geweldig. Ik glimlachte naar haar, knikte en haalde twee sigaretten tevoorschijn. Naakt naast elkaar nagenietend rookten we.

'Jij bent van mij!' zei ze tussen twee trekjes door.

Ik keek haar doordringend aan en vroeg of ze wel zeker wist

dat ze dit wilde. Ze moest er echt honderd procent achter staan.

'Ik ben nu van jou. Tot aan mijn dood, schat,' zei ze.

Ik was blij. 'Jij wordt mijn vrouw! Je weet wat ik eerder aan de telefoon heb gezegd. Ik wil met jou trouwen,' zei ik haar.

'Ik zou niets liever willen, lekker ding.'

Ik keek haar recht in de ogen en een warme golf overspoelde mijn lichaam. Het voelde zo goed. Ze had me echt betoverd. En ik haar.

We hadden nog veel te bespreken. Pas na een uur stonden we op en gingen naar beneden. Ik schonk ons wat te drinken in en we gingen nog even in de tuin zitten. Toen Aselya aan het einde van de middag besloot dat het tijd was om naar huis te gaan, liep ik met haar mee naar de voordeur. We spraken af om elkaar die avond voor het slapengaan nog even te bellen. Ik kuste haar gedag en bleef als bevroren bij de deuropening staan totdat ze uit zicht was. Ik was aan het dagdromen. Eindelijk was ik weer zó verliefd. En het voelde geweldig. Na Dilara was ik bang geweest dat het me nooit meer zou overkomen, maar het tegendeel had zich nu bewezen.

2

*I*k was achttien en had net mijn scooter verkocht. Een auto wilde ik nog niet. Die zou ik pas kopen als ik me een mooie cabriolet kon veroorloven. Pas dan en niet eerder. Eigenwijs? Misschien wel.

Dit jaar zou ik eindexamen havo doen. Het ging me gemakkelijk af doordat ik eerst vier jaar vwo had gevolgd. Op mijn sloffen kwam ik het schooljaar door.

Het uitgaansleven had ik inmiddels wel gezien. Voor mijn gevoel was ik overal zo'n beetje geweest en nu wilde ik langzaam gaan bouwen aan een gesetteld leven. Nog niet per se meteen trouwen, maar snel verloven wilde ik me wel. Mijn vrienden lachten me uit, die moesten daar nog niet aan denken. Blijkbaar was ik anders.

★ ★ ★

We zaten boven op mijn zolderkamer, Nabil en ik. Nabil was als een broer voor me. Een zeventienjarige Marokkaanse jongen met typisch kort opgeschoren haar en een babyface die het hem gemakkelijk maakte om vrouwen te versieren. Deze zaterdagavond hadden we geen zin om uit te gaan en keken we televisie.

Mijn telefoon ging. Ik keek naar het venstertje en zag 'Anissa' staan. Terwijl ik snel naar beneden liep nam ik op. Nabil was geconcentreerd met de playstation in de weer.

'Hé meid. Waarom bel je me nu? Je broer zit boven!'

Ze lachte en zei: 'Ik miste je stem, schat. Ik moest je even spreken, dan kan ik lekkerder slapen.'

'We moeten hiermee stoppen, Anissa! Dit kan niet langer zo. Jouw broer is mijn vriend en dit voelt niet goed. We kunnen elkaar maar beter niet meer zien.'

Zodra ik was uitgesproken hing ze op, zonder nog iets te zeggen. Haar telefoon had ze uitgezet, bleek toen ik haar probeerde terug te bellen. Ik ging weer naar boven.

'Wie was dat aan de telefoon? Een wijf?' vroeg Nabil.

Ik lachte en zei: 'Het was Kaoutar, die klasgenote van mij. Ze belt me af en toe.'

Nabil glimlachte.

De dagen die volgden probeerde ik tevergeefs met Anissa in contact te komen. Haar mobiel stond voortdurend uit en als ik bij Nabil thuis was, ontweek ze me door op haar kamer te blijven. Omdat ik haar toch graag wat wilde zeggen, besloot ik haar een brief te schrijven, waarin ik vertelde dat ik graag met haar door zou willen gaan maar alleen met de goedkeuring van haar broer. Ik wilde haar niet langer achter zijn rug om zien.

Ik vroeg Hanan mijn brief bij haar thuis af te geven. Hanan

was sinds we klein waren mijn beste vriendin. Een zeventienjarige spontane Marokkaanse meid, die af en toe erg brutaal
uit de hoek kon komen. Met haar grote mond deed ze het
voorkomen alsof het haar aan niets ontbrak, maar de werkelijkheid was anders. Ze had erg veel problemen thuis.

Ze vond mijn verzoek geen probleem, was een vriendin van
Anissa en kende de familie goed, dus nog diezelfde dag bracht
ze de brief langs. Toen Anissa niet thuis bleek te zijn gaf Hanan de brief af aan haar moeder, die deze opende voordat haar
dochter daar de kans toe kreeg. Wat ze las maakte haar woedend en meteen riep ze haar zoon erbij. Ook hij ontplofte.
Toen Anissa nietsvermoedend thuiskwam van school lazen
haar moeder en haar broer de brief voor en vroegen haar wat
dit te betekenen had. Ze begon te huilen en zei dat ze helemaal
geen relatie met mij had gehad, dat ik achter haar aanzat maar
dat zij niets van me wilde weten. Op deze manier redde ze haar
eigen hachje en zou ze door haar familie verder met rust gelaten worden.

Haar broer pakte zijn scooter en reed naar mijn school. Ik
was buiten op het schoolplein, hij liep naar me toe en zei me
dat ik hem zwaar teleurgesteld had.

'Jij was de enige die ik kon vertrouwen,' zei hij met pijn in zijn
ogen. Hij verkondigde dat hij alles wist over zijn zus en mij.

Ik vroeg hem of hij mijn verhaal wilde horen, maar hij keerde me de rug toe. Zonder dat ik de kans kreeg iets te zeggen
was hij al op zijn scooter gestapt en weggereden. Met open
mond liet hij me achter.

Door dit pijnlijke voorval op het schoolplein moest ik denken
aan wat zich daar een jaar geleden had afgespeeld tussen mij
en Farah. Op een zonnige dag had ik er zitten wachten op mijn

vriendin. Erg op mijn gemak was ik niet, want ik had haar iets te zeggen waarvan ik niet zo goed wist hoe ik het moest brengen. Ik was al een aantal maanden met haar samen en merkte dat ze echt van me hield. Dat trok me aan, maar een beetje beklemmend was het ook: zij praatte aan een stuk door over trouwen. Iedere keer dat ze het opbracht schrok ik ervan. Ik was nog maar net zeventien en niet klaar voor zo'n grote stap. Zij wilde dat ik haar moeder binnenkort zou ontmoeten zodat we ons huwelijk rustig konden aankondigen. Ik voelde me zo in een hoek gedreven dat ik niet wist wat ik anders kon doen dan een punt achter deze relatie te zetten.

Ik had net een nieuwe sigaret opgestoken toen ze het schoolplein op kwam lopen. Ze keek me lachend aan. De zon straalde in haar gezicht en deed haar getinte huid goed uitkomen; ze zag er prachtig uit. Haar haren krulden mooi en het was te zien dat ze veel aandacht aan zichzelf had besteed, al was haar kleding nonchalant: een zomers jurkje met slippers eronder.

Toen ze bij me was kuste ze me op de mond en kwam naast me zitten op het houten bankje.

'Hé schat. Ik heb je gemist. Weet je al wanneer je bij mij thuis kan komen om kennis te maken met mijn moeder?'

'Farah, luister. Je weet dat ik echt gek op je ben. Maar ik ben er gewoon nog niet aan toe om om je hand te gaan vragen. Jij wilt nu meer dan ik je kan geven. Daarom vind ik dat we er een punt achter moeten zetten. Het spijt me,' antwoordde ik.

Haar grote donkere ogen keken mij droevig en geschrokken aan. Ze begon te huilen en ik wist niet waar ik moest kijken. Ik sloeg mijn arm om haar schouders en probeerde haar te troosten.

'Jij bent zo speciaal voor me. Ik kan gewoon niet zonder jou verder. Eindelijk een niet-Marokkaanse jongen die mijn ouders zouden goedkeuren en van wie ik ontzettend veel hou,' snikte ze.

Ik keek in haar ogen, die vol tranen stonden. 'Het spijt me echt dat ik je dit aandoe. Maar je vindt zeker nog een veel leukere jongen dan ik. Een die jou kan geven wat jij wilt,' zei ik.

'Denk je echt?' snikte ze.

Ik knikte.

Na deze woorden kuste ze mij een laatste keer op mijn mond en stond op. Ze draaide zich om en liep bedremmeld het schoolplein af, mij eenzaam op het bankje achterlatend.

Ik keek om me heen en voelde me ontzettend schuldig. Terwijl ik me afvroeg of ik hier wel goed aan had gedaan stak ik nog een sigaret op. Ik hield voet bij stuk. Ik was gewoon nog niet klaar voor dit alles, dus ook al zou ik spijt krijgen van deze beslissing, iets anders had ik niet kunnen doen.

Ondanks dat Anissa haar familie een leugen over haar en mij had verteld, besloot ik het hierbij te laten. Nabil wilde niet naar mijn verhaal luisteren en stelde me daarmee diep teleur. Dit betekende het einde van onze vriendschap; ik hoefde hem niet meer te zien.

★ ★ ★

Het was een doordeweekse dag. Ik was net wakker en stond me op mijn slaapkamer aan te kleden – een felblauwe Versace-broek met een zwart truitje erboven – toen de deurbel ging. Ik riep naar beneden dat ik wel open zou doen, aangezien mijn moeder op haar kantoortje achter de laptop zat en ik niet wilde dat ze gestoord zou worden. Bij de deur zag ik Hanan met een brede grijns op haar gezicht op de stoep staan en achter haar een meisje dat ik nog niet eerder gezien had. Ook nu kon ik haar niet goed zien, omdat Hanan zich precies voor haar had geplaatst. Ondertussen keek ze me lachend aan en zei ze dat ze iemand mee had genomen met wie ik volgens haar zeer zeker kennis moest maken. Ik was erg nieuwsgierig en toen ze eindelijk opzij stapte kreeg ik goed zicht op een prachtige Turkse, die ik recht in de ogen keek en die al even recht in de mijne keek. Twee blikken, één gedachte, ging door mijn hoofd toen ze even naar me lachte. Ik vroeg ze binnen te komen.

Hanan keek haar vriendin aan en die knikte. Mijn jeugdvriendin liep gelijk langs me heen naar binnen en gooide haar jas over de kapstok alsof ze thuis was. Haar vriendin liep haar voorzichtig achterna. Bij de deuropening bleef ze staan en gaf mij een hand.

'Ik heet Dilara,' zei ze verlegen. Ze keek me aan. Haar blik doorboorde de mijne.

'Aangenaam,' antwoordde ik. Het liefst wilde ik haar hand niet meer loslaten, hij voelde erg zacht aan. Ook bleef ik maar in haar fascinerende lichtgroene ogen kijken. Terwijl ik daarin verdronk zag ik een glimlach verschijnen om haar sensuele lippen. Een meid met een enorm charisma. Wow. *Ik moet haar hebben. Hebben!* Ik was helemaal in de ban van deze wonderschone meid, met haar lange zwarte haren en puntgave gezichtje. De zeventien lentes jonge Dilara: puur en ongeschonden. Verleidelijk mooi.

Hanan was inmiddels naar boven gelopen. Ik liep snel even de keuken in om drinken voor ons te pakken. Dilara wachtte op mij bij de trap. Samen gingen we naar boven.

Toen mijn moeder stemmen in de gang hoorde, opende ze haar deur. Dilara keek haar even geschrokken aan en stelde zich toen netjes voor. Trots keek ik mijn moeder aan en vervolgens trok ik haar deur weer dicht, zodat ze geen opmerkingen kon maken.

In mijn kamer troffen we Hanan aan op de bank. Voordat Dilara ook ging zitten keek ze goed rond om mijn interieur te bewonderen. Aan de linkerkant van de deur had ik een zithoek gemaakt met twee bankstellen, beide bekleed met tijgerprintstof. Aan de muur hing een projector die gericht was op een enorm staand projectiescherm: mijn eigen thuisbioscoop. Aan de rechterkant van de deur lag mijn grote tweepersoonsmatras op de grond, zonder bed eronder. Het dekbedovertrek had dezelfde tijgerprint als de bankstellen. In een hoek van de kamer stond mijn bureau met computer en verderop tegen de muur een zwarte kledingkast.

Dilara's ogen waren vooral gericht op de vele Arabische kunstwerken aan de muur. Ze complimenteerde me met mijn smaak. Ik zette glazen op het tafeltje neer en ging naast haar zitten. Hanan vertelde dat ze Dilara tegenkwam toen ze op weg was naar school, en dat ze samen hadden besloten vandaag niet te gaan. Ik wilde weten hoe ze elkaar hadden leren kennen en Hanan vertelde dat ze haar drie weken eerder had ontmoet in de stad, bij een telefooncel. Dilara was aan het bellen geweest terwijl Hanan wachtte tot de telefoon vrijkwam. Daarna waren ze aan de praat geraakt.

Ik voelde me helemaal verliefd terwijl Dilara daar naast mij zat. Het was de eerste keer dat ik een Turkse meid leuk vond. Ze was werkelijk bloedmooi. Haar woorden en gebaren straalden bovendien een heerlijke tederheid uit. Ik probeerde een gesprek op gang te brengen door haar een aantal persoonlijke vragen te stellen. Het liefst wilde ik alles over haar weten. Hanan hielp me op de momenten dat ik niets meer wist te zeggen. Een vrouw maakte mij niet snel onzeker, maar deze schoonheid bracht gevoelens teweeg die ik nooit eerder had gevoeld.

Op een gegeven moment vroeg Hanan mij om met haar mee naar beneden te lopen zodat ze iets aan mijn moeder kon vragen. Dilara bleef op mijn kamer wachten met een glas cola in haar handen. Ze stak een sigaret op.

Beneden fluisterde Hanan me toe dat Dilara helemaal weg van me was. Dat had ze haar stiekem ingefluisterd. Ik vertelde dat ik dezelfde gevoelens voor haar had en vroeg wat ik moest doen, ik had advies van een vrouw nodig. Ze zei dat ik me niet druk hoefde te maken. Zij zou het allemaal wel even regelen. Op dat moment kreeg ik pas door dat ze helemaal niets aan mijn moeder hoefde te vragen, dat dat een smoes was geweest om mij onder vier ogen te kunnen spreken.

'Typisch,' zei ik lachend.

Hanan knikte en lachte terug.

We gingen weer naar boven. Dilara zat nog steeds op de sofa voor zich uit te turen. Ik had het gevoel dat ze zich niet echt op haar gemak voelde, de eerste keer bij iemand thuis en dan gelijk op de slaapkamer. Maar dit was nou eenmaal de plek in huis waar ik mijn bezoek ontving.

Ik vroeg haar of ze een vriend had.

'Ja. Maar het gaat niet zo lekker tussen ons,' antwoordde ze ongemakkelijk. Ze wilde het al een tijdje uitmaken, maar had het uit medelijden nog niet gedaan, vertelde ze. Ze was al een halfjaar met hem en kende hem via haar zus, bij wie hij op school zat.

Ik werd stil en wist niet waar ik moest kijken. Ze was al bezet en daar baalde ik enorm van. Maar Dilara bleef me glimlachend aankijken. Ik besloot de dames even alleen te laten en zei dat ik naar het toilet moest. Nog voordat ik de kamer had verlaten, hoorde ik gegiechel achter me.

Toen ik terugkwam zag ik Hanan met een brede glimlach op de bank zitten. Ik merkte dat ze oogcontact zocht om me in gebarentaal iets duidelijk te kunnen maken, maar deed mijn best haar niet aan te kijken omdat ik anders in de lach zou schieten vanwege haar ondeugende gezichtsuitdrukkingen.

Twee uur later besloten ze dat het tijd was om te gaan. We stonden op en verlieten de kamer. Ik liet Dilara voorop gaan, zodat ik stiekem achter haar rug met Hanan kon smoezelen over wat er nou gezegd was toen ik naar de wc was. Glimlachend keek Dilara over haar schouder naar achteren, alsof ze wist dat we het over haar hadden.

Bij de deuropening zei ik dat ik haar graag snel nog eens zou willen zien.

'Zeker!' antwoordde ze, nog altijd glimmend.

Ik zwaaide hen uit en sloot de deur. Daarna liep ik meteen naar de keuken, waar mijn moeder bezig was met het avondeten, en vertelde haar hoezeer ik van Dilara onder de indruk was.

'Dit is 'r!' overtuigde ik haar.

Mijn moeder zei dat het inderdaad een prachtige meid was om te zien. Nieuwsgierig vroeg ze naar haar afkomst.

'Een Turkse,' zei ik. 'Koerdisch-Turks.'

Ze herhaalde dat ze haar een prachtige meid vond.

Ik haastte me naar de douche om me klaar te maken voor werk. School had ik vandaag gemist, maar dat maakte niet veel uit; het eindexamenjaar was toch grotendeels zelfstudie. In mijn werkkleren ging ik de deur uit, ik zou daar wel even snel iets eten. Ik ging altijd lopend naar mijn werk via een vaste route die maar vijftien minuten duurde. Op die manier deed ik tenminste nog iets aan mijn conditie.

Eenmaal aangekomen ging ik meteen naar Léon. In geuren en kleuren vertelde ik hem over Dilara. Hij merkte dat ik wel erg enthousiast was over deze meid.

'Ben je verliefd?' vroeg hij plagend.

Ik haalde mijn schouders op. 'Ik weet het niet. Geloof jij in liefde op het eerste gezicht?' vroeg ik hem.

Léon lachte en gaf geen antwoord. Hij vertelde dat die lekkere Iraanse ex van mij vanmiddag in de sauna was geweest. 'Ze ging alleen even onder de zonnebank,' vertelde hij me. 'Ik had graag haar naakte superlichaam willen zien. Klootzak! Ik ben jaloers op je,' zei hij.

Ik schonk ons twee spatjes in.

Die ex waarover hij vertelde, Sanaz, had ik leren kennen via een vriend van me. Het was zijn buurmeisje. Een haast hoerig uitziende achttienjarige Iraanse meid met een lichaam om U tegen te zeggen. Ze had uiterst sierlijke rondingen.

Mijn omgang met haar mondde na enkele weken uit in een ordinaire seksrelatie. Ze stond erop dat we een *ménage à trois* zouden doen met haar nicht. Zo kreeg ik door dat ze eigenlijk niet zozeer om mij iets gaf, maar er eerder op uit was een seksuele fantasie van haar werkelijkheid te doen worden waarvoor ze mij nodig had. Ik stemde toe, nadat we waren overeengekomen dat ik haar dagelijks zou nemen. Een win-winsituatie.

Ik zei Léon dat ik voor Dilara echt zou willen gaan. Alleen al met haar verschijning voor mijn deur had ze me gek gemaakt. Ik maakte hem duidelijk dat ik genoeg had gefeest en dat ik nu iemand wilde met wie ik kon gaan settelen.

★ ★ ★

Een paar dagen later kwamen Hanan en Dilara weer bij me langs. Die dag had ik geen school. Ik wist van tevoren dat ze zouden komen, dus was ik 's ochtends naar het winkelcentrum gegaan om een rode roos te kopen. Daar zou ik Dilara mee verrassen.

Hanan bracht haar vriendin bij mij en ging vervolgens zelf even de stad in zodat we alleen konden zijn. We zaten bij mij boven op de sofa. Er stond een rustig nummer op: Keith Sweat – *Twisted*. Ze vertelde me dat ze het van de week had uitgemaakt met haar Turkse vriend en maakte via een omweg duidelijk dat ze met mij verder wilde. Ondertussen bleven haar wonderschone ogen me maar aankijken. Mijn vreugde was enorm. Nu is ze van mij! schoot het door mijn hoofd. Ik liep naar mijn bureau, waaronder ik de roos had klaargelegd. Met de bloem in mijn handen liep ik langzaam naar haar toe.

'Deze is voor jou,' zei ik nerveus.

Ze keek me glimlachend aan en zei heel zachtjes: 'Dank je wel. Dat is echt lief van je.' Haar stem was zo lieflijk. Zo onschuldig. Zo verlegen.

Ik keek haar diep in de ogen en voorzichtig kwam ik dichterbij. Ik kuste haar op de mond. Zonder enige terughoudendheid kuste ze me terug en hield me stevig vast. Onze eerste kus. Passioneel. Teder. Perfect. Alles in mij hunkerde naar haar, naar altijd samenzijn.

Snel ging ik beneden wat te drinken pakken. Ondertussen bleef zij wachten. Ze stak een peuk op. Ik kwam binnenlopen, nam een teug uit mijn glas en zette de twee glazen vervolgens op het lage salontafeltje voor ons. Intussen had Dilara ook een sigaret voor mij opgestoken.

Na anderhalf uur kwam Hanan naar boven gestormd. Mijn moeder had de voordeur voor haar opengedaan. Ze viel de kamer binnen en zag ons daar hand in hand op de bank zitten. Ze glimlachte. Haar missie was geslaagd.

Even kwam ze erbij zitten, maar al snel besloten de dames om naar huis te gaan. Hanan liep als eerste naar beneden, Dilara rekte wat tijd door haar spullen langzaam bij elkaar te zoeken zodat we nog even tijd zouden hebben voor een innige omhelzing.

'Je mag altijd langskomen. Ook zonder Hanan!' fluisterde ik haar toe terwijl ze me stevig vasthield.

Ze lachte en schreef nog snel haar mobiele nummer op een papiertje dat ze van mijn bureau griste. Ook mijn nummer werd genoteerd.

We liepen naar beneden, waar Hanan op ons stond te wachten. Ik zwaaide ze uit. Toen ik weer op mijn kamer kwam, zag ik de roos liggen. Ze was hem vergeten.

3

O p de dag dat ik mijn 21e verjaardag vierde en dus officieel volwassen werd, kreeg ik rond het middaguur bezoek van een aantal vrienden. Na met hen een fles Bacardi te hebben leeggedronken – het was immers feest – voelde ik me tamelijk ontspannen. Ze waren net de deur uit en het was nog vroeg in de middag toen ik de deurbel opnieuw hoorde gaan. Ik deed open. Het waren Aselya, haar zusje Hatice en haar neef Gökhan. Haar zusje was een schattig meisje van elf met lange, donkere haren en kastanjebruine ogen. Haar zestienjarige neef was erg lang voor zijn leeftijd, een stuk groter dan ik, en had kortgeknipt haar.

Ik keek Aselya verbaasd aan vanwege het gezelschap dat ze had meegenomen. Ik vond het geweldig dat ze familie meenam naar mijn verjaardag, maar had het alleen totaal niet verwacht.

Ze liep naar binnen en werd gevolgd door haar zusje en neef. Ze stelde ons fatsoenlijk aan elkaar voor. Hatice en Gökhan feliciteerden me met mijn verjaardag; ik zei dat ik het heel bijzonder vond om haar familie te ontmoeten en dat ze meer dan welkom waren in mijn huis.

Gezamenlijk gingen we naar boven. Ik schonk eerst wat limonade voor mijn gasten in en ging vervolgens bij hen zitten. Aselya keek haar neef en zusje koket aan en zei: 'Dit wordt nou mijn man.'

'Insh'Allah,'* zei Gökhan, 'Ik hoop het echt. Ik wens jullie het allerbeste samen.'

Hatice begon te grinniken toen ze zag dat haar zus mij zoende.

Gökhan begon een gesprek over mijn BMW, die hij voor de deur had zien staan. 'Prachtige wagen man, daar wil ik wel een keer in rijden,' zei hij.

Ik lachte. 'We maken binnenkort wel een rondje samen,' antwoordde ik.

Zijn gezicht begon te stralen.

Ik kwam op het idee om mijn zusjes van beneden te halen zodat ze Hatice gezelschap konden houden. Ik nam gelijk hun konijn mee. Hatice was helemaal verkocht toen ze het beestje in haar armen kreeg.

Na een muziekje te hebben opgezet ging ik weer zitten. Echte dansers waren we geen van allen; we bleven zitten praten en hadden de grootste lol samen. Het voelde alsof we één grote familie waren, verenigd door Aselya en mij. Het gaf me een wonderbaarlijk en goed gevoel.

Aan het einde van de middag moesten mijn gasten weer naar huis. Ik liet ze uit.

'Leuk om kennis met je gemaakt te hebben, volgens mij ben

* 'Als God het wil' (Arabisch)

jij wel een goede jongen voor mijn nicht,' zei Gökhan.

Ik glimlachte en gaf hem een hand.

Bij de deur keek Hatice haar grote zus aan en vroeg of ze hier nog een keer mocht komen spelen. Aselya lachte en zei: 'Je mag nog wel een keertje mee hoor, schat.'

Ik kuste Aselya en bedankte haar voor het bezoek.

★ ★ ★

Ik was nog aan het werk toen ik mijn mobiel in mijn broekzak voelde vibreren. Op het schermpje stond 'Aselya'. Snel wandelde ik naar achteren, waar ik rustig kon opnemen.

'Hé schat van me,' zei ze. 'Sevda, Ayşe en ik staan op jou te wachten. Ben je al klaar?'

'Bijna, lieverd. Geef me nog vijf minuten, dan zie ik je bij de receptie.'

Ik hing op. Vanuit mijn ooghoeken zag ik dat het keukenpersoneel me in de gaten hield. Ik liep door de keuken terug het restaurant in, direct naar Léon, en zei hem dat ik moest gaan, dat ze op me stonden te wachten bij de receptie.

'Nou, veel plezier dan, maatje. Ik zie je morgen wel weer,' zei hij.

Ik knikte en liep met grote passen naar de receptie. Daar zag ik het drietal al staan. Ik kuste mijn vriendin en groette de anderen. Het was de eerste keer dat ik Ayşe weer zag nadat we het met elkaar hadden gedaan, die middag bij mij thuis. Ik voelde me er wat ongemakkelijk bij, vooral omdat ze nu met Aselya meegekomen was. De zeventienjarige Sevda kende ik ook al. Zij was Aselya's beste vriendin maar een totaal ander type. Ze droeg bijvoorbeeld een hoofddoek, wat Aselya en Ayşe nooit zouden doen.

We liepen naar buiten de parkeerplaats op en stapten in de auto. Aselya kwam naast me zitten. Ik stak een peuk op, opende het dak en startte de wagen.

'Laten we een rondje langs het meer rijden, het is lekker zonnig weer,' stelde Aselya voor.

'Ja, maar ik moet wel over een uur thuis zijn,' zei Ayşe.

'Komt goed, Ayşe,' zei ik.

Ik zette de auto in zijn vijfde versnelling en de muziek op zijn hardst. De wind waaide door onze haren toen mijn wagen op de snelweg zijn racekwaliteiten bewees.

Bij het meer aangekomen parkeerde ik de wagen langs de kant. De muziek liet ik aanstaan. Het was een reusachtig meer met een stukje strand eromheen en meestal was het er erg druk. We vonden een rustig plekje op het gras en rookten een peuk. Ayşe was een stukje gaan lopen om rustig te kunnen telefoneren, Sevda vroeg me wanneer ik Mo weer eens meenam. Ik had al gelijk doorgehad dat ze hem wel zag zitten toen ze elkaar een keer bij mij thuis ontmoet hadden. Hij was een goede vriend van me, de twintigjarige Marokkaanse buurjongen van Sanaz, mijn Iraanse ex. Kort opgeschoren haar en een puisterig voorhoofd.

Ik lachte en keek Aselya aan. Haar prachtige donkere ogen keken dwars door me heen. Verliefd kuste ik haar en we belandden met onze hoofden in het gras. Toen ik weer opkeek maakte Sevda me nog eens duidelijk dat ik hem de volgende keer mee moest nemen.

'Jahaaaa,' zei ik lichtelijk geïrriteerd.

Na een klein uurtje stapten we de auto weer in en reden richting huis. Ik zette Sevda en Ayşe op de hoek van hun straat af en Aselya zou nog even met mij mee naar huis gaan. Daar lag op de deurmat een brief met 'Politie' erop. Enkele maanden geleden had ik bij de politie gesolliciteerd. Het was een zware sollicitatieprocedure geweest en ik was al een tijdje op de uitslag aan het wachten, dus ik was razend benieuwd. Met de brief in mijn handen en gevolgd door Aselya liep ik snel naar boven. Nadat ik rustig was gaan zitten en een sigaret had opgestoken, opende ik de brief. Het was mijn totale keuringsrapport. Ik begon hardop te lezen:

Deze jongeman komt in het onderzoek naar voren als een vriendelijk en hulpvaardig persoon. Hij heeft er behoefte aan door anderen gewaardeerd te worden en hij komt contactgericht en inlevend over. Hij reageert adequaat op zijn gesprekspartner en hij houdt in zijn handelen rekening met de gevoelens van een ander. Wanneer hij mensen aan moet spreken op hun gedrag, tracht hij dit op correcte wijze te doen, zodat hij anderen niet tegen zich in het harnas jaagt. Hoewel hij soms wat krachtiger mag optreden, weet hij zich op deze manier in voldoende mate als autoriteit te profileren. In zijn werkinstelling komt hij naar voren als een prestatiegericht iemand, die zijn werk bij voorkeur foutloos wil uitvoeren. Hij heeft behoefte aan controle over de factoren die van invloed kunnen zijn op de kwaliteit van het werk dat hij aflevert. Hij gaat op precieze wijze te werk en heeft enige moeite om af te wijken van zijn planning.

Zijn stressbestendigheid is minder sterk. Onverwachte of onduidelijke situaties kunnen bij hem tot enige onrust leiden. In emotioneel opzicht is hij minder weerbaar. Aangrijpende ervaringen, waar hij eveneens geen invloed op kan uitoefenen, brengen bij hem een groot gevoel van onvermogen teweeg. Hij beschikt dan over weinig relativeringsvermogen en in dergelijke situaties is hij geneigd voorbij te gaan aan zichzelf en zijn gevoelens.

Verder stond erin dat ik gebeld zou worden over wanneer mijn klas zou beginnen. Mijn ogen straalden en mijn glimlach kon niet breder. Aselya was enorm trots en feliciteerde me. Ik was dolgelukkig en enorm opgelucht en belde meteen Sinan op, een Turkse jongen die ik tijdens de keuringen had leren kennen. Ik wilde hem vertellen dat ik door was en vragen of hij ook al bericht had ontvangen. Hij bleek niet door te zijn.

'Dit moet gevierd worden, schat,' zei Aselya toen ik had opgehangen. Ze ging op de sofa liggen, trok me over zich heen en kuste me hevig.

* * *

Mo en ik zaten bij mij thuis als bezetenen te voetballen op de playstation. Zodra Mo en ik achter de spelcomputer zaten, veranderden wij van goede vrienden in strijdlustige vijanden. Gescheld was daarbij niet van de lucht. Nu hadden we nog een klein halfuur voordat Aselya zou langskomen met Sevda, die inmiddels smoorverliefd was op Mo, maar dat nog niet echt aan hem durfde te laten blijken. Ik had het Mo verteld en hij was ook geïnteresseerd geraakt in haar, dus wilden Aselya en ik hen wel een handje helpen.

Mo had weer eens gewonnen. Ik gooide de controller in de hoek. 'Ik speel nooit meer!' schreeuwde ik.

Mo lachte.

Snel verwisselde ik mijn voetbalshirt, dat ik als spelfanatiekeling droeg, voor iets representatievers.

De deurbel ging, de dames waren gearriveerd. Ik stoof naar beneden en zoende Aselya. Haar vriendin gaf ik een hand. Boven zat Mo te wachten, Sevda ging meteen naast hem zitten. Aselya en ik rookten een sigaret en lieten hen alleen in mijn kamer.

Ik pakte Aselya's hand en nam haar mee naar beneden. Er

was verder niemand thuis. We gingen in de tuin zitten, want het was mooi weer. De parasol en de ligbedden met kussens erop stonden al klaar. Ze ging op een van de bedden liggen, ik liep de schuur in om wat uit de vriezer te pakken en kwam terug met heerlijk aardbeienijs. Ik vroeg haar een beetje op te schuiven en ging naast haar zitten op het ligbed. De sorbets zette ik naast ons neer en ik kuste haar op de mond. Ze trok mij over zich heen. De hitte had ons allebei geil gemaakt. Ik kuste haar in haar nek en zij begon aan mijn oorlel te sabbelen, ze wist dat ik daar altijd opgewonden van werd. We bleven maar kussen, kregen maar geen genoeg van elkaar.

In de tussentijd hadden Sevda en Mo boven op mijn kamer rustig zitten praten. Meer was er nog niet gebeurd, beiden waren nogal verlegen en gesloten. Toen ze bij ons in de tuin kwamen zitten begonnen we over de zomervakantie, die er binnenkort aan zou komen. Ik vertelde Aselya dat ik half juli naar Marokko zou gaan en dat ik niet precies wist wanneer ik terug zou komen. Ik had van mijn werk zes weken vakantie gekregen en zou samen met Appie met de auto gaan. Hij was mijn beste vriend en ik zag hem dagelijks. Mo ging ook naar Marokko dit jaar, maar niet tegelijk met ons. Hij zou twee weken eerder met zijn ouders vertrekken.

Aselya werd stil. Aan haar houding merkte ik dat ze het moeilijk vond dat ik er een tijdje niet zou zijn. Ik probeerde haar gerust te stellen door te zeggen dat ik haar vaak zou bellen vanuit Marokko en dat ze zich geen zorgen hoefde te maken over dat ik vreemd zou gaan.

'Maar daar zijn hele mooie Marokkaanse meisjes hoor,' zei zij. 'En ik ben helemaal hier. Dadelijk vergeet je me.'

Ik lachte. 'Niemand anders voor mij. Jij bent mijn enige.'

Ze vroeg me wat ik ervan zou vinden als zij deze zomervakantie naar Turkije zou gaan. Ik zei dat ik daar geen enkel probleem mee had, zolang ze met haar familie zou gaan. Ze keek me met een glimlach aan en vertelde dat haar ouders deze zomer niet naar Turkije zouden gaan, dus dat ze dan wel hier in Nederland zou blijven. In de tussentijd zou ze extra kunnen werken.

Ineens smiespelde Aselya me iets in het oor. Ik kon het moeilijk verstaan.

'Wat?' vroeg ik zachtjes.

Ze fluisterde opnieuw: 'Ik heb zin in jou. Ga je mee naar boven? Ik wil dat je me nu neemt.'

Ik stond meteen op en zei tegen Mo en Sevda dat we boven iets te bespreken hadden. Ik wist niet zeker of ze me hadden gehoord want ze waren druk met elkaar in gesprek.

Aselya liep voor mij de trappen op. In mijn kamer vlijde ze zich langzaam op bed neer. Ik plofte naast haar neer en liggend ontdeden we ons van onze kleren. Toen ik naast me keek, was ze al compleet onder de dekens verdwenen en ik voelde hoe mijn vriendin me oraal begon te bevredigen.

$\star\ \star\ \star$

Het was opnieuw een zeer mooie dag. Ik had me zomers aangekleed, een korte broek en een hempje, en besloot met de auto even langs het grote meer te gaan voor een frisse duik. Onderweg pikte ik Appie op. Hij was net als ik net 21 geworden en hij had een grappig uiterlijk: normaal postuur, kort opgeschoren haar en twee ietwat vooruitstekende hazentanden. Hij kleedde zich altijd netjes en verzorgd. Een aantal maanden geleden had ik hem een baantje bij de sauna bezorgd. Daar werkte hij nu met mij, of eigenlijk onder mij.

We reden naar het winkelcentrum waar Aselya en haar vriendinnen stonden te wachten. Sevda en Ayşe zouden met haar meekomen.

Toen iedereen was ingestapt vertrokken we naar het meer. We reden langs het water en zagen dat de stranden helemaal vol lagen met jongeren die vanwege de enorme hitte na school hier even een frisse duik kwamen nemen. Met moeite vonden we toch een rustig plekje en daar gingen we op een bankje zitten met onze voeten in het hete zand.

'Wie gaat er mee het water in?' vroeg ik.

Niemand antwoordde. Snel trok ik mijn hempje uit en tilde Aselya op. Haar mobiel gaf ik aan Appie en in mijn armen droeg ik haar met kleren en al het water in. Ze schreeuwde het hele strand bijeen.

'Help! Ik wil niet! Mijn kleren worden nat!'

Aan de kant zag ik haar vriendinnen en Appie proestend onze kant op kijken. Ik droeg haar het water in totdat ik de bodem niet meer onder mijn voeten voelde en liet haar toen los. Ze begon te lachen. Tegen haar verwachtingen in was het water best warm en vond ze het wel lekker. Ze wierp zich midden in het meer in mijn armen en omhelsde me innig. Ik kuste haar en sloeg mijn armen om haar heen. Romantisch stonden we daar versmolten met elkaar en het water.

Na een tijdje zwommen we terug naar het strand. Toen Aselya met doorweekte kleren het water uit klom, lachte ik me dood. Zelf had ik alleen een korte broek aan, die makkelijk als zwembroek kon dienen. Ook de anderen lachten, Ayşe zo hard dat ik besloot ook haar het water in te gooien. Toen ze doorkreeg wat ik van plan was ontsnapte ze, maar ik rende achter haar aan en had haar al snel te pakken. Ook zij begon luidkeels te krijsen. Nadat ik ook haar een eindje het water in had gedragen, liet ik haar vallen. Allemaal lagen we dubbel van het lachen. Ayşe wist niet hoe snel ze met haar doorweekte kleren het water weer uit moest komen. We liepen terug naar de anderen. Daar pakte ik Aselya stevig vast en gaf haar een kus op haar mond.

'Ik hou van je,' kirde ze.

4

*E*en paar dagen nadat ik Dilara ontmoet had, besloot
ik na school naar de stad te gaan om een bezoek te
brengen aan een goede juwelier. Ik wilde een gouden ring voor Dilara kopen. Aangezien ze Turks was leek
Turks goud me toepasselijk. Dat is gelig en heeft vaak een ho-
ge karaat.

Onderweg haalde ik Mo op. Ik vertelde hem meteen alles
over Dilara. Hij was erg blij voor me, maar vond het veel te
vroeg voor een gouden ring.

'Je kent haar nog maar net en je wilt haar nu al goud geven?'
vroeg hij afkeurend.

Ik trok me er niks van aan. Het plan zat nou eenmaal in mijn
hoofd en niemand kon me ervan afbrengen.

In de juwelier vroeg ik de Turkse verkoopster naar achttien
karaats gouden verlovingsringen, die alleen per paar te koop
bleken. Ze haalde een klein rood kistje tevoorschijn en toonde
mij een verzameling prachtige ringen. Met moeite koos ik één

paar uit. Ik vroeg de verkoopster of ze er ook namen in kon graveren.

'Ja hoor. Over een week kan je ze dan ophalen.'

Ze vroeg me de namen te noteren. Ik betaalde haar vierhonderd euro en ze gaf mij het ophaalbewijs.

Mo verklaarde me voor gek. 'Vierhonderd euro? Je kent haar net!' raasde hij.

'Ssst...We praten er niet meer over,' zei ik. Ik wilde het niet horen. Mijn liefde voor haar was het enige wat telde.

We besloten wat te gaan eten in de stad en liepen net een lunchroom binnen toen mijn telefoon ging. Het was Dilara.

'Hé schat, waar ben je?' hoorde ik haar vragen.

'In de stad.'

'Blijf zitten waar je zit. Ik kom er nu aan!'

Nog geen vijf minuten later kwamen Hanan en Dilara de lunchroom binnenlopen. Ze hadden ons er naar binnen zien gaan en waren ons stiekem gevolgd, biechtten ze op. Mo kende Hanan al, maar mijn Turkse schoonheid had hij nooit eerder gezien.

'Wow,' fluisterde hij toen ze naar ons tafeltje kwamen lopen. Ik knikte trots.

'Ik ben vorige keer helemaal je roos vergeten, schat. Sorry,' zei Dilara terwijl ze naast me aan tafel kwam zitten. Ze keek Mo aan en stelde zich aan hem voor.

'Geeft niet. Ik heb hem voor je bewaard.'

Ze zei dat ze hem per se wilde hebben omdat het het eerste cadeau was dat ik haar had gegeven, waarop ik vertelde dat ik een prachtig cadeau voor Valentijnsdag had gekocht.

'Wat dan? Zeg het me alsjeblieft,' smeekte ze kinderlijk nieuwsgierig.

'Geduld, schat. Ik zeg niks. Gewoon afwachten,' zei ik.

Na het eten liepen we met z'n vieren een rondje door de stad. Ik mocht niet naast mijn meisje lopen omdat ze bang was om door bekenden te worden gezien, die gelijk haar familie zouden inlichten.

'Zo zijn Turken,' waarschuwde ze me.

Dus liepen Hanan en Dilara samen door de stad, op vijf meter afstand gevolgd door Mo en mij. Alsof we niet bij elkaar hoorden.

★ ★ ★

Een week later kon ik eindelijk de ringen bij de juwelier ophalen. De verkoopster had ze mooi verpakt in een rood suède doosje met goudkleurige strepen. Het zag er erg sjiek uit. Ik kon niet wachten. Gelukkig was het bijna Valentijnsdag.

Die avond belde Dilara en vroeg of ik de volgende dag tijd voor haar had.

'Natuurlijk heb ik tijd voor je. Ik heb altijd tijd voor jou,' zei ik verliefd.

Omstreeks halfnegen de volgende dag kwam Dilara mijn kamer binnenlopen. Mijn moeder had voor haar opengedaan; ik lag nog te slapen. Ze kwam naast me liggen en kuste me voorzichtig op de mond.

'Goedemorgen schat van me,' zei ze zachtjes.

Mijn slaperige ogen keken haar aan. Ik glimlachte. 'Hé lieverd,' zei ik. Zo wilde ik elke ochtend wel wakker worden.

Ik kleedde me aan om met haar naar buiten te gaan. Omdat we niet samen gezien mochten worden, wandelden we door de kleinere, rustige straten naar het winkelcentrum bij mij in de buurt. Daar huurden we een komische film die Dilara had uitgekozen. Thuis keken we die op het reusachtige projectiescherm. We lagen samen op de sofa, dicht tegen elkaar aan. Heerlijk vond ik dat. Haar handen voelden koud aan.

Aan het einde van de middag pakte ik het cadeaudoosje uit mijn klerenkast. Zij lag nog op de bank en keek op toen ik met het pakje aan kwam lopen.

'Dat hoeft echt niet, schat,' zei ze hoofdschuddend.

Ik glimlachte. 'Ik sta erop dat je het aanneemt. Het is bijna Valentijnsdag en ik ben helemaal in de zevende hemel door jou. Dus pak aan!'

Ze opende het doosje. Toen ze de ringen zag sprongen er tranen in haar ogen. 'Jij bent echt gek!' zei ze geëmotioneerd. Ze bewonderde onze namen die in de ringen stonden gegraveerd. Ik deed haar ring om haar vinger en zij deed vervolgens hetzelfde bij mij. Ze strekte haar armen naar me uit en ik voelde haar handen in mijn nek glijden. Haar gezicht kwam dichterbij, haar lippen raakten de mijne. Ze streelde mijn haren.

'Sherief,' fluisterde ze. 'Nu zijn we beloofd.' Ze kuste me nogmaals, stralend van geluk.

Een beloving is de mondelinge afspraak tussen een man en een vrouw om in de toekomst te gaan trouwen. In de Turkse cultuur komt het veel voor.

★ ★ ★

De dinsdag erna had ik met Dilara afgesproken dat ze bij mij op school zou langskomen. Op het schoolplein stonden zes houten bankjes, waar mijn schoolvrienden en ik tijdens iedere pauze en elk spijbeluur op zaten. Ik had net een literatuurles achter de rug en de Franse les die volgde zou ik overslaan.

Op school had ik een hechte vriendengroep. Hicham, een Syrische jongen, was mijn beste schoolvriend. Verder waren er nog een Somalische jongen, Omar, en Yasemin, Yeliz en Esra; drie hip geklede Turkse meiden. We stonden met z'n allen bij een van de bankjes te praten over het aankomende eindexamen, waar iedereen bloednerveus over was, toen Dilara het schoolplein op kwam fietsen. Ze zette haar fiets in het fietsenrek en kwam direct naar me toe. Haar prachtige groene ogen keken me recht aan. Ik had mijn vrienden al over haar verteld, dus niemand was verrast om haar te zien. Nadat ze mij gekust had stelde ze zich voor aan de groep en ging op een bankje zitten. Het was zo fijn dat we tenminste op school onze relatie voor niemand hoefden te verbergen.

Yeliz nam plaats naast Dilara en begon een geanimeerd gesprek met haar in het Turks. Het klikte blijkbaar tussen hen en daar was ik blij om. Tijdens het gesprek liet ze met trots haar ring aan iedereen zien, mijn vrienden schaarden zich om haar heen. Het gele goud glinsterde in de felle zon. Het sieraad werd alom bewonderd en Dilara's gezicht bloosde van genoegen. Ik keek haar aan en realiseerde me dat ik nog nooit zo gelukkig was geweest.

Later die middag ging Dilara nog even met me mee naar huis. We keken tv en Dilara plaagde me door dromerig naar de gespierde mannen op de muziekzenders te kijken. Ze wist dat ik een jaloers type was, maar nu vond ik het eerder grappig dan vervelend.

We werden gestoord door mijn mobiel. Het was Hanan. Huilend vertelde ze dat ze zich op het toilet had opgesloten na een heftige ruzie met haar vader, en dat ze nu vastbesloten was om van huis weg te lopen. Dilara keek me nieuwsgierig aan. Nadat ik geprobeerd had Hanan een beetje te kalmeren hingen we weer op en vertelde ik Dilara wat er aan de hand was. Zij was er al even aangedaan door als ik.

De middag was voorbijgevlogen en nu moest ze alweer naar huis, zodat haar ouders niet door zouden krijgen dat ze niet naar school was gegaan. Altijd als ze bij mij was vertelde ze haar ouders dat ze op school of aan het werk was.

Ik liep met haar mee naar de achtertuin, waar haar fiets stond. Na een dikke zoen verdween ze de brandgang in.

* * *

In de dagen die volgden was Dilara onbereikbaar. Ik belde haar aan een stuk door en begon me ernstige zorgen te maken. Zo veel gedachten spookten door mijn hoofd. Ook Hanan had geen idee waar ze uithing. Ik kon niet eens langs haar huis gaan, ook al wist ik waar ze woonde; haar vader zag me al aankomen. Het was verschrikkelijk. Het was zo perfect geweest en nu leek ze zomaar ineens uit mijn leven te zijn verdwenen.

Ik hield stug vol. Ik bleef haar bellen en vertrouwen hebben. Ook toen ik zes weken later met Hicham op het schoolplein zat en gebeld werd, hoopte ik zoals iedere keer dat mijn telefoon ging dat zij het was. Snel nam ik op.

'Hé,' hoorde ik een vrouwenstem zeggen.

Het was Yeliz, mijn schoolvriendin. In grote opwinding vertelde ze me dat ze Dilara zojuist in de stad had gezien in een speelgoedwinkel, waar ze bleek te werken. Dilara had haar verteld dat ze nog steeds van mij hield, maar dat ze geen contact durfde op te nemen omdat ze bang was dat ik boos zou zijn. Ik was vooral opgelucht maar had inderdaad nog een hartig woordje met haar te spreken.

'Lief dat je meteen hebt gebeld!' riep ik blij. Ik belde Dilara nog maar een keer, maar haar telefoon stond nog altijd uit. Toen besloot ik de volgende dag bij haar werk langs te gaan.

[52]

De dag erop liep ik dus samen met Mo de speelgoedwinkel binnen om te kijken of ze er was. Ik zag haar niet en zocht haar overal in het pand, aan de balie kreeg ik uiteindelijk te horen dat gisteren haar laatste stagedag was geweest. Ik baalde als een stekker. Wat nu? Hoe kon ik haar nu bereiken? Wat kon ik doen?

Mo en ik liepen teleurgesteld de winkel weer uit. Terwijl we in een shoarmatent wat aten vroeg ik mijn vriend om advies.

'Vergeet haar gewoon,' zei hij.

Dat wilde ik echt niet, dus weigerde ik verder naar hem te luisteren en sloeg kwaad met mijn vuisten op het eettafeltje. 'Ik moet haar vinden!'

★ ★ ★

Een paar dagen later was ik op visite bij Selçuk. We zaten boven op zijn kamer achter de playstation. Zijn moeder bracht ons een schaal met delicatessen die dropen van de olijfolie. De lekkernijen waren nog niet verslonden of daar werd al weer een nieuwe schaal aangerukt. We aten en speelden alsof ons leven ervan afhing. Voetbaltoernooien op de spelcomputer waren bij mij en mijn vrienden erg populair.

Selçuks zus Birsel was ook thuis. Ik kwam regelmatig bij hen thuis en beschouwde Birsel als een zus, net als dat ik Selçuk als mijn broer zag. Zo gingen we ook met elkaar om.

Toen Selçuk even naar beneden was, kwam Birsel binnen om de vuilniszak te vervangen. Ze keek me aan.

'Hé. Hoe is het?' vroeg ze.

'Goed hoor. Met jou?'

Ze knikte. 'Je bent erg populair bij de vrouwen,' zei ze ineens met een brede glimlach op haar gezicht.

'Hoezo?' vroeg ik nieuwsgierig.

'Turkse vriendinnen van me vragen vaak naar je,' antwoordde ze.

Ik lachte.

'Oprotten hier!' riep mijn vriend zijn zus toe zodra hij weer terug was.

Zij draaide zich om en liep met een vol vuilniszakje in haar handen weer naar beneden. Terwijl Selçuk zich weer voor de tv nestelde, dacht ik nog even na over wat Birsel gezegd had. We speelden verder.

Enkele dagen later was ik op het treinstation nadat ik een weekend bij mijn vader had gelogeerd. Er was geen directe verbinding die dag en ik keek op de borden om de tijden uit te zoeken.

'Hé, wat doe jij hier?' hoorde ik ineens achter me.

Ik herkende die stem en draaide me om. Het was Birsel.

'Hé meid... Ik was bij mijn vader en ben op weg naar huis,' vertelde ik haar. 'En jij?'

'Ik ga ook naar huis. Ik was op bezoek bij een tante van me.'

'Heb je haast of zullen we even koffie drinken samen?' vroeg ik.

'Ik heb alle tijd van de wereld,' antwoordde ze.

We gingen naar een gezellig cafeetje op het station. Daar bestelde ik koffie en een tosti voor mij en een jus d'orange voor haar. We gingen aan een tafeltje zitten en ze gooide in één keer haar hele levensverhaal eruit. In het openhartige gesprek hadden we het werkelijk over van alles, ook haar broertje kwam aan bod met zijn agressieproblemen en zijn zoektocht naar een passende vechtsport waarin hij die zou kunnen botvieren. We bleven maar praten en ik bestelde nog een rondje.

Pas na een uur verlieten we het café en zochten ons perron op.

Terug in onze stad wandelden we rustig naar het busstation. Birsels bus stond al klaar en ze stapte meteen in; ik moest nog even wachten op de mijne. Bij de bushalte kwam ik Emre tegen met een dikke joint in zijn handen, zo stoned als een garnaal.

'Waar kom jij vandaan?' vroeg hij traag.

'Ik was het weekend bij mijn vader,' vertelde ik hem. Ik keek in zijn vuurrode ogen. Het was overduidelijk dat hij helemaal van het padje af was. 'Ik heb haast, maat. Ik kwam Birsel tegen op het station en toen hebben we samen koffie gedronken. Maar voordat ik het wist was er al een uur voorbij. Ik wil niet te laat komen op mijn werk.'

Hij leek niet echt te luisteren, hij had het te druk met zijn joint.

'Daar is mijn bus. Ik ga.'

'Oké, maat,' riep hij nog terwijl ik naar de bus snelde.

★ ★ ★

In die tijd kwam er een nieuw meisje bij ons werken. Haar naam was Aïcha. Een prachtige, exotische meid van 21 jaar, half Tunesisch en half Marokkaans. Mijn baas vroeg of ik haar wilde inwerken. Dat deed ik met plezier. Al snel merkte ik dat ze me wel zag zitten. We konden het dan ook goed met elkaar vinden en hadden veel lol op de werkvloer. Hoewel ik nog altijd niets van Dilara had vernomen, vertelde ik mijn nieuwe collega alles over haar en het was duidelijk dat ze teleurgesteld was. Ik zag haar stiekem hopen dat Dilara niet terug zou komen.

Op een avond besloten wat collega's en ik na een lange, vermoeiende werkdag nog wat te gaan drinken bij mij thuis. Léon, Jens, Aïcha en ik. We namen alcohol mee. Een paar uur en een aantal glazen likeur later gingen Léon en Jens weer naar huis. Ze waren stomdronken en konden alleen nog aan slapen denken. Aïcha bleef zitten en vroeg zodra de anderen de deur uit waren of ze bij mij kon blijven slapen. Ik antwoordde dat ik maar één bed had en dat ik van plan was daar zelf in te slapen.

'Dat bed is groot genoeg voor ons beiden, hoor,' antwoordde ze snedig.

Ik lachte. Ik wist genoeg. Ze wilde me. Ze had zin in me. Maar ik kon het gewoonweg niet. Dilara gaf me geen rust in mijn hoofd.

'Ik slaap wel op de bank,' zei ik. Mijn gedachten waren alleen maar bij Dilara. Aïcha was prachtig, ze zou zo kunnen modelleren, maar ik kon het niet. Ik wilde Dilara en niemand anders.

Ze keek me teleurgesteld aan.

Die nacht sliep ik op de bank, en steeds als ik wakker werd zag ik het lekkere ding in mijn bed woelen. Menig man zou me voor gek hebben verklaard.

***

De deurbel ging. Ik rende naar beneden en opende verwachtingsvol de deur. Geen Dilara, maar een huilende Hanan stond in mijn voortuin, met een grote sporttas.

'Mag ik binnenkomen?' snikte ze. Ze zag er niet uit, haar make-up was helemaal uitgelopen.

Ik knikte en gooide de deur verwelkomend voor haar open. Hanan liep gelijk naar boven. Ik schonk een glas koud water voor haar in en volgde haar.

'Wat is er gebeurd? Je ouders?' vroeg ik.

Ze knikte. Ze kon geen woord uitbrengen. Terwijl ik een sigaret opstak en mijn arm om haar heen sloeg, keek ik naar haar tas, die voor haar op de grond stond.

'Ik hou het niet meer uit thuis. Ik heb mijn spullen gepakt en ga niet meer terug,' bracht ze met moeite uit.

Ik had dit al aan zien komen.

'Mijn vader slaat me, mijn moeder zegt er niks van... dit is geen leven, hoor.'

Het deed me pijn om mijn goede vriendin in deze toestand te zien.

'Je kan zo lang je wilt hier blijven. Dat weet je,' zei ik.

'Dank je wel. Je bent lief. Je staat altijd voor me klaar,' zei ze dankbaar.

Na drie dagen bij mij logeren, vetrok Hanan naar een andere stad om daar haar eigen leven op te bouwen. Ze had inmiddels contact gelegd met maatschappelijk werk en kon door hen opgevangen worden. Eerst plaatsten ze haar in een blijf-van-mijn-lijfhuis, waarna ze een eigen huisje toegewezen kreeg. Daar begon ze aan haar nieuwe leven. Helemaal alleen, zonder familie. Gelukkig leerde ze al snel een leuke Marokkaanse jongen kennen, Faisel. Een spontane negentienjarige jongen, een bleke Berber met kort zwart haar en een sikje. Met hem stapte ze niet veel later in het huwelijksbootje. Achteraf gezien ging het allemaal wat te snel, maar zo was ze in ieder geval beter af.

5

Over vijf dagen zouden we naar Marokko vertrekken. Ik kon niet wachten tot ik zon, strand en palmbomen om me heen zou hebben.

Vandaag was een van de laatste dagen dat ik moest werken. Het was halfelf 's ochtends. Ik zorgde dat er zo veel mogelijk gedaan zou zijn voor twaalf uur, wanneer Léon zou komen. Toen het bijna zo ver was pakte ik een fles Sambuca uit de vriezer en schonk alvast twee glaasjes in voor Léon en mij.

Luidruchtig kwam hij binnenstormen.

'Hier maatje. Word je rustig van,' zei ik terwijl ik hem het glaasje aanreikte.

Léon lachte. 'Jij weet tenminste hoe ik graag werk.' Hij begon te vertellen over wat hij de vorige nacht had uitgespookt. Hij was de kroeg uitgezet en voorlopig hoefde hij er niet terug te komen. Na een tiental glazen alcohol was hij betrokken geraakt bij een vechtpartijtje.

'Niks ernstigs,' liet hij me weten.

Ik schudde lachend mijn hoofd en zette hem een chocomel voor.

Om halfacht was ik klaar die dag. Aselya zou me ophalen. Ze zat al bij de receptie toen ik aan kwam lopen. Terwijl we de parkeerplaats opliepen vertelde ze me over de verliefdheid van haar vriendin Sevda.

Mijn moeder zat in de huiskamer te studeren. Meestal deed ze dat een uurtje tussen de middag als de kinderen naar school waren. Nu waren ze aan het buiten spelen en had ze tussen alle drukte door even een moment voor zichzelf. Om haar niet te storen liep ik met Aselya gelijk door naar boven. Zij plofte op de sofa en ik trok mijn witte Lacoste-trainingspak aan. Ik was moe. Ik had op het werk veel gelopen en voelde dat in mijn benen. Na nog even snel mijn tanden te hebben gepoetst liep ik weer naar boven. Uit mijn kamer schalde muziek. Ik moest goed luisteren om de stem van de zanger te herkennen: Özcan Deniz. Ik liet me naast Aselya op de bank vallen.

'Ben je moe, aşkim?'* vroeg ze me.

'Ja. Ik ben echt kapot.'

'Ga dan even liggen op bed. Dan kom ik naast je liggen. Lekker knuffelen.'

'Goed idee.'

Ik ging op bed liggen. Aselya kwam erbij, nadat ze de muziek zachter had gezet. Ze ging dicht tegen me aan liggen en ontdekte toen een foto op mijn nachtkastje. Ze pakte het lijstje om het beter te kunnen bekijken. 'Sinds wanneer heb jij deze foto van mij naast je bed staan?'

'Sinds eergisteren. Ik had die eerst naast de bank staan,

* Mijn liefde, schatje (Turks)

maar nu staat daar een andere foto van jou. En deze staat hier mooi, vind ik.'

'Ahhh... aşkim toch. Je bent een lieverdje. Mijn lieverdje!'

Haar zachte lippen raakten de mijne. Ik kuste haar in haar nek. Plots ging ze rechtop in bed zitten. Ik lag op mijn buik met mijn handen onder het kussen, zoals ik altijd lig als ik ga slapen. Ze sloeg haar rechterbeen over mij heen en ging op mijn onderrug zitten. Ik voelde haar gewicht niet. Ze trok mijn trainingsjack en shirt uit en begon me te masseren. Haar zachte handen gingen over mijn rug en daarna in mijn nek. Ik ontspande me en sloot mijn ogen. Na een kwartier kwam ze weer naast me liggen, sloeg de dekens over zich heen en drukte zich dicht tegen mijn blote borst aan. We vielen in slaap.

Opeens schrok ze wakker. Ze ging rechtop zitten en keek naar de klok.

'Het is al halftien. Ik ben te laat! Ik moet echt gaan nu. Mijn vader wordt laaiend,' zei ze bezorgd.

'Maar je vader zit nu toch in het café?'

'Ja, maar rond deze tijd komt hij altijd thuis. En als hij merkt dat ik er niet ben wordt hij gek! Mijn moeder denkt dat ik bij Sevda ben en ik had haar beloofd halftien thuis te zijn. Net voordat mijn vader thuis zou komen. Snap je?'

'Oké. Kom. Pak je tas. We gaan gelijk.'

Gehaast trok ik mijn trainingsjack aan, zonder er een hemd onder aan te doen. Ik stormde de trappen af, gevolgd door Aselya. Mijn moeder kwam de gang op toen ze ons hoorde.

'Je zusjes slapen, hoor! Je lijkt wel een olifant!' riep ze.

'Sorry mam. Ik breng haar even thuis en ga daarna even bij iemand langs. Welterusten alvast,' zei ik terwijl Aselya haar gedag zei.

Onderweg blies de warme wind door onze haren. Heerlijk.

Aselya zette de cd-speler aan en begon mee te zingen: 'And I need you now tonight... and I need you more than ever... and if you'll only hold me tight...'

Ik moest lachen en begon nu ook mee te zingen, en daar moest Aselya op haar beurt hard om lachen.

Bij het benzinestation stapte ze uit. Ze was nu bijna thuis. Ze kuste me nog snel gedag en rende haar straat in. Bij de voordeur aangekomen deed ze alsof ze geen haast meer had. Ze wilde niet opvallen. Voordat ze de deur opende keek ze nog even over haar schouder om te kijken of de auto van haar vader daar stond. Die stond er.

Ik reed door naar Selçuk. Hij stelde voor om Emre en Bayram op te halen op het pleintje naast het grote winkelcentrum. Dus dat deden we. We zagen ze van een afstand al op een bankje zitten. Ik parkeerde de auto naast het plein en we liepen hun richting uit. De vieze geur van hasj waaide ons tegemoet. Bayram had een dikke joint vast en keek me met rode ogen aan.

'Hoe is het nou, maat?' vroeg Emre.

'Goed,' zei ik. 'Met jou dan?'

'Ja, rustig. Beetje blowen met Bayram.'

'Zullen we even iets gaan drinken in de stad?'

Zonder te antwoorden liepen de anderen richting mijn auto.

'Alleen die joint komt mijn auto niet in. Dat weet je.'

Emre gooide hem op straat.

In de stad parkeerde ik de auto pal voor het café. Van een afstand zag ik een uitsmijter voor de deur staan. Selçuk en ik liepen voorop, Emre en Bayram vlak achter ons.

De uitsmijter bekeek ons even en zei toen: 'Sorry heren. Dat gaat niet lukken vanavond. Ik kan jullie niet binnenlaten.'

Verbaasd keek ik Selçuk aan. 'Waarom worden we geweigerd dan? We hebben legitimatiebewijzen bij ons.'

Ik hoorde Emre en Bayram achter me in het Turks met elkaar discussiëren. Het enige wat ik ervan begreep was dat ze boos waren.

'We laten alleen vaste klanten binnen,' antwoordde de uitsmijter.

'Wij komen hier ook vaker hoor. Kom op. We willen alleen maar even wat drinken.'

'Sorry. Ik kan vanavond niks voor jullie betekenen.'

Ik keek mijn vrienden ontstemd aan. 'Kom, we gaan wel ergens anders heen.'

Boos liepen we verder. We kwamen terecht bij een café zonder uitsmijter en gingen daar aan een tafeltje zitten.

'Wat drinken we jongens? Malibu-cola?'

Daar was iedereen het mee eens. Het was erg druk in het café en het duurde even totdat een jonge vrouw onze bestelling kwam opnemen.

'Vier Malibu-cola graag,' zei Selçuk. Hij raakte met de serveerster aan de praat en vertelde haar over het voorval van daarnet.

'Welk café was dat dan?' vroeg ze nieuwsgierig.

'Café De Zon.'

Ze begon te lachen. 'Ja. Dat dacht ik al. Hier op de hoek. Dat ken ik wel. Ik heb daar namelijk tot vorig jaar gewerkt. Ze laten daar niet meer dan vijftien buitenlanders per avond binnen.'

'Serieus? Hebben ze daar werkelijk een beleid voor?' vroeg ik.

Nu keek ze mij aan. 'Ja. Echt hoor. Ik heb daar zelf gewerkt onder dat beleid.'

'Niet te geloven zeg. Schandalig.'

'Ik zal jullie drankjes halen.'

'Dank je wel,' zei Selçuk, en toen ze weg was: 'Niet te geloven zeg. Niet meer dan vijftien allochtonen per avond!' Hij ziedde van woede.

Ze kwam redelijk snel terug met onze drankjes. Emre begon zodra hij een slok had genomen te vertellen dat hij een meisje had leren kennen op een Turkse bruiloft waar hij vorige week was. Een blonde Turkse. We moesten lachen. Emre was de versierder onder ons.

'En je Nederlandse vriendin dan?' vroeg ik. 'Daar ga je toch nog steeds mee?'

'Ja. Daar ga ik ook nog mee. Maar met haar kan ik toch niet trouwen. Bij mijn vader zullen de stoppen doorslaan als ik met een Nederlandse meid thuiskom. Ik heb haar gewoon voor de seks, meer niet. Niet dat ik Turkse meiden anders behandel. Want ik heb genoeg Turkse wijven geneukt.'

Bayram begon te lachen en zei: 'Voor mij geldt hetzelfde maat.'

Selçuk en ik keken elkaar aan. Ik haalde mijn pakje sigaretten tevoorschijn en legde het midden op tafel. Ik stak een peuk op en gaf hem er ook een.

'Maar in ieder geval. Ik was iets aan het vertellen. Ik had dus die blonde meid ontmoet op de bruiloft van Çiğdem, dat meisje uit mijn straat. Cağla heet ze. Uit Amsterdam. Echt een lekker ding. Na afloop gaf ze me haar nummer. Dus die ga ik zeker bellen.'

'Dus jij gaat me nu vertellen dat je haar nog steeds niet gebeld hebt? Na al die dagen? Ik weet zeker dat je gelijk de volgende dag hebt gebeld. Jij hebt altijd honger naar vrouwen,' zei ik.

Selçuk begon keihard te lachen. Emre nu ook.

'Ik heb nog niet gebeld. Maar wel een sms'je gestuurd.'

Nu begon ik te lachen. 'Zei ik toch?' riep ik tegen de jongens.

De muziek stond nu zo hard dat we bijna moesten schreeuwen om elkaar te verstaan. Selçuk vertelde dat hij geen zin meer had in school en dat hij van opleiding wilde wisselen. Hij vond zijn huidige studie niet meer interessant genoeg. Emre begon te vertellen over zijn criminele zaakjes. Hij wilde een wietplantage opstarten en zocht naar een geschikte ruimte. Ik vertelde over mijn trouwplannen.

'Luister jongens. Ik ben echt gek op Aselya. Ik wil met haar trouwen en zij met mij. Na de zomervakantie ga ik actie ondernemen. Dan maken we het bekend aan haar familie.'

'Waarom trouwen? Je weet dat ik met haar naar bed ben geweest. Je moet een maagd zoeken.'

'Luister. Het maakt mij geen flikker uit dat ze geen maagd meer is. Ik ben ook geen maagd meer, dus zie ik dat niet als een probleem. En praat er niet meer over, Emre! We weten dat jij haar hebt ontmaagd. Hou het voor je!'

Hij wist dat ik het niet fijn vond om daarover te praten, maar ging toch door. Dat deed hij vaker, tot mijn grote ergernis.

'Als haar familie erachter komt dat ze geen maagd meer is, dan komen ze in ieder geval niet meer bij mij. Jij bent nu degene die ze moeten hebben. Eigenlijk moet haar familie blij zijn dat jij nog met haar wilt trouwen aangezien ze geen maagd meer is. Het is moeilijk voor een Turkse om te trouwen als ze geen maagd meer is. Als je er maar zeker van bent dat ze niet om die reden met jou trouwt.'

'Om welke reden?'

'Nou, dat ze misschien met je wil trouwen om het risico weg te nemen dat haar ouders erachter komen dat ze geen maagd meer is.'

'Nee. Ik weet zeker dat ze van me houdt.' Met mijn rechter-vuist sloeg ik op tafel.

Selçuk dronk zijn glas leeg en bestelde een tweede rondje. Ik wachtte op mijn drankje en besloot toen het op was dat het tijd was om te gaan. De rest wilde nog blijven.

Ik liep het café uit en pakte mijn telefoon uit mijn jaszak. De nacht voelde warm aan. Op weg naar de auto typte ik snel een sms-bericht voor Aselya:

Ik was wat drinken
in de stad. Ga nu
naar huis. Slapen.
Morgen werken.
Sevğilim, ik hou van*
je.

Ik stapte de auto in. Op weg naar huis kreeg ik een berichtje te-rug:

Ik hou ook van jou. Ik
lig nu in bed. Ik ga
slapen. Tot morgen.
Welterusten.

★ ★ ★

Om halfzes kwam ik samen met Aselya terug uit de stad. Er was niemand thuis. Mijn moeder had mijn zusjes meegeno-men naar het meer om even af te koelen in het water.

* Mijn geliefde (Turks)

We liepen naar boven. Ik haalde mijn koffer van de voorzolder en zette die op mijn bed. Samen pakten we mijn koffer in.

'Deze foto van mij moet je ook meenemen,' zei ze terwijl ze het lijstje in de koffer deed.

Het was inmiddels zeven uur. Aselya moest naar huis. Ik ging gelijk met haar de deur uit om Guido te ontmoeten, een 21-jarige Nederlandse jongen met donkerblond haar en een goed gevoel voor humor. Vanwege zijn enorme gestalte noemden we hem 'de Lange'. Ik kon het goed met hem vinden.

Ik vond een parkeerplaats voor de deur van het Marokkaanse theehuis waar ik Guido zou ontmoeten. Buiten zag ik een bekende van me staan. Ik kon horen dat hij op zijn walkietalkie meeluisterde met de politieradio. Ik groette hem en liep naar binnen, waar ik Guido bij de pooltafel zag. Hij was samen met Rafiq, ook een goede bekende van me. Ik liep erheen. Toen hij mij aan zag komen lopen, verscheen er een brede glimlach op z'n gezicht.

'Hoe is het nou maat?'

'Goed hoor. Ik vertrek deze week. Vakantie. Dan weet je dat.'

'Marokko of niet?' vroeg Rafiq.

'Ja man. We gaan met de auto van Appie. En terug met het vliegtuig.'

Guido glimlachte. 'Appie gaat zeker zijn verzekeringsmaatschappij oplichten? Zijn auto daar verkopen en dan hier als gestolen opgeven?'

'Ik denk het. Hij heeft geld nodig, zoals altijd.'

'Dat is een eeuwenoude truc,' sprak Rafiq gewichtig. 'Niks nieuws. In Marokko kan je gewoon je auto verkopen zonder de papieren erbij te geven. En als je terug in Nederland bent, kun je bij je verzekering je papieren tonen en zeggen dat je auto weg is. Zó simpel.'

Ik haalde mijn schouders op. 'Interesseert me niet wat hij doet. Ik ga op vakantie. Dat is het enige waar ik me mee bezighoudt.'

'Speel je een potje mee?' vroeg Guido.

'Is goed.'

Guido won van Rafiq, die aan een tafeltje plaatsnam en drie mierzoete muntthee voor ons bestelde.

Ik stootte af, maar er ging niets in dus was Guido meteen aan de beurt. Binnen vijf minuten had hij al van me gewonnen.

'Nog een potje?' vroeg hij.

Ik schudde mijn hoofd. Ik wilde niet nog eens ingemaakt worden. We gingen bij Rafiq aan het tafeltje zitten.

'Hoe gaat het tussen Aselya en jou?' vroeg Rafiq, terwijl hij aan zijn thee nipte.

'Erg goed,' zei ik. 'We hebben serieuze trouwplannen. Insh'Allah.'

'Lalalalalaaaaaa!' imiteerde Rafiq het geluid dat vrouwen op een Arabische bruiloft maken.

Guido lachte en nam een slok thee. Vanuit mijn ooghoeken zag ik de jongen met de walkietalkie opvallend snel het pand verlaten. Ik besteedde er geen aandacht aan, stak een sigaret op en keek een beetje om me heen. Het was erg druk. Alle tafels waren bezet.

'Zullen wij nog een potje poolen?' vroeg Rafiq mij.

Ik knikte en stond op. Hij gaf me een keu en stootte af.

Op dat moment kwamen er zo'n 25 agenten binnenvallen. 'Een inval! Een inval!' hoorde ik andere bezoekers gejaagd roepen. Iedereen werd tegen de muur gesmeten en geboden zich niet te verroeren. Rafiq en ik moesten ons over de pooltafel buigen, met onze handen voor ons. Ik schrok me dood. Ik wist niet wat er gebeurde. Het wemelde van de agenten. Op dat moment schoot me de jongen met de walkietalkie te binnen. Hij moest via hun frequentie hebben gehoord over de inval en was er mooi op tijd tussenuit geknepen.

De agenten fouilleerden elke aanwezige en noteerden ook ieders naam. Omdat ik met mijn neus op de groene vlakte van de pooltafel zat gedrukt, kon ik niet veel zien. Wel zag ik de eigenaar van het theehuis meegenomen worden door een drietal agenten. Toen ze hem meesleurden, gooide hij snel zijn dikke gouden koningsketting naar een van zijn vrienden.

'Houd deze bij je. Kom ik wel een keer ophalen!' schreeuwde hij hem toe terwijl hij hardhandig werd meegesleurd.

De agenten excuseerden zich voor het ongemak en voerden de eigenaar van het pand weg. De bezoekers bleven geschrokken achter. De tent werd direct gesloten voor die dag en iedereen moest naar buiten. Ik zette Rafiq en Guido thuis af en reed direct door naar mijn eigen huis.

* * *

De volgende ochtend werd ik wakker van de felle zonnestralen die door het raam naar binnen schenen. Ik keek meteen op de wekker: halftien. Aselya zou om halféén langskomen, na school. En vandaag was mijn laatste werkdag voor de vakantie. Ik hoefde pas om vijf uur te beginnen.

Ik stond op en liep naar de badkamer. Ik liet het bad vollopen en ik deed er wat lavendelolie bij. Langzaam liet ik me zakken in het warme water.

Aselya bleef constant door mijn hoofd dwalen terwijl ik het water hoorde stromen. Ik zag onze bruiloft helemaal voor me: onze beide families bijeen in een klein zaaltje. Toen ik de kraan dichtdraaide was het muisstil in de badkamer. Alleen het klotsen van het water wanneer ik mijn lichaam bewoog was nog te horen. Ik genoot van de rust en van mijn gelukzalige gedachten.

Pas na een uur kwam ik de badkuip uit en ik kleedde me op mijn gemak aan. Beneden zag ik mijn achtjarige zusje op de bank liggen. Ze keek een kinderprogramma.

'Ik ben ziek,' zei ze zielig toen ze mij zag.

Ik bracht haar thee met citroen.

'Hanan heeft net gebeld,' zei ze. 'Maar ik dacht dat je nog lag te slapen. Ze belt een andere keer terug.'

'Oké. Drink maar lekker je thee, lieverd,' zei ik.

'Komt je vriendinnetje vandaag weer?' vroeg ze.

Ik glimlachte. 'Ja. Ze komt vanmiddag eventjes.'

Daarna liep ik de huiskamer uit. In de keuken flanste ik snel iets in elkaar en nam het mee naar boven. Ik ging op de bank zitten en keek op de klok. Kwart over elf. De tijd kon niet snel genoeg gaan. Ik wilde Aselya zien. Nu. Om de tijd te doden zette ik een film met Salma Hayek op, daar was ik altijd voor in de mood.

Plotseling ging mijn kamerdeur open. Ik schrok, maar het was Aselya.

'Hé bitanem.* Ik heb je gemist.'

Ze kuste me op de mond en ging naast me zitten. Ik ging nu ook rechtop zitten rekte me uit. Ik was een beetje sloom geworden.

Mijn ogen waren gericht op Salma, die een sensuele dans ten uitvoer bracht met een levensechte slang om haar nek. 'Ik jou ook lieverd,' zei ik onaandachtig.

'Ik kan maar een uurtje blijven,' zei Aselya. 'Ik heb niks ge-

---

* Mijn enige (Turks)

zegd thuis. En mijn ouders denken dat ik nog op school ben.'

'Geeft niet. Je bent er nu. En daar gaat het om.' Ik pakte de afstandsbediening en zette de tv uit.

Ze kuste me vol passie. Ik voelde een rilling over haar lichaam trekken en ze liet zich achterover op de sofa vallen. Ik ging op haar liggen, maar zorgde er met mijn handen voor dat de bank mijn gewicht droeg. Ik wilde haar niet te veel belasten.

Met mijn hoofd in haar nek kuste ik haar en ging verder naar haar oorlel. Ik hoorde haar zachtjes kreunen. Haar zachte handen gingen onder mijn trui over mijn blote bovenlijf. Voorzichtig knoopte ze mijn broek open en uitdagend langzaam kleedde ze vervolgens zichzelf uit. Ik hielp haar een handje. Gewillig liet ze zich ontdoen van haar blouse, haar rok en haar witte kanten beha en slipje. Ze pakte mijn hand vast en trok me mee het bed in. Ik liet me meesleuren. Ze ging liggen en sloeg zachtjes een aantal keer met haar hand op het kussen naast haar. Na mijn slaapkamerdeur op slot te hebben gedaan voor het geval dat een van mijn zusjes naar binnen zou stormen, ging ik gewillig op mijn rug liggen. Zij ging op me zitten. Teder speelde ik met haar borsten. Mijn tong bespeelde haar gevoelige tepels. Haar gehijg klonk in mijn oor, steeds luider en luider. Het wond me op. Ze ging van me af en verdween met haar hoofd onder de dekens. Ik zag alleen de deken af en toe op en neer gaan. Ze nam mijn geslacht helemaal in haar mond, terwijl haar vingers met mijn ballen speelden. Zo wist ze me helemaal gek te maken. Ik betastte ondertussen haar hard geworden tepels. Na vijf minuten kwam ze weer tevoorschijn, ik ging rechtop zitten en gooide haar wat hardhandig onder mij neer. Ik spreidde met mijn knieën haar benen, die ze om me heen sloeg. Terwijl ik in haar ging trok ik de deken over me heen. Het zweet droop van mijn voorhoofd. Ook haar lichaam voelde helemaal nat aan. We verstrengelden en ik kuste haar hevig terwijl ik steeds opnieuw bij haar naar binnen schoof. Haar hele lichaam trilde nu. Ze kwam klaar. Met een stuk van het dekbed in haar mond schreeuwde ze het uit. De afdrukken van haar nagels stonden in mijn rug gekerfd. Niet lang daarna kwam ik ook klaar, in haar. Ik kuste haar op het voorhoofd en ging naast haar liggen.

Ze gooide de deken naar de andere kant van het bed om af te koelen. Ze zei niets, lag nog steeds te zweven met haar hoofd op mijn borst. Met mijn rechterhand greep ik routinematig naast me, op zoek naar nicotine. Aselya keek op haar klokje en zag dat het tijd was om naar huis te gaan. Ze kleedde zich snel aan en pakte haar spullen bij elkaar.

'Ik moet echt opschieten,' zei ze met een sigaret in haar mond.

Ik trok snel een trainingsbroek aan en liep met haar mee naar beneden. We stonden in de gang, de huiskamerdeur was dicht. Aselya liep naar binnen om mijn zusje gedag te zeggen.

'Gauw beter worden hè,' fluisterde ze en kuste haar op haar voorhoofd.

Mijn zusje knikte.

Ik zette Aselya af bij het benzinestation en ze rende naar huis om haar vader voor te zijn. Toen ik mijn eigen straat weer in reed, zag ik dat het er wemelde van de politie. Drie politieauto's en een busje stonden voor mijn deur geparkeerd. Ook stond er een gigantische vrachtwagen midden in de straat, zodat niemand erlangs kon. Snel deed ik mijn gordel om en parkeerde aan het begin van de straat. Ik liep richting mijn huis en zag bij mijn Nederlandse buren politie naar binnen en naar buiten lopen.

'Wat is er aan de hand?' vroeg ik nieuwsgierig aan de agent die naast het busje stond.

'En wie bent u?' vroeg zij mij.

'Ik ben de bewoner van nummer 36.'

'We hebben een wietplantage opgedoekt bij je buren.'

Ik keek haar verbaasd aan. 'Op dit adres?' vroeg ik verwonderd. Ik kon het haast niet geloven. Ik had er nooit iets van gemerkt. 'En nu?'

'We nemen de spullen in beslag en zij worden binnen bepaalde tijd hun huurhuis uitgezet.'

Langs ons liepen agenten met lampen, ventilators en wietplanten. Ik was echt verrast; dat had ik nooit achter mijn buren gezocht. Ik bleef nog even staan om te zien hoe de wietplanten in de vrachtwagen werden fijngemalen.

6

Het was zaterdag. Ik was vrij van werk en zou met Appie en Mo de stad in gaan. We parkeerden bij het treinstation, omdat het moeilijk was een plek te vinden in de stad. We waren nog maar net het centrum in gelopen toen ik haar zag naderen. Ik kon het niet geloven. Het was Dilara, samen met een vriendin. Ze keek me recht in de ogen en stopte. Ook ik bleef stilstaan. Mijn vrienden en haar vriendin liepen een eindje door.

Eerst zei ze niets toen ik voor haar neus stond; ze bleef me enkel aanstaren.

'Wat is er gebeurd?' vroeg ik, nog helemaal perplex.

Met tranen in haar ogen vertelde ze dat haar ouders haar hadden meegenomen naar Turkije. Ze hadden daar plotseling heen gemoeten en haar gedwongen om mee te gaan. Ze vertelde me dat ze niet de kans had gehad om het mij te laten weten en dat haar ouders zomaar haar mobiel hadden afgepakt.

'Vergeef me alsjeblieft?' vroeg ze teneergeslagen.

Ik pakte haar bij de arm en liep met haar een zijstraatje in. Het was hier een stuk rustiger en ik kuste haar heftig.

'Je kan er niks aan doen, schat. Het is al goed. Maar laat me nooit meer zo schrikken,' fluisterde ik.

We omhelsden elkaar alsof we elkaar jaren niet gezien hadden. Ze huilde en liet me haar rechterhand zien met mijn ring om haar vinger.

'Thuis doe ik hem af, maar zodra ik de deur uitga, gaat-ie weer om,' vertelde ze. Ze keek naar mijn ringvinger en glimlachte toen ze zag dat ook ik nog altijd mijn ring droeg.

'Kan ik je morgen zien?' vroeg ik.

'Ik spijbel wel van school en dan kom ik naar jou. We hebben elkaar veel te vertellen.'

Opnieuw gaf ik haar een dikke zoen en daarna liep ik terug naar mijn vrienden, die een paar meter verderop stonden te wachten, ongeduldig om te horen wat er was gebeurd. Ze waren blij voor me, maar lang niet zo gelukkig als ikzelf. De rest van de dag was ik door het dolle heen.

* * *

Het duurde lang voordat het zo ver was, maar eindelijk was het dan de volgende dag. Ze zou zo komen. Ik kleedde me extra zorgvuldig en had me ook net geschoren. Nu was ik helemaal klaar om haar onder ogen te komen. Doordat ik extra vroeg was opgestaan had ik bovendien nog tijd over om in het winkelcentrum een rode roos te kopen.

Ik stond in de badkamer mijn haar te doen, toen ik Dilara de trap op hoorde komen. Ze was met mijn moeder in gesprek.

'Ga maar alvast naar boven. Ik kom er zo aan,' riep ik vanuit de badkamer. Ze gaf geen reactie, maar ik hoorde haar voetstappen op de trap.

[76]

Met de roos in mijn handen kwam ik even later mijn kamer binnen. Dilara had het zich gemakkelijk gemaakt op de sofa. Ik gaf haar de roos en ging naast haar zitten.

'Wat ben je toch lief,' zei ze terwijl ze me achterover duwde en over me heen kwam liggen. 'Ik hou zo veel van je. Ik heb je zo ontzettend gemist. Ik kan niet meer leven zonder jou,' fluisterde ze in mijn oor. Ze had mijn eigen gevoelens niet beter kunnen verwoorden.

Ik graaide naast me naar de afstandsbediening van de stereo. Zachtjes zette ik Emrah met *Belalim benim* op. Ons liedje.

* * *

Het plan om een tatoeage te nemen zat al een hele tijd in mijn hoofd en nu ik ervan overtuigd was dat ik met Dilara zou trouwen, twijfelde ik niet langer. Ik zou haar naam laten zetten. Samen met Guido ging ik de stad in, en ook al probeerde hij me over te halen het niet te doen, ik weigerde eigenwijs naar hem te luisteren.

In de tattooshop zocht ik mooie letters terwijl de man die hem zou zetten met zijn naalden in de weer was. Toen we beiden klaar waren pakte hij mijn rechterbovenarm stevig beet en ging aan de slag. Ik keek geïntrigeerd toe hoe de naald mijn huid doorprikte. Naast haar naam liet ik een rode roos zetten. Na een uurtje was het klaar. Ik sprong de stoel uit om een spiegel te zoeken en bekeek het kunstwerk vol bewondering. Ik kon niet wachten om het aan Dilara te laten zien.

De volgende dag sprak ik met haar af bij mij thuis. Ik had haar nog niks verteld want ik wilde haar verrassen. We zaten rustig boven op mijn kamer te genieten van elkaar toen ik mezelf dwong me los te maken van haar zachte lippen, waar ik maar geen genoeg van kon krijgen.

'Ik heb een verrassing voor je,' zei ik.

Ze keek me met grote ogen aan. 'Alweer? Wat dan?'

Ik deed mijn mouw omhoog en liet haar trots de tatoeage zien.

Van verbazing sloeg ze een hand voor haar mond. 'Jij bent echt gek! Mijn god, dat je dit hebt gedaan zeg. Ik vind het prachtig!' zei ze met fonkelende ogen. Ze pakte mijn arm vast zodat ze het werk zorgvuldig kon inspecteren. 'Wow! En die rode roos is ook heel erg mooi.'

* * *

Op een avond ging ik naar het casino. Ik had een bloedhekel aan gokken, maar een vriend van me kon er maar geen genoeg van krijgen en vroeg me om hem voor deze ene keer gezelschap te houden. Zijn naam was Ercan, een behaarde negentienjarige Turkse jongen met halflang zwart haar en een mislukt ringbaardje. Het was geen hele goede vriend van me, ik had hem leren kennen via Emre en Selçuk en sprak af en toe met hem af.

Om halfzeven kwam hij me ophalen. We reden naar een andere stad. In het casino waar we heengingen was hij vaste klant; hij had zelfs een casinopasje.

'Ik heb tweehonderd bij me. Je zal zien hoe goed ik ben in blackjack,' zei hij terwijl ik mijn peuk uit het raam gooide.

Ik knikte ongeïnteresseerd.

'Ik weet dat je gokken niet leuk vindt, maar je kan daar ook andere dingen doen. Ze hebben een bar en een restaurant. Gaan we eerst lekker een hapje eten,' stelde hij voor.

We parkeerden de auto in de garage en namen de lift naar boven. Op de vierde etage was het casino. We liepen een gigantische trap op met aan weerszijden felgekleurde lichtjes aan de muur.

Toen we in de zaal aankwamen leek het even alsof ik in Las Vegas was. Het was een enorme ruimte met tientallen gokautomaten en -tafels. Alles leek er licht te geven.

Zoals afgesproken zochten we eerst het restaurant op. Na een riant stuk tournedos in stroganoffsaus besloot Ercan het erop te wagen. Ik ging aan de bar zitten met een spatje Malibucola voor mijn neus om maar niet aan de goktafel te hoeven staan.

Een halfuur later kwam Ercan al weer naar me toe.

'Klotezooi! Ik ben alles kwijt! Je moet me helpen, man. Kan ik niks lenen?' vroeg hij. Hij was helemaal overstuur. 'Je moet me een kans geven om alles terug te winnen. Ik win nu zeker,' zei hij.

'Hoeveel heb je nodig?'

'Vijfhonderd als het kan. Dan kan ik meteen alles terugwinnen.'

Bedenkelijk keek ik even om me heen, liep vervolgens naar de geldautomaat en pinde vijfhonderd euro.

'Ik moet het wel snel terug hebben,' zei ik terwijl ik hem het geld overhandigde.

Hij knikte.

Ik ging weer aan de bar zitten en bestelde nog een drankje. Ercan was weer naar zijn tafel gegaan.

Na een uur kwam hij terug. Hij keek niet al te vrolijk.

'Je hebt verloren, of niet?' vroeg ik honend.

'Ik betaal je elke cent terug, maat. Dat beloof ik.'

Maar voor mij was de sfeer verpest en ik liep terug naar de

garage. 'Zet me maar thuis af en bel me als je mijn geld hebt,' zei ik. Ik was woedend. Op mezelf, dat ik erin was getrapt. Wie leent er nou geld aan een gokverslaafde?

Thuis lag iedereen al te slapen. Ik sloop de trap op en startte de computer om nog even mijn mail te checken voordat ik zou gaan slapen. Geen mail. Geen Dilara. Jammer. Ik was te lui om de computer af te sluiten en dook regelrecht mijn bed in.

★ ★ ★

Ik lag nog rustig in mijn bed toen mijn mobiel ging. Het was halfnegen 's ochtends. Ik nam op en hoorde Dilara's stem. Ze vertelde me dat ze op mijn school op me zat te wachten, samen met Yeliz. Ze vroeg me om op te schieten omdat ze zich verveelde zonder mij.

In mijn pyjama en met mijn haren recht overeind stapte ik haastig op de brommer, die ik even later op het schoolplein parkeerde. In de kantine vond ik Dilara en Yeliz. Toen ze me zagen begonnen ze te lachen. Ik stond bekend als een ijdel en verzorgd persoon en ging nooit, maar dan ook nóóit zo de deur uit. Behalve nu; een zeldzaam en hilarisch moment. Ze waren lange tijd niet stil te krijgen.

Gespeeld ongemakkelijk keek ik om me heen en liep naar hen toe. Ik kwam bij ze aan tafel zitten en riep naar de man achter de toonbank om een broodje kipcorner.

'Heb je geen les vandaag?' vroeg Yeliz.

'Jawel. Pas om halftwee,' antwoordde ik.

'Ahhh... en dan moet hij zo vroeg opstaan. Voor mij. Sorry lieverd,' zei Dilara.

'Geeft niet, hoor. Ik heb voldoende geslapen. Maar... ik moet je er toch voor laten boeten.'

Ik stond op om Dilara uit haar stoel te tillen. Ze was zo licht als een veertje. Ze slaakte een harde gil. In mijn armen droeg ik haar naar de prullenbak naast de deur van de kantine en draaide haar zo dat ze met haar hoofd boven de prullenbak kwam te hangen. Ik dreigde haar los te laten.

'Stop! Niet doen!' schreeuwde ze door de kantine.

De man van de cafetaria zag het gebeuren en lachte. Ook Yeliz vond het zeer vermakelijk. Uiteindelijk schonk ik haar genade en zette haar weer op haar benen. Gelukkig kon ze er zelf ook om lachen. De kantinemedewerker gaf me mijn broodje, dat ik in drie happen wegwerkte.

'Kom. We gaan naar het computerlokaal,' riep ik naar de dames.

Yeliz en Dilara volgden me naar het computerlokaal, waar mijn lerares Engels foto's van de leerlingen aan het maken was. Ze zag Dilara en mij hand in hand het lokaal binnenkomen.

'Jullie gaan samen op de foto,' riep ze meteen.

Verbaasd keek ik Dilara aan. 'Maar ik ben in mijn pyjama, juffrouw,' protesteerde ik.

'Niks mee te maken. Jullie gaan op de foto!'

Ik lachte. 'Vooruit dan maar.'

Dilara kwam dicht tegen me aan zitten op een tafeltje. Klik.

'Ziezo. Volgende week kun je jezelf op de computer zien.'

★ ★ ★

Op een prachtige zonnige dag in juni stond ik voor de spiegel mijn haren te doen en zat mijn moeder met mijn zusjes beneden in de tuin toen er werd aangebeld. Mijn moeder deed open. Een kwartier later kwam ik ook naar buiten en zag Dilara daar tussen mijn familie in de tuin zitten. Het was geweldig om hen zo samen te zien.

Mijn moeder lag te zonnen. Dilara en ik schreven op papiertjes boodschappen voor elkaar. Mijn zusjes zaten in het open raam van een van hun slaapkamers en lieten steeds aan een touwtje een emmertje zakken waar wij de briefjes in moesten doen. Ze hadden de grootste lol.

Na een uur met de kleine bandieten te hebben gespeeld gingen we naar boven. Eventjes rust. Midden op de dag lekker in bed liggen. Het was erg heet op zolder, dus zette ik de ventilator aan.

Dilara vertelde me dat ze voor twee maanden op vakantie zou gaan naar Turkije, samen met haar ouders. Zelf had ik ook al plannen gemaakt voor de zomer: ik zou voor het eerst naar Marokko gaan, drie weken, samen met Appie en Mo. Maar twee maanden was wel even wat anders. Ze kon er niets aan doen, zei ze, haar ouders hadden het nou eenmaal zo besloten.

'Ik wacht op je,' zei ik terwijl ik haar stevig vasthield. Ik overdekte haar gezicht met kusjes, waardoor ze in de lach schoot omdat het zo kietelde – vooral in haar hals.

★ ★ ★

Het was laat in de avond. Elf uur. De deurbel ging. Toevallig was ik beneden in de keuken. Ik deed open; het was Ercan. Er hing een grote sporttas over zijn schouder.

'Mag ik binnenkomen?' vroeg hij.

'Ja, kom binnen. Dan gaan we boven zitten.'

Boven vertelde hij me wat er aan de hand was. 'Mijn ouders hebben me het huis uitgezet. Nu kan ik nergens heen.' Hij keek erg verdrietig.

'Wat zit er in die tas?' vroeg ik toen.

'Dat zijn mijn spullen. Kleren voornamelijk. Dit is alles wat ik mee heb kunnen nemen. Zelfs mijn auto heb ik niet meer.'

'Wat is er gebeurd dan?'

'Ik heb wat schulden bij mensen en kon die niet betalen. Mijn vader is erachter gekomen, omdat er regelmatig mensen aan de deur kwamen om hun geld op te eisen. En bij hem heb ik ook schulden, bij mijn eigen vader!'

'Klote, man. Je kan vanavond in ieder geval wel hier blijven slapen.'

'Dank je wel. Echt. Dat meen ik.' Hij sloeg zijn handen voor zijn gezicht en begon te huilen. 'En mijn verloofde heeft de verloving verbroken. Ik weet niet meer wat ik moet doen. Ik word helemaal gek.'

'Waarom is de verloving verbroken dan?'

'Ze had genoeg van mijn gokverslaving en mijn geldproblemen.'

'Dat spijt me om te horen, man. Maar misschien kan het nog goed komen met haar.'

Hij schraapte zijn keel. 'Vergeet het maar. Dat kan met geen mogelijkheid rechtgezet worden.'

Langzaam schudde ik mijn hoofd. Ik had met hem te doen, de stakker.

De volgende dag werd ik vroeg wakker. Ercan had op de bank geslapen en zat een saai ochtendprogramma te kijken. Volgens mij keek hij niet eens, hij staarde gewoon voor zich uit met een sigaret in zijn hand.

Ik stond op en ging naast hem zitten. 'Ik heb echt geld nodig. Kan ik niet nog wat van je lenen?' was het eerste wat hij zei.

Ik schudde mijn hoofd. 'Nee, dat kan niet. Je bent me al vijf-honderd euro schuldig,' antwoordde ik.

'Je moet me echt helpen. Ik heb schulden bij mijn vader. Als ik hem afbetaal, mag ik hoogstwaarschijnlijk weer terugko-men. Daarna zal ik alles op alles zetten om jou zo snel moge-lijk terug te betalen.'

'Hoeveel heb je dit keer nodig dan?'

'Achthonderd euro.'

Ik schrok van het enorme bedrag en twijfelde, maar begreep dat als ik hem aan geld hielp, hij tenminste terug kon naar huis. 'Goed,' zei ik daarom, 'achthonderd kan je van me le-nen. Dat betekent dat ik in totaal dertienhonderd van je krijg, en die moet ik binnen twee maanden van je terug hebben.'

'Ik zweer het, maat. Op alles. Op mijn familie. Op mijn moeder. Je krijgt je geld binnen twee maanden terug.'

'Oké.'

Een uurtje later liepen we naar het winkelcentrum, waar ik het geld voor hem pinde en het in het volste vertrouwen aan hem gaf.

'Ik zweer het op mijn moeder. Je krijgt je geld binnen twee maanden,' zei hij nog eens voordat hij richting de bushalte liep.

* * *

Dat weekend zou ik bij mijn vader gaan logeren. Onderweg naar het treinstation rookte ik een sigaretje, dat voor de ko-mende dagen mijn laatste zou zijn, want mijn vader wilde niet dat ik in zijn bijzijn rookte. Tijdens de reis waren mijn gedach-ten voortdurend bij Dilara.

Toen ik er bijna was werd ik gebeld en zag in het scherm het nummer van thuis. Ik verwachtte mijn moeder maar hoorde toen ik opnam tot mijn verbazing Dilara's stem. Ze vertelde dat ze me had willen verrassen met een onaangekondigd bezoek; ze zou immers bijna op vakantie gaan. Ze wilde afscheid nemen.

'Ik zit in de trein. Maar op het eerstvolgende station neem ik de trein terug. Kijk zolang maar even tv, want het gaat wel even duren.'

Ze vond het geen probleem. 'Ik hou je mams wel even gezelschap,' zei ze.

Ik lachte. 'Oké, schoonheid. Ik zie je zo.' Ik zou volgend weekend wel naar mijn vader gaan.

Toen ik thuiskwam liep ik meteen naar boven. Mijn moeder was de deur uit gegaan en uit mijn kamer klonk luid Turkse muziek, opnieuw ons lievelingsliedje. Ik ging naar binnen en zag dat mijn hele zolderkamer was opgeruimd en schoongemaakt. Dilara zat op de bank een sigaret te roken. Ze groette me. Ik was diep onder de indruk, ging naast haar zitten en kuste haar.

'Ik heb je gemist,' zei ze.

'Ik jou ook.' Ik keek om me heen. Ze had echt veel gedaan in mijn kamer. Zachtjes begon ze mee te zingen met ons liedje en ik luisterde aandachtig naar haar lieflijke stem:

Belalim benim, belalim benim
Ahi bu gölüme helalim benim
Kurtulamam derdinden (derdinden)
Günahlarindan,
Günahlari boynuma hevalim benim...

* * *

Ik was alleen thuis en lag rustig op de bank muziek te luisteren toen de deurbel ging. Ik stormde naar beneden en trof Dilara aan voor de deur. Eigenlijk hadden we twee dagen geleden al afscheid genomen, maar ze vertrok later dan gepland. Vandaag zou echt de laatste keer zijn dat ik haar zou zien voordat ze voor twee maanden op vakantie zou gaan.

Ik kuste haar in de deuropening en trok haar aan haar blouse naar binnen. 'Hier komen jij,' zei ik. Ik gooide de deur achter ons dicht en nam haar mee naar boven. 'Twee maanden zonder jou,' jammerde ik terwijl we de trappen op liepen. Ik keek haar aan, maar ze ontweek mijn blik. Ze wist dat ik het helemaal niet zag zitten, een hele zomer zonder haar.

Boven gingen we op de bank zitten, dicht tegen elkaar aan. Van de bank verplaatsten we ons naar het bed. Knuffelen. Heerlijk vonden we dat. Lekker tegen elkaar aan liggen en elkaar stevig vasthouden. Haar lippen tegen mijn lippen, dat was pas genieten. Het feit dat we geen seks hadden gaf onze relatie een bijzondere dimensie, het maakte wat we hadden zo mogelijk nog specialer.

Aan het einde van de middag was het voor haar tijd om te gaan.

'Vergeet me niet,' fluisterde ik in haar oor terwijl ik haar in de deuropening stevig omhelsde.

'Onmogelijk. Jij bent hier,' antwoordde ze terwijl ze haar hart aanwees.

Ik zag haar ogen vochtig worden. 'Mij ook niet vergeten hè?' zei ze.

Denk even na, slimmerd, hoe zou ik jou ooit kunnen vergeten? Ik hou van je. Ik hou van je. Ik hou van je, Dilara! Ik schudde mijn hoofd. 'Natuurlijk niet, schat. Maak je geen zorgen.'

Ze stapte op haar fiets en kuste me nog een laatste keer.

Toen reed ze weg, mij een kushandje toeblazend.

Ik zwaaide haar na tot ze uit zicht was en sloot de deur achter me. Het afscheid deed me pijn, ik was als de dood om haar opnieuw uit het oog te verliezen. Ineens bedacht ik dat ik haar per se nog een kus wilde geven. Het kon de laatste zijn, je wist maar nooit. Op mijn sokken rende ik via de achterpoort naar buiten, de brandgang door en de straat op. In de verte zag ik haar fietsen.

'Dilara! Dilara!' schreeuwde ik.

Ze keek over haar schouder en zag mij aan komen rennen. Ze keerde om en reed naar me toe. Ik liep haar tegemoet en bracht haar tot stilstand. Ze stapte af, keek naar mijn sokken en glimlachte. Nogmaals omhelsde ik haar en ik gaf haar een laatste innige zoen. Iedereen op straat kon ons zien, maar dat kon me niets schelen. Ik hield van haar.

★ ★ ★

Die week vertrok ik met de auto naar Marokko. Het was er heerlijk. Vriendelijke mensen, zon, palmbomen en een parelwit strand. Dit was precies hoe een vakantie volgens mij moest zijn. Meer had ik niet nodig.

Behalve Dilara natuurlijk. Wat een enorme indruk op mij maakte was de soek: één grote markt met allerhande producten. Een wirwar van straatjes, kraampjes en koopwaar; een ware lust voor het oog. Het bruiste er van het leven. Verkopers prezen luidkeels hun waren aan. Ik dwaalde langs specerijen en leer, wol, tapijten en goud. Heel veel goud. Tientallen juweliers bezocht ik, op zoek naar een speciaal juweel voor mijn prinsesje. Ik wist nog niet precies wat. Tot ik stuitte op een prachtige gouden armband. Die moest ik hebben, wist ik zodra ik hem zag. Ik kocht hem en bewaarde hem zorgvuldig in mijn koffer. Voor mijn vrouwtje. Mijn enige. Mijn Dilara. Ik stelde me voor hoe ze een gat in de lucht zou springen wanneer ik hem haar zou geven.

Ondanks al het moois daar waren mijn gedachten tijdens de vakantie vooral bij haar. Ik had veel vriendinnen gehad, maar ik had nooit eerder gevoeld wat ik voor haar voelde. Ze was mijn partner. Mijn maatje. Zij begreep mij. *Zou ze mijn zielsverwante zijn?*

7

*E*indelijk was het zover, we zouden naar Marokko vertrekken. Appie's auto hadden we al helemaal volgeladen met onze spullen, mijn eigen auto was bij een goede kennis van Appie en mij gestald. De autoverzekering had ik tijdelijk stopgezet. Alles was geregeld en ik kon met een gerust hart op vakantie.

Toen ik bij Appie kwam stond de deur wagenwijd open. Ik belde aan om hem te laten weten dat ik er was, waarop hij naar beneden kwam gerend. Hij zag er zomers uit in zijn zwarte spencer.

'En, afscheid genomen van je grote liefde?' vroeg hij monter.

'Nee. Nog niet. Ze komt nog langs. Ze kan elk moment hier zijn.'

'Als je het maar kort houdt, maat. Ik wil zo snel mogelijk vertrekken. Het is nu al drie uur.'

'Ik ben verder helemaal klaar, man. Alleen nog even wat tijd met Aselya. Naar huis hoef ik niet meer. Ik heb mijn familie al gedag gezegd en ik heb alles bij me.'

'Mooi! Ik zal wel snel even iets in de frituur gooien, zodat we dadelijk in één keer kunnen doorrijden.'

Hij liep de schuur in om de friteuse aan te zetten. Ik pakte een stoel uit de keuken en zette die in de voortuin. Het was prachtig weer, de zon scheen fel in mijn ogen, dus zette ik mijn gloednieuwe zonnebril op. Ik haalde mijn pakje sigaretten uit mijn broekzak en stak er een op. Wat voelde ik me goed. Ik zou zo op vakantie gaan!

Appie voelde blijkbaar hetzelfde want hij stond in de keuken luidkeels te zingen. Toen ik wat ongemakkelijk om me heen keek – bang dat iedereen hem kon horen – zag ik Aselya aan komen lopen. Ze droeg een laag uitgesneden, zwart jurkje en zag er betoverend uit. Haar haren zaten perfect in model en waren duidelijk net gestreken. Ook had ze zich erg mooi opgemaakt. Ze had echt haar best gedaan. Zonder al die make-up was ze ook prachtig, maar zo was ze nog mooier.

Ze kwam glimlachend naar me toe en op hetzelfde moment kwam Appie de tuin in lopen.

'Eten is klaar,' riep hij.

Aselya zei Appie gedag en kwam op mijn schoot zitten. 'Hallo lekker ding,' zei ze. Ze zoende me op mijn lippen. Ik proefde een fruitig smaakje en vond het lekker, dus liet ik haar lippen niet los.

Toen we even later binnenkwamen zat Appie aan de keukentafel te genieten van een kipfrikandel. Voor mij stond een bord klaar. Ik gaf Aselya een blikje cola en begon mijn eigen junkfood naar binnen te werken.

Aselya keek verdrietig. 'Vijf hele weken zonder jou. Ik ga je echt missen, aşkim. Wel bellen, hè?'

'Natuurlijk bel ik je. Die weken zijn zo voorbij, lieverd. Je zal het zien.'

'Dat hoop ik dan maar.'

Appie had zijn bord al leeg en begon de keuken op te ruimen. Hij wilde alles zo netjes mogelijk achterlaten, de dag ervoor had hij al een grondige schoonmaak gehouden.

Ik stopte een laatste stukje kaassoufflé in mijn mond en stond op om Aselya mee naar boven te nemen, naar Appie's slaapkamer. Toen we op bed gingen zitten barstte Aselya in tranen uit.

'Ik kan niet meer zonder jou. Die vijf weken zijn me al te veel. En dadelijk ontmoet je daar leuke Marokkaanse meisjes en dan ben ik je kwijt,' jammerde ze.

Ik sloeg mijn arm om haar heen en kuste haar op haar wang. 'Ik ben zo weer terug, joh. Maak je niet druk. Je kan me vertrouwen. Dat weet je. Ik ga niet vreemd. Mijn hart is bij jou. Ik hou van jou. Je wordt mijn vrouw. Geniet gewoon samen met je vriendinnen van je vakantie hier en voordat je het weet ben ik al weer terug.'

Ze bleef snikken. Het verwonderde me dat Aselya zich zo'n zorgen maakte dat mijn interesse voor haar tijdens mijn vakantie zou afnemen. Ze moest eens weten, ik wil deze vrouw nooit meer laten gaan, dacht ik bij mezelf. Door het huilen was haar make-up helemaal uitgelopen. Met mijn wijsvinger wiste ik de tranen van haar met zwarte vegen besmeurde wangen.

'Zodra ik terug ben gaan we naar je ouders. Dan vertellen we het.'

Snikkend knikte ze. Ik kuste haar op de mond, pakte haar hand stevig vast, stond op en trok haar mee. Appie — wachten.

We liepen naar de auto. Net voordat i̇ helsde Aselya mij nog eens. Ze was erg ve men om mij heen drukte ze haar lichaam

Ze gaf me een laatste tongzoen.

'Tot snel, kanjer.'

'Ik bel je zodra ik in Marokko aangekomen ben,' zei ik. 'Over ongeveer drie dagen.'

'Is goed.'

Ik stapte snel in want ik zag Appie vanuit mijn ooghoeken al ongeduldig mijn kant uit kijken. Hij zat achter het stuur. Langzaam reden we de straat uit en ik opende mijn raam zodat ik nog wat lieve woordjes naar Aselya kon roepen terwijl we wegreden. Vanuit de achteruitkijkspiegel zag ik haar steeds verder uit zicht verdwijnen. Tot aan het einde van de straat bleef ik uit het raam haar richting uit zwaaien.

Voordat we de snelweg opzochten, gingen we nog even langs de moskee om ons haar te laten knippen. Appie had van te voren telefonisch een afspraak gemaakt. De kelder diende als kapsalon. Hoewel er maar drie stoelen en drie wandspiegels stonden en het er erg primitief aan toeging, kwamen er toch veel jongeren heen om hun haar te laten doen. Ook wij waren vaste klanten.

Ik liet alleen de zijkanten opscheren en was dus snel klaar. Mijn lange haren wilde ik behouden, daar mocht de kapper absoluut niet aankomen. Ik bad in de gebedsruimte voor een goede reis. Appie wachtte op me bij de ingang van de ruimte en praatte wat met buurtgenoten. Daarna kon de reis echt beginnen.

We waren al snel in Frankrijk en hoe zuidelijker we kwamen, hoe zonniger het werd. Appie was erg druk in de auto, hij kletste me de oren van het hoofd. Ik deed mijn best om aandachtig te luisteren en mee te praten, maar mijn gedachten dwaalden regelmatig af naar mijn meisje, mijn Aselya.

Het was nacht geworden. Ik lag half te slapen, terwijl Appie achter het stuur zat. Hij schudde me wakker en vertelde dat we verdwaald waren. We waren van de snelweg af geraakt en reden nu op een provinciale weg. Hier was geen verlichting en het begon ook nog eens keihard te regenen waardoor ons zicht erg beperkt werd. Zelfs de ruitenwissers konden er niet tegenop. Hoewel het te gevaarlijk was om verder te rijden, weigerde Appie te stoppen. 'Dat is tijdverlies,' zei hij eigenwijs. Hij moest en zou zo snel mogelijk bij de boot in Zuid-Spanje aankomen.

'Dit is gekkenwerk, jongen,' zei ik. Het enige wat ik voor me zag was een aantal kleine rode en gele lichtjes van andere weggebruikers. Met moeite lukte het me uiteindelijk om Appie over te halen even te stoppen. Hij was moe geworden.

Twee uur later vervolgden we onze reis. Nu zat ik achter het stuur. Ik reed Frankrijk uit en passeerde de Spaanse grens, de bergen om ons heen werden steeds ruiger. Tijdens een stop om even goed uit te rusten en te eten, wisselden we opnieuw van plaats. Ik opende mijn raam en met de warme wind in mijn gezicht viel ik in slaap.

Ik droomde over mijn vriendin, over de schone Aselya. We waren in Spanje. We zaten samen in de auto, mijn eigen auto. De cabrio. We hadden veel lol en als ik naast me keek zag ik Aselya broodjes smeren. Er klonk Turkse muziek op de achtergrond. Heel zachtjes.

Ik schrok wakker. De Turkse muziek speelde gewoon verder, maar toen ik naast me keek om te zien of Aselya daar zat, zag ik Appie. Hij had om mij wakker te krijgen Turkse muziek opgezet. Ik begon te lachen.

'Wat is er? Laat me ook lachen dan!'

'Niks. Een binnenpretje.'

Appie glimlachte en liet het erbij.

Na twee dagen in de auto voelde ik me vreselijk vies.

'Laten we even stoppen bij dat benzinestation,' zei ik.

Appie minderde vaart en sloeg af bij het benzinestation. We zorgden voor een volle tank en sloegen eten en drinken in. Appie liep naar binnen om af te rekenen. Ook ik stapte uit om even mijn benen te strekken. Naast de auto zag ik op de grond een waterspuit liggen. Ik zette de kraan open, sloot alle ramen van de auto en spoot hem helemaal nat. Toen Appie terugkwam en de boodschappen in de kofferbak had gelegd spoot ik ook hem van top tot teen onder. Hij was kletsnat, maar kon er wel om lachen. Vervolgens liet ik me gewillig natspuiten. De verkoeling was welkom.

Appie stapte zeiknat de auto in en parkeerde deze een eindje verderop. Ik liep hem achterna. Mijn kleding voelde zwaar aan. Achter de auto kleedden we ons om, ik in een witte zwembroek en een wit hemdje, met van die grappige gele Marokkaanse slippers eronder die in een puntvorm uitlopen en aan de achterkant open zijn zodat je voet er zo in kan schuiven. Erg comfortabel. Het zomerse weer en al die palmbomen om ons heen hadden ons een heerlijk vakantiegevoel gegeven. Vrolijk en fris zetten we onze reis voort.

In de haven bleek dat het lang zou gaan duren voor we de boot op konden rijden, want er stond al een hele rij auto's voor ons te wachten. We sloten achter in de rij aan. Appie ging naast de auto staan; ik ging op zoek naar een telefooncel. Na lang zoeken vond ik er een en belde ik Aselya. 'Hé lekker ding. Hoe is het met je?' vroeg ik vrolijk.

'Aşkim? Ben je er nu al? Hoe was de reis?' Ze klonk erg opgewonden.

'Ja, lieverd. Ik ben het. Ik ben nu bij de boot. De reis ging goed, hoor. Veel lol gehad met Appie. Maar we hebben nu nog een achturige bootreis voor de boeg.'

'Oké, lieverd. Bel me nog wel als je bent aangekomen, hè? Ik maakte me zorgen om je. Ik hou van je.'

'Ik hou ook van jou, bitanem. Je hoeft je geen zorgen te maken, joh. Echt niet. Alles komt goed. Ik ga nu hangen. Ik spreek je. Kus. Doeg.'

'Dag lieverd. Groeten aan Appie. En snel terugkomen!'

Ik gaf de hoorn een dikke smakkerd en hing op. Terug bij de auto zag ik dat die nog niet veel verder was gekomen. De boot was er al, maar het zou nog een uur duren voordat iedereen erop mocht rijden en we daadwerkelijk de Straat van Gilbraltar konden oversteken.

Eenmaal op de boot kwamen we op onze verkenningstocht in een klein restaurantje terecht, waar we tomatensoep bestelden, omdat we daar al de hele reis lang zin in hadden. Na het eten en een paspoortcontrole die in de kantine werd gehouden zocht ik een comfortabele bank op, legde een kussen onder mijn hoofd en sloot mijn ogen. Ondanks het lawaai was ik al na vijf minuten vertrokken naar dromenland, waar ik alleen nog maar de stem van Aselya hoorde.

Plotseling hoorde ik nog een stem. Een bekende stem, die me riep vanuit de keuken. Ik ging kijken terwijl Aselya bleef wachten. Daar zag ik haar staan, in een prachtig donkerbruin gewaad. Ze zag eruit als een Oosters prinsesje en keek me met haar grote groene ogen aan. Het was Dilara.

Op dat moment schrok ik wakker. Geagiteerd keek ik om me heen. Appie zat naast me en draaide uit verveling zijn paspoort rond op tafel. Met gebalde vuist sloeg ik keihard op tafel om zijn aandacht te trekken. Hij schrok, keek me aan en glimlachte. 'We zijn er bijna, jongen. Nog eventjes en dan begint de echte vakantie. Zullen we nog een ommetje maken op het bovendek?'

Als een speer stond ik op en liep naar buiten. Ik had behoefte aan gezonde zeelucht. We liepen naar de reling om te genieten van het prachtige uitzicht.

Bij de douane zagen we tientallen auto's uitgeladen worden ter controle. Daar zaten we echt niet op te wachten, we wilden snel door. Douchen en slapen. We reden een ambtenaar tegemoet en Appie opende zijn raampje. Hij overhandigde hem zijn rijbewijs en paspoort, waarin hij een briefje van tien euro had gestopt. De man glimlachte, liet het briefje in zijn zak verdwijnen, gaf ons de papieren terug en liet ons doorrijden.

Nu waren we officieel in Marokko, in Nador, een bekende havenstad. Nog maar enkele uurtjes en we waren op de plaats van bestemming. Het was er prachtig, een beetje zoals in Sudan; heel anders dan in Europa, veel levendiger.

In Marokko belde ik Aselya dagelijks, soms meerdere keren per dag. Ik vond het fijn om haar stem te horen en was natuurlijk geïnteresseerd in wat zij zoal deed op deze hete dagen in Nederland. Bovendien waren mijn telefoontjes voor haar een bevestiging dat ik haar niet vergat tijdens mijn vakantie. Ik ontmoette vele schoonheden in dit prachtige land, en soms was het erg verleidelijk, maar vreemdgaan deed ik niet. Aselya zou mijn vrouw worden, haar bedroog ik niet.

Er waren al bijna drie weken van mijn vakantie voorbij. Ik had inmiddels zo'n zeven huwelijksaanzoeken moeten afwijzen, waarbij moeders op me afstapten en hun dochters als een goed en mooi product presenteerden. Appie en ik zaten in de auto op weg naar Mo, die met zijn ouders in dezelfde stad verbleef. Onderweg pakte Appie een fles champagne onder de stoel vandaan, een verrukkelijke Moët et Chandon die ik onderweg in Frankrijk had gekocht. Hij wilde hem nu openen; hij had zin om dronken te worden vanavond. Ik vond dat geen goede reden. Ik had hem gekocht voor een speciale gelegenheid en zei dat je champagne alleen drinkt als je iets te vieren hebt. Er volgde een heftige discussie en na heel wat gescheld leek het ons verstandig het er niet meer over te hebben. Maar nadat we Mo en een neef van hem hadden opgehaald, begon Appie er toch weer over. Mo koos partij voor Appie en opnieuw volgden er woorden.

'Dan drink je die dure champagne maar op met die hoer van jou!' schreeuwde Appie op een gegeven moment.

Ik wist niet wat ik hoorde. Hoe durfde hij! Hij toonde totaal geen respect voor mijn vriendin en Mo lachte er gewoon om! Ik keek beiden razend aan. Eikels. 'Stop de auto,' zei ik.

Appie reageerde niet en reed door.

'Stop de auto!' schreeuwde ik.

De auto stopte. Ik stapte uit. 'Rij maar verder. Ik red me wel,' schreeuwde ik. Mo probeerde mij over te halen om weer in te stappen, maar ik weigerde. Appie bleef stil voor zich uit kijken. Ik wachtte tot hij zijn woorden terug zou nemen, maar tegen mijn verwachting in deed hij dat niet. Ze reden verder.

Het was al laat op de avond en erg druk op straat. Het leven in Marokko begint 's avonds pas echt. Het was nog erg lekker buiten en ik kwam op een gezellig terrasje terecht, waar ik een muntthee bestelde. Eenzaam en alleen. Ik dacht na over wat er zojuist gebeurd was. Had ik overdreven gereageerd? Nee, stelde ik mezelf gerust, Appie was te ver gegaan. Niet ik. Ik moest ook steeds aan Aselya denken. Godverdomme, wat miste ik haar.

Na mijn thee pakte ik een taxi naar ons verblijf. Mijn maten lagen alle drie buiten voor de deur van de woning op een kleed een sigaret te roken. Ik ging erbij zitten. Niemand zei iets totdat ik begon te praten.

'Ik heb nagedacht. Ik ga deze week naar huis. Ik heb het leuk gehad hier, maar genoeg is genoeg. Drie weken is meer dan zat. Als ik nog eens twee weken blijf, dan zal er nog meer ruzie volgen. Ik ben echt boos, dat mogen jullie gerust weten. Maar ik heb er geen behoefte aan om er hier nog een woord aan vuil te maken. Wanneer we allemaal terug zijn in Nederland praten we wel verder.'

Mo en Appie keken me stomverbaasd aan. De neef van Mo luisterde niet want hij sprak geen Nederlands.

'Weet je zeker dat je dat wilt? Ik wil deze vakantie niet met ruzie beëindigen hoor,' zei Appie.

'Te laat, maat. Dat heb je al gedaan. En ja, ik weet het echt honderd procent zeker. Ik vind het niet erg om terug te gaan. Ik heb drie ontzettend gezellige weken gehad hier, en zo kan ik nog wat tijd doorbrengen met Aselya.'

'Mijn vakantie is bijna voorbij. Ik vertrek al over twee dagen. Maar jij kan nog gewoon bij Appie blijven,' zei Mo.

'Sorry, maat. Mijn besluit staat vast.'

'Ga je dan helemaal alleen met het vliegtuig naar huis?'

'Ja, natuurlijk. Dat is niets bijzonders, hoor.'

'Oké. Maar ik vind het wel jammer a sahbie.'*

Mo vertaalde het gesprek voor zijn neef, die liet weten evenmin blij te zijn met mijn beslissing. In het Arabisch legde ik hem uit dat dit het beste was voor ons allemaal.

Vervolgens stond ik op en stak de straat over naar de *téléboutique*. Daar belde ik Aselya om haar te laten weten dat ik aan het einde van de week al terug zou zijn. Ze was stomverbaasd en

* Vriend (Arabisch)

vroeg om uitleg, die ik haar niet wilde geven over de telefoon. 'Vertel ik je wel persoonlijk,' zei ik.

'Oké. Ik heb je zo gemist, lieverd. Ik eet je op,' zei ze blij.

Na een snelle snack naar binnen te hebben gewerkt, zocht ik mijn bed, of beter gezegd, mijn matje op. Iedereen sliep daar, net als in Sudan, op een matje; een matras was veel te warm. Ik viel in slaap en opnieuw zocht Aselya me in mijn dromen op.

De volgende ochtend gingen Appie en ik naar het witte strand van Saïdia. Achter ons palmbomen en voor ons een helderblauwe zee. Ik lag op mijn nieuwe Prada-badhanddoek met Appie naast me te bakken in de zon.

We bestelden twee muntthee bij een verkoper die het strand afslenterde. Op zijn rug had hij een grote kruik met een slangetje eraan, waarmee hij de bekertjes vulde.

'Weet je echt zeker dat je weggaat?' vroeg Appie terwijl we voorzichtig onze hete thee dronken.

'Ja, man.'

'Ik wil misschien langer blijven. Langer dan vijf weken bedoel ik. Ik dacht misschien aan acht weken. Maar dan moet ik even berekenen of dat financieel gezien mogelijk is. Heb jij geen geld over dat ik van je kan lenen?'

'Je kan wel wat geld van me lenen inderdaad. Maar dan verwacht ik het na de vakantie zo snel mogelijk terug.'

'Oh echt? Dat vind ik echt tof, man. Dank je wel. Hoeveel kan ik van je lenen dan? Kun je vijftienhonderd euro missen, of niet?'

Ik schrok nogal van het bedrag. 'Heb je echt zo veel nodig?' vroeg ik geschrokken.

Hij knikte.

'Vijftienhonderd euro is best veel. Weet je wat ik doe, ik pin vijftienhonderd en daarvan koop ik eerst een vliegticket. Dat

kost niet meer dan driehonderd euro. Dan leen ik jou de reste-
rende twaalfhonderd. Is dat genoeg?'

'Twaalfhonderd euro is super! Dank je wel. Je weet dat ik je
terugbetaal zodra ik weer even gewerkt heb. Na de vakantie
ontvang ik ook het verzekeringsgeld van mijn auto, dus maak
je geen zorgen.'

'Oké.' Ik wist van Appie dat hij me terug zou betalen, want
hij leende vaker geld van me en dat kreeg ik altijd netjes op tijd
terug. Appie glimlachte. Zijn geldzorgen waren verdwenen...
voor even dan.

★ ★ ★

Een paar dagen later kwam ik aan op Schiphol. De vliegreis
had maar drie uur geduurd en het was tien uur in de ochtend.
Yeliz kwam me van het vliegveld ophalen. Aselya was thuis en
haar vader liet haar niet naar buiten gaan vandaag. Ze zat gevangen.

Yeliz kwam me tegemoet rennen. Ze omhelsde me en nam
een van mijn tassen over. We liepen naar de auto.

'En, vakantieganger? Hoe was het?'

'Het was echt geweldig. Ik heb elke dag heerlijk aan het
strand gelegen. Zonnetje erbij. Het was zo gigantisch heet
daar. Gemiddeld vijfendertig tot veertig graden. Prima temperatuur voor mij.'

'Goed om te horen. Ben blij dat je het leuk hebt gehad. Nog
iets van je grote liefde gehoord?'

'Natuurlijk. We hadden dagelijks telefonisch contact. Ik heb
haar vreselijk gemist. Echt niet normaal. Soms werd ik gewoon gek van mezelf.'

'En haar ouders? Weten die het inmiddels al?'

'Die stap gaan we binnenkort zetten. We hadden besloten dat na de vakantie te doen.'

Yeliz startte de auto. 'Als Aselya heeft gezegd dat haar ouders je zullen accepteren, dan geloof ik daar wel in. Succes in ieder geval. Je zult het zeker wel spannend vinden allemaal?'

'Ja! Enorm spannend! Maar ik ben echt klaar om te trouwen en deze hindernis moet nou eenmaal eerst genomen worden.'

Yeliz knikte. Ze stak een sigaret op en gaf die aan mij. Ze nam er zelf ook een en zette een cd op.

'Wie zingt dit?' vroeg ik.

'Mustafa Sandal. Ken je denk ik niet.'

Ik luisterde aandachtig en imponeerde Yeliz door vele Turkse woorden te vertalen. Thuis vroeg ik Yeliz mee naar binnen. Mijn moeder zat in de achtertuin onder de parasol een boek te lezen. Het was heerlijk weer en de tuin zag er gezellig uit. Ze gaf me een dikke knuffel. 'Ik heb je gemist,' zei ze.

'Ik jou ook,' antwoordde ik.

Na een uurtje ging Yeliz weer naar huis. Ik bedankte haar en liep met haar naar de voordeur. Daar herhaalde ze dat ze hoopte op een goede afloop wanneer we Aselya's familie zouden inlichten over onze toekomstplannen. Boven pakte ik mijn mobieltje en belde ik Aselya, eindelijk.

'Ha, aşkim. Ik ben net thuis aangekomen. Yeliz heeft me opgehaald van Schiphol en thuis afgezet. Lief hè?'

'Zeker lief ja,' zei ze, maar ze klonk jaloers. Ze baalde zeker dat ze zelf niet had kunnen komen.

'Ik wil je zien. Nu. Ik heb je gemist.'

'Ik kan het huis niet uit, lieverd. Ik wil jou ook echt graag zien. Ik heb je ontzettend gemist. Dat weet je donders goed. Maar ik mag niet naar buiten van mijn ouders.'

Ik was nijdig. Ik wist dat ze er niets aan kon doen, maar

toch was ik nijdig. Ik moest en zou haar vandaag nog zien.

'Ik ga zo langs Mo. Die is van de week ook teruggekomen. Ik zie je daar. Je regelt maar dat ik je even kan zien. Al is het maar vijf minuten. Verzin maar wat.'

Hierna verbrak ik de verbinding zonder haar de kans te geven te reageren. Kort erna ontving ik een berichtje:

Ik probeer echt te
komen. Maar als het niet
lukt, wees dan niet boos
op mij. Kus van jouw
vrouwtje.

Ik klapte mijn telefoon dicht en legde hem terug op tafel. In mijn koffer ging ik op zoek naar mijn autosleutels. Ik had ze bij me toen ik in Marokko was maar kon ze nu niet vinden. Ik haalde de hele koffer overhoop en begon te schelden. Waar konden ze zijn? Opeens besefte ik dat ik mijn buideltasje in Marokko was vergeten, met daarin mijn autopapieren en -sleutels. De reservesleutel was ik al eerder kwijtgeraakt en ik had geen nieuwe laten maken. Ik begon nog harder te schelden en belde de kennis bij wie de auto gestald stond om te vragen of mijn auto er nog een tijdje kon blijven staan. 'Over een paar weken kom ik, of anders Appie, de auto ophalen,' liet ik haar weten. Ze vond dit geen enkel probleem.

Met een plastic tas vol cadeautjes vertrok ik even later naar Mo. Hij had het huis voor zich alleen, zijn ouders waren nog enkele weken in Marokko. Onderweg stopte ik in een belhuis om Appie te bellen.

'Hallo? Wie is dit?' nam hij op.

'Hé, met mij. Ik bel je even om te laten weten dat ik goed

ben aangekomen. Ik ben nu onderweg naar Mo. Maar nog belangrijker is dat ik mijn buideltasje bij jou ben vergeten. Je weet wel. Die donkerblauwe.'

'Ja, klopt. Heb ik gezien, in de badkamer. Zitten er belangrijke spullen in?'

'Mijn autopapieren en -sleutels zitten erin. De rest is onbelangrijk.'

'Hoe kun je die nou vergeten sukkel?' Appie begon te lachen.

Het werkte aanstekelijk. Het was inderdaad niet slim van me.

'Ik neem je tasje mee terug naar Nederland. Maak je geen zorgen. Het enige lullige is dat je nu niet in je auto kunt rijden.'

'Ik weet het. Ik reken op je.'

'Is goed. Nog bedankt voor het geld, man. Waardeer ik echt. Ik spreek je gauw weer. Groeten aan Mo.'

'Geen probleem. Doeg.'

'Beslama.'*

Ik hing op en liep verder richting het huis van Mo, dat op een kleine tien minuten loopafstand van Aselya's huis lag. Hij deed open en schudde mijn hand. 'Je bent echt eerder teruggekomen!' was het eerste wat hij zei. Binnen vertelde hij me glunderend dat Sevda nu dagelijks bij hem over de vloer kwam en dat ze zich na zijn vakantie aan hem had gegeven. Ik schrok, aangezien Mo niet echt een serieus persoon was en nog helemaal niet aan trouwen dacht. Eigenlijk wilde ik het liever niet horen.

Een halfuur later ging de deurbel. Ik haastte me naar de deur en zag door het glas-in-loodraam dat zij het inderdaad was. Ik deed open en daar stond ze. Helemaal in het wit: een witte joggingbroek met daarboven een wit topje. De haren opgestoken.

* Tot ziens (Arabisch)

Ze zag er natuurlijk uit, geheel zonder make-up. Om op te eten. Naast haar stond haar lieftallige kleine zusje Hatice. Aselya sprong in mijn armen, Hatice liep alvast de huiskamer in, waar Mo haar een glas frisdrank inschonk. Aselya bleef me maar kussen. Haar zachte lippen sabbelden aan mijn lippen, af en toe beet ze zachtjes. 'Ik heb je zo gemist, aşkim,' zei ze keer op keer.

Toen we even later de woonkamer binnenkwamen was Mo daar met Hatice in gesprek. Aselya kwam dicht tegen me aan zitten op de sofa. 'Hoe was de vakantie, schat? Heb je je een beetje kunnen gedragen?' vroeg ze.

Plagerig keek ik haar aan. Ik wilde net iets zeggen, maar ze was me voor.

'Ik vertrouw je, lieverd,' zei ze.

Ik kuste haar op de wang en ging er niet op in. Natuurlijk kon ze me vertrouwen!

'Ben ik toch nog gekomen vandaag! Terwijl ik eigenlijk helemaal niet naar buiten mocht. Daarom heb ik ook mijn zusje meegenomen, valt minder op. Ik heb gezegd dat ik even iets bij Sevda moest ophalen, dus lang kan ik niet blijven, schat.'

Ik klakte met mijn tong.

Mo stak een sigaret op en bood Aselya en mij er ook een aan. Aselya vertelde over haar vakantie. Ze had veel moeten werken en er was weinig tijd overgebleven voor leuke dingen.

'Maar nu ben jij terug! Waarom ben je trouwens eerder teruggekomen?'

'Dat vertel ik nog wel als we een keer alleen zijn. Daar heb ik nu geen zin in.'

'Goed, lieverd. Geen probleem.' Ze kuste me in de nek en hield stevig mijn handen vast. 'Ik hou van jou,' zei ze. Ze was nog even verliefd als toen ik haar had achtergelaten. Gelukkig.

'Ik ook van jou,' antwoordde ik.

Mo had ondertussen voor Hatice de tv aangezet en liep de keuken in. Ik hoorde een waterkoker aangaan.

Ik haalde een aantal souvenirs tevoorschijn en legde ze op tafel. Voor Aselya een sleutelhanger met mijn naam erin gegraveerd, dezelfde sleutelhanger voor mezelf met haar naam erin en voor haar zusje een met haar eigen naam. Voor Sevda had ik een blauw schilderijtje meegenomen waarop haar naam in het Arabisch stond en voor mezelf zo'n zelfde kunstwerkje met de namen van Aselya en mij. Voor Aselya had ik ook nog een handgemaakte asbak meegebracht, voor naast haar bed. Dan kon ze roken in bed, zoals ik haar had aangeleerd. Alles viel in de smaak. 'Dank je wel, lekkertje van me,' zei Aselya terwijl ze me kuste. Hatice hing meteen al haar sleutels aan de nieuwe hanger.

Daarna stond Aselya op, wierp een blik op haar zusje en zei dat ze moesten gaan. 'Anders wordt papa boos.' Met tegenzin stond Hatice op en liep naar de deur. In de huiskamer kuste ik Aselya innig op haar lippen. Daarna liet ik haar gaan. Ik opende de deur, zwaaide ze uit en liep met een brede lach op mijn gezicht terug naar binnen, opgelucht dat de liefde tussen ons nog even sterk was als eerst. Misschien zelfs nog wel sterker.

★ ★ ★

Aselya belde me 's avonds op mijn mobiel. Ze vertelde me dat haar leven weer zin had nu ik weer terug was. Ze vroeg me nooit meer van haar zijde te wijken. 'Volgende keer gaan we samen op vakantie,' zei ze.

'Kan ik je morgen zien? De hele dag?' vroeg ik haar. Ik nam geen genoegen met een paar uurtjes. Ze moest gewoon bij me zijn.

'Ik regel het wel. Ik zeg thuis wel dat ik naar mijn nicht ga,' antwoordde ze.

De volgende dag was ze al vroeg bij me. Ik nam haar mee naar de dierentuin. Lekker een dagje uit samen. Het was mooi weer en erg druk die dag. Wij bleven het langst staan bij de tijgers en panters, daar kon ik uren naar kijken. In het park bespraken we hoe en wanneer we haar familie over ons zouden vertellen. Ze vertelde me dat ze al twee tantes van haar had verteld over mij, ze had hen zelfs een foto van mij laten zien. 'Wat een lekker ding!' hadden ze gezegd. Ik lachte.

Rond lunchtijd gingen we op een terrasje zitten. Vanaf ons tafeltje konden we de pinguïns zien. Hier vertelde ik haar over mijn ruzie met Appie, maar ik verzweeg dat hij haar voor 'hoer' had uitgemaakt.

'Wat een eikel zeg! Maar gelukkig heb je het verder wel leuk gehad en nu ben je tenminste eerder terug in mijn armen,' zei Aselya tevreden.

Al gauw ging het weer over onze trouwplannen. Uiteindelijk besloten we samen dat Aselya eerst zelf met haar vader zou praten om hem alvast op de hoogte te stellen dat ze met een niet-Turkse jongen wilde trouwen. Aangezien ik wel moslim was, waren we er heilig van overtuigd dat haar vader mij zou goedkeuren. Na het gesprek met haar vader zou ik in actie komen: ik zou hem bellen met de vraag of ik samen met mijn eigen vader bij hen thuis kon komen om de trouwerij te bespreken. Als moslims onder elkaar. Theoretisch was het al helemaal gepland, Aselya wilde alleen nog het juiste moment afwachten.

Met een goed gevoel liepen we verder. Alles was nu uitgestippeld en we waren dolgelukkig dat dit echt zou gaan gebeuren.

8

*H*et was een doordeweekse dag en ik lag nog te slapen omdat ik de avond ervoor tot laat had gewerkt. Ik was nu al ruim een maand terug van mijn vakantie en Dilara was nog altijd met haar familie in Turkije. Ik miste haar enorm.

Ik werd wakker toen er een zacht windje over mijn gezicht streek. Langzaam tilde ik mijn zware oogleden op. Ik kon niet geloven wat ik zag. Droomde ik? Het was Dilara! Na wat een eeuwigheid leek was ze dan eindelijk terug. Ze zat op de rand van mijn bed en blies zachtjes in mijn gezicht om me wakker te krijgen.

Ik glimlachte en ging rechtop zitten, me bewust van mijn onverzorgde uiterlijk. Dilara wierp zich meteen in mijn armen. 'Ik heb je zo gemist,' zei ze. Ik sprong op uit bed en snelde naar beneden. Dilara's verbaasde blik volgde me; waarom bleef ik in godsnaam niet bij haar zitten?

Na een uitgebreide mondspoeling rende ik de trap weer op.

Dilara zat nog steeds op de rand van mijn bed. Ik ging weer liggen en trok haar over me heen. Ik kuste haar en hield haar stevig in mijn armen. 'Ik heb jou ook gemist. Je hebt geen idee,' zei ik terwijl mijn handen over haar zijdezachte huid gleden.

Naast me op bed zag ze een foto van zichzelf staan. Ze pakte het lijstje op. 'Stond deze al die tijd hier?' vroeg ze terwijl ze zichzelf bekeek.

Ik knikte.

'Dat is zo lief van je,' zei ze ontroerd.

Ze vertelde alles over haar vakantie, daarna ging ik naar beneden om te douchen. Dilara keek tv. Na het douchen reed ik snel op mijn brommer naar het winkelcentrum om een rode roos te kopen. Ik was zo snel weer terug dat Dilara niet eens had gemerkt dat ik naar buiten was geweest. Ik kwam naast haar zitten, zette de tv uit en gaf haar de roos.

'Ben je soms verslaafd aan rozen geven?' giechelde ze.

Ik lachte en ze gaf me een kus. Vervolgens stond ik op om het rode doosje te pakken. Met grote ogen keek ze me aan. 'Voor jou,' zei ik zachtjes terwijl ik haar het pakje overhandigde. Ze nam het aan en opende het voorzichtig. Ik zag het goud in haar ogen glinsteren terwijl ze de armband eruit haalde. Er rolden tranen over haar wangen. Ik pakte de armband uit haar hand en deed hem bij haar om. Ze bewonderde het juweel in stilte, sprong toen op van de bank en gooide zichzelf op mijn schoot. Ze boog haar hoofd achterover en kuste me. 'Dank je lieverd,' zei ze zachtjes.

Toen we even later honger kregen, gingen we naar de friettent op de hoek.

'Hé, hoe gaat het?' vroeg de Chinese eigenaar toen hij me binnen zag komen.

'Gaat goed hoor. Met jou?' vroeg ik.

'Hard weken, weinig verdienen. Het bekende verhaal,' antwoordde hij. Zijn ogen richtten zich op Dilara. 'Mooie meid heb je bij je.'

'Kopen?' vroeg ik.

Dilara zette een vuist tegen mijn bovenarm. 'Ik? Te koop?' vroeg ze gespeeld beledigd.

We lachten.

Even later zaten we aan een tafeltje op ons eten te wachten en streelde ik haar vingers. 'Ben je blij met je armband?' vroeg ik nog eens.

Ze knikte enthousiast terwijl ze haar juweel opnieuw bewonderde.

Tijdens het eten belde ik Ercan. Ruim twee maanden had ik niets van hem vernomen. 'Heb je mijn geld?' vroeg ik zodra hij opnam.

'Uhmm...nee nog niet. Gaat nog even duren.'

'Hoezo gaat nog even duren? Selçuk vertelde me dat jullie van de week naar het casino waren geweest en dat je daar vijfhonderd euro hebt verspeeld. Dus hoezo heb je mijn geld niet?'

Dilara keek me onderzoekend aan.

'Klopt. Maar...' begon Ercan.

Ik onderbrak hem. 'Weer een smoesje? Hou maar op jongen. Bekijk het maar. Flikker maar op!' Razend verbrak ik de verbinding.

Dilara deed haar best me te kalmeren en slaagde daar aardig in. De rest van de middag lag ik met haar in de tuin. Er was niemand thuis en ze maakte mijn lievelingsdrankje klaar: yoghurt met bosvruchtensap. Ik genoot volop van de rust in de tuin, het prachtige weer en vooral van mijn geliefde in mijn armen.

* * *

Tijdens een partijtje voetbal op een basketbalveldje, waarbij de paal van de basket het doel was, kwam er een personenauto langsrijden. Hij parkeerde en Ercan stapte uit. Ik twijfelde of ik hem een klap zou verkopen of hem zou laten gaan. Hij gaf iedereen een hand. Als laatste kwam hij bij mij. Ik twijfelde nog steeds, maar hield me in. Ik keek hem alleen aan en schudde afkeurend mijn hoofd. Ik liet hem met uitgestoken hand staan, draaide me om en liep weg. Beledigd verliet hij het veld, hij had door dat hij niet welkom was. Moet hij zijn schulden maar aflossen, dacht ik bij mezelf.

* * *

Om tien uur moest ik werken, dat was de vroegste dienst die er was bij ons. In mijn werkkleren ging ik de deur uit. Ik vond het heerlijk om 's ochtends naar werk te lopen, al waren het maar een paar minuten.

Er zat niemand bij de receptie. We gingen pas om elf uur open maar om deze tijd zat er altijd iemand de kas te doen. Ik liep door naar achteren en vond het restaurant vol politieagenten. Het personeel zat aan een tafel: de schoonmakers, de technische dienst, een kok en de receptioniste.

Er kwam een agent op me afgelopen. 'Gaat u daar maar zitten,' zei hij terwijl hij naar de tafel met mijn collega's wees.

Ik ging zitten. 'Wat is er gebeurd?' vroeg ik een van de schoonmakers.

Ze vertelde me dat ze vanochtend de eigenaar hadden opgepakt. 'Een inval bij hem thuis,' zei ze.

Ik schrok. 'Serieus?' Ik kon het nauwelijks geloven.

Ze knikte. 'En nu willen ze het pand goed doorkammen, voordat we om elf uur opengaan,' vertelde ze verder.

'Waarom hebben ze hem opgepakt?' vroeg ik nieuwsgierig.

'Wegens afpersing en drugshandel,' zei ze.

Ik keek beduusd om me heen en liet het even tot me doordringen. Ik herinnerde me dat ik laatst had gehoord dat zijn vriend en rechterhand een tijdje geleden was opgepakt en veroordeeld tot negen jaar celstraf wegens internationale cocaïnehandel. Ook was onze eigenaar in het verleden de eigenaar geweest van een hoerenstraat, waarbij diezelfde vriend betrokken was geweest.

'Wow. Afpersing en drugshandel?' herhaalde ik.

Ik had goed contact met de eigenaar en respecteerde hem. Hij had het ver geschopt, had alles wat hij wenste: een Ferrari, een Mercedes SL 500, onroerend goed en vele goed lopende zaken. Terwijl hij begonnen was met niks. Zijn vrouw en hij hadden om brood op de plank te brengen ooit zelfs melkflessen gecollecteerd om het statiegeld.

* * *

Die woensdag ging ik naar mijn oude school om Yeliz op te zoeken. Ik had hier net voor de zomer mijn eindexamen afgelegd, dus ik kwam er alleen nog voor mijn oude schoolvrienden. We zaten op het schoolplein toen Dilara belde. Huilend begon ze te vertellen dat haar familie van onze relatie afwist en dat het onmogelijk was om elkaar nog te zien. Door haar gesnik kon ik haar moeilijk volgen.

'Rustig, lieverd. Vertel me eerst hoe dit heeft kunnen gebeuren,' zei ik stomverbaasd.

'Er zijn hier mensen aan de deur geweest die mijn vader en

broer hebben ingelicht,' vertelde ze.

Geschrokken keek ik Yeliz aan, die geen idee had waar het gesprek over ging. 'Wie? Geef me een naam!' zei ik overstuur.

'Ik weet alleen een achternaam,' zei ze.

'Geef maar.' Ze noemde de achternaam en zei dat ze niet langer kon bellen, ze gebruikte nu stiekem de telefoon van haar zus. 'Vergeet niet dat ik van je hou. Wat er nu ook gaat gebeuren,' zei ze alsof ze afscheid van me aan het nemen was.

Ik kon geen woord uitbrengen en zij verbrak de verbinding.

Yeliz was net als ik verbijsterd over dit nieuws. We begonnen meteen rond te bellen om te achterhalen wie me deze streek zou kunnen hebben geleverd. Niemand had een antwoord. Niemand kon me helpen. Ik besloot naar huis te gaan.

Mijn moeder had het eten klaar, maar het kostte me veel moeite iets naar binnen te krijgen. Tijdens het eten belde Selçuk ineens aan. Normaal gesproken liet hij van te voren weten wanneer hij langskwam; ditmaal kwam hij onaangekondigd. Ik stond in de deuropening en hij keek me ernstig aan. 'Ik weet wie je erbij heeft gelapt. Kom mee.'

Zonder iets te zeggen volgde ik hem naar zijn auto, waarin ik twee anderen zag zitten. Toen ik dichterbij kwam, zag ik dat het Bayram en Emre waren. Ik stapte in.

Toen we wegreden, begon ik meteen te praten. 'Wie is hij? Kennen jullie hem?'

Het bleef stil. Hier klopte iets niet, begreep ik. Ik keek om me heen, zocht oogcontact, maar niemand durfde me aan te kijken.

'Ik ben naar haar familie gegaan,' zei Bayram uiteindelijk. 'Maar hoe ben jij achter mijn achternaam gekomen?'

'Wat? Jij?' vroeg ik versteld.

Hij knikte en herhaalde zijn vraag.

Ik was woedend. Mijn eigen vriend had me deze streek geleverd. Waarom? Het liefst beukte ik zijn hoofd door het raam heen. Maar ik bleef koel. Ik verbeet me.

'Connecties,' zei ik. Het ging hem niks aan, mijn eigen vraag was bovendien veel belangrijker: 'Wat heeft dit allemaal te betekenen?'

'Daar kom je gauw genoeg achter,' antwoordde hij. De anderen zwegen.

Ik keek uit het raam. Het miezerde. Het werd steeds rustiger buiten, na een tijdje zag ik geen verkeer meer om ons heen en daarna waren er alleen nog bomen te zien. We waren in een verlaten bos terechtgekomen. Het was erg donker.

De drie Turkse jongens stapten de auto uit en openden mijn portier. Ik keek hen vragend aan en werd toen hardhandig de auto uitgetrokken. Ik ging tegen de motorkap aan staan, zodat niemand mij van achteren kon aanvallen. Dit had ik van Mo's vader geleerd, die als we op stap gingen altijd bang was dat we in een gevecht terecht zouden komen.

Selçuk opende het gesprek. 'Ik heb gehoord over mijn zus en jou,' zei hij luid en intimiderend.

Ik keek naar Emre, geflankeerd door zijn vrienden. Ik herinnerde me dat ik hem iets had verteld over mijn ontmoeting met Birsel op het station. 'Ben je gek geworden? Waar heb je het over? Er is niks tussen mij en je zus!' schreeuwde ik ontstemd.

Maar Selçuk dacht dat ik hem voor de gek hield. Hij geloofde eerder zijn verslaafde vrienden dan mij. 'Dit had ik nooit van jou verwacht. Ik kan het niet accepteren,' zei hij.

Zijn vrienden stonden naast hem, in afwachting van een gevecht. Ze probeerden hem op te stoken. 'Steek hem! Steek hem!' hoorde ik ze roepen. Selçuk kwam dicht voor me staan en sloeg me hard in mijn gezicht. Ik verwachtte de klap en de pijn viel mee. Ik bleef overeind en verroerde me niet. Van binnen kookte ik maar ik wist me in te houden. Verzet zou de situatie alleen maar verergeren.

'We zijn bij Dilara aan de deur geweest om haar familie voor jou te waarschuwen,' vertelden mijn zogenaamde vrienden.

Het was Bayram geweest, omdat hij vroeger met Dilara's broer was omgegaan en de familie goed kende. Hij had hen wijsgemaakt dat ik een loverboy was en dat ik hun dochter achter het raam wilde zetten. Daarnaast zou ik een grote drugsdealer zijn, de loopjongen van mijn werkgever, die nu bekend stond als drugsbaron. Deze verhalen had hij in geuren en kleuren aan haar broer en vader verteld om hen tegen mij op te zetten; Selçuks vergelding omdat ik koffie had gedronken met zijn zus toen ik haar toevallig op het station was tegengekomen.

'Het is dat je een vriend van me bent, anders had ik je hier doodgestoken,' zei Selçuk.

Ze gingen de auto weer in, Emre nam plaats achter het stuur.

'Stap in!' schreeuwde hij tegen me.

Ik stapte in. We reden het bos uit, de bewoonde wereld weer in. Ik voelde me enigszins opgelucht, want ik had het vermoeden dat ze het hier bij zouden laten. Anders hadden ze me daar wel vermoord.

In de stad stapten Selçuk en Bayram uit.

'Ik moet even met je praten,' zei Selçuk toen hij naast de auto stond. Ook ik stapte uit en Emre parkeerde langs de kant van de weg maar liet de motor draaien.

'Nu staan we quitte,' zei Selçuk en stak me de hand toe.

Ik keek hem verbaasd aan. 'Jij bent echt gek, hoor. Verwacht je dat we na dit gebeuren gewoon vrienden kunnen zijn?'

Hij knikte, terwijl ik mijn hoofd schudde.

'Jij bent niks meer voor mij,' zei ik terwijl ik hem minachtend aankeek. Ik stapte de auto weer in, zonder hem een hand te geven of te groeten. Met open mond bleef hij langs de weg staan. Het regende nog steeds. De motregen waaide in zijn gezicht.

Emre schakelde in zijn één en reed weg. Zijn hand rustte op de versnellingspook. 'Het spijt me,' zei hij tegen me.

'Zet me maar gewoon bij mijn huis af. Jou heb ik verder ook niks meer te zeggen,' zei ik.

De hele weg bleef het ijzig stil in de wagen.

Toen we voor mijn deur stonden opende ik het portier en stapte uit. Voordat ik wegliep, stak ik mijn hoofd nog even naar binnen. 'Ik hoef jou nooit meer te zien. Je bent niks meer in mijn ogen,' zei ik luid en smeet het portier dicht. Daarna haastte ik me naar de voordeur; Emre reed meteen weg.

Ik gooide mijn jack over de kapstok en sloop naar boven. Iedereen lag al te slapen, dus ik moest stil zijn. Het eerste wat ik deed toen ik boven was, was een sigaret opsteken. Het was muisstil in huis. Ik hoorde alleen mijn hart tekeergaan. Ze hadden me evengoed in de bossen kunnen vermoorden, realiseerde ik me. Mijn eigen vrienden hadden me verraden. Dat deed pijn. Voor iets enorm onzinnigs ook nog eens. Het voelde alsof ik in mijn rug was gestoken. Bovendien besefte ik dat het contact met Dilara nu ten einde was gekomen. Ik kon haar onmogelijk nog zien. Ik dacht aan de problemen die zich zouden gaan voordoen, vooral voor haar. Ze zou het verschrikkelijk moeilijk krijgen thuis.

Op zoek naar een asbak zag ik haar foto staan. Haar doordringende ogen bleven me maar aanstaren. Ik drukte mijn peuk uit en veegde een traan van mijn wang.

* * *

Huilend zat Dilara op haar kamer. Ze had haar ring en armband veilig opgeborgen, want ze was als de dood dat haar familie haar kleinoden zou afpakken. Haar vader en broer hadden haar afgeranseld. Ze zat onder de blauwe plekken. Vooral haar broer vond het nodig haar te straffen. Hij bleef haar kamer in- en uitlopen om haar steeds opnieuw te slaan.

Het werd haar verboden naar buiten te gaan. Ze moest per direct stoppen met school en mocht ook niet meer werken. Ze zat opgesloten, gevangen in haar eigen huis. Haar broer hield haar nauwlettend in de gaten. Het enige wat ze nog deed was het huishouden en op haar kleine neefje passen. Ook moest ze vanaf nu een hoofddoek dragen van haar ouders. Hoezeer haar dat ook tegenstond, ze had geen keus.

Door de ernstige verwondingen die ze had opgelopen besloot haar familie haar in Frankrijk onder te brengen, waar haar grootouders woonden. Zo zou niemand erachter komen dat ze door haar familie mishandeld was. Bovendien was ze daar ver weg van mij zodat ze mij niet meer zou kunnen zien.

Ze kreeg geen enkele kans meer om me te bellen en we hoorden niets meer van elkaar. Ze was vreselijk ongelukkig en had het gevoel niet zonder mij te kunnen leven. Ze werd zwaar depressief.

Uit verdriet bleef ook ik alleen nog maar binnen. Ik sloot mezelf op in huis, ik was zo ontzettend lusteloos. Mijn grote liefde was ik kwijt en mijn eigen vrienden hadden me verraden. Het enige wat meeviel was dat ik niks van haar familie hoorde. Ik had verwacht dat ze me meteen zouden opzoeken, maar ik hoorde niets. Dagen werden weken en weken werden maanden.

Ik ging alleen nog naar mijn werk. Daar slaagde ik erin mijn gevoelens even opzij te zetten en vond ik afleiding. Ik werkte dan ook keihard. Mijn sociale contacten verwaterden. 's Avonds zat ik boven voor de tv met haar foto in mijn handen. Ik miste haar verschrikkelijk en ik zag het net als zij allemaal niet meer zitten.

★ ★ ★

Na twee maanden zat ik nog steeds elke dag thuis. We vierden ramadan en daar deed ik elk jaar integer aan mee. Net als veel vrienden van me. Sommige moslimjongeren om me heen staakten tijdens ramadan de gehele maand hun criminele activiteiten om ze na het Suikerfeest weer vrolijk op te pakken. Absurd vond ik dat.

Om halfzeven 's ochtends werd ik wakker gebeld. Het was twee uur nadat ik zoals iedere nacht gedurende de ramadan was opgestaan om te eten, te drinken en nog veel belangrijker: te roken. Ik nam op. Het was Hanan. 'Waarom bel je zo vroeg?' vroeg ik humeurig.

'Dilara heeft me net gebeld... Dilara heeft me net gebeld!' schreeuwde ze wild enthousiast.

Ze vertelde me dat Dilara nog maar net terug was uit Frankrijk. Ze had Hanan gevraagd of ik haar vandaag kon ophalen bij het winkelcentrum bij haar in de buurt. Om elf uur, dan had ze een doktersafspraak en kon ze dus naar buiten. Ze was niet van plan om ooit nog terug naar huis te gaan.

Ik schrok. Het overviel me, maar zonder erover na te denken stemde ik overal mee in. Voor haar deed ik alles.

'Je mag haar ook hier brengen hoor,' stelde Hanan voor.

'Prima. Dan doe ik dat,' antwoordde ik.

Na dit gesprek smachtte ik zo naar nicotine dat ik besloot om maar een dag van de ramadan over te slaan en deze later in te halen. Meteen begon ik alles te regelen. Een vriend van me, Enver, zou me met een auto komen halen. Het was een Turkse jongen, maar deze kon ik zeker vertrouwen. Ik zou die fout niet nog eens maken.

Om tien uur ging ik bijna dood van de zenuwen. Ik stond op het punt herenigd te worden met mijn geliefde en samen met haar te vluchten. Met Enver reed ik richting winkelcentrum en we wachtten in de auto op een drukke parkeerplaats, waarvandaan we de buurt goed in de gaten konden houden.

Kwart voor elf. Ik stapte uit en liep richting het nabije winkelcentrum. Daar kocht ik een rode roos en ik liep weer terug naar de auto. De roos legde ik op de hoedenplank van de auto en zelf ging ik op de achterbank zitten.

Vijf voor elf. Ik besloot snel nog even wat te drinken te kopen in de cafetaria op de hoek van het winkelcentrum. Ook vanaf daar zou ik haar aan zien komen lopen. Ik kocht een blikje fris en rekende af. Net toen ik me omdraaide en mijn portemonnee weer in mijn jaszak opborg, zag ik haar voorbijlopen. Heel even twijfelde ik of zij het was, vanwege de hoofddoek. Voor zover ik wist droeg mijn Dilara die nooit. Met het blikje in mijn handen snelde ik naar buiten.

Ze was het.

En ze had me al gezien. Zonder iets te zeggen liep ik voor haar uit, naar de auto. Zodra ze naast me op de achterbank zat wierp ze zich in mijn armen. *Wat een lekker ding is mijn Dilara toch.* Passioneel zoende ik haar op de mond.

'Mijn god, wat heb ik jou gemist!' zei ik.

'Ik jou ook, dolfijnoog! Maar we moeten hier meteen weg. Het is te gevaarlijk om hier te blijven staan,' zei ze angstig.

Enver startte de wagen en reed weg. Ik nam haar ijskoude handen in de mijne en zij legde haar hoofd op mijn schouder. Daarna pakte ik de roos achter me. 'Alsjeblieft schoonheid,' zei ik terwijl ik hem op haar schoot legde.

Ze glimlachte. 'De bekende rode roos,' zei ze.

'Is dat een Turk?' fluisterde ze onderweg angstig in mijn oor met haar ogen op de bestuurder gericht.

Ik knikte. 'Maak je geen zorgen. Hij is te vertrouwen,' fluisterde ik terug.

'Dat dacht je van je andere Turkse vrienden ook!'

Ze had gelijk, daar kon ik niks tegen inbrengen.

Toen we bij Hanan aankwamen, gingen we haastig alle drie de flat binnen. Hanan woonde helemaal op de bovenste etage. Voordat we aanbelden vroeg Enver aan Dilara of ze zeker wist dat ze dit wilde.

'Ik weet het zeker!' zei ze zonder enige twijfel in haar stem.

Ik belde aan. Hanan deed open. Met een glimlach bleef ze in de deuropening staan. Ze pakte Dilara vast. 'Ik heb je zo gemist,' zei ze terwijl ze haar stevig omhelsde.

We liepen naar binnen, gevolgd door Enver. Vol trots leidde Hanan ons rond in haar nieuwe huisje: een klein keukentje, een grote slaapkamer, een rommelkamertje, een eenvoudige badkamer en een ruime woonkamer. Het was er gezellig, dat viel me meteen op. We gingen op een van de opvallende rode bankstellen in de huiskamer zitten en Hanan schonk ons wat te drinken in. Enver wilde niet langer blijven.

Samen liepen we de trappen af. Buiten bedankte ik hem nog eens. 'En zeg tegen niemand iets over Dilara!' zei ik nog.

'Wie is Dilara?' vroeg hij lachend.

Ik was hem dankbaar, zonder hem had ik het niet voor elkaar gekregen. Hij waarschuwde me dat ik moest uitkijken nu ik Dilara had geholpen om van huis weg te lopen. Hij kon het weten, hij was immers zelf van Turkse komaf en wist hoe het er in hun cultuur aan toeging.

Boven vertelden we Hanan hoe het allemaal was verlopen en spraken we af dat Dilara een tijdje bij haar zou onderduiken totdat ze via maatschappelijk werk iets zou hebben gevonden. Een paar uur later kwam Hanans kersverse echtgenoot Faisel thuis van werk. We hadden beiden al eerder met hem kennisgemaakt en hij was erg blij om ons te zien. Ik besloot even met hem naar buiten te gaan om ergens wat eten te halen, zodat de dames wat tijd alleen zouden hebben en ik een beetje met Faisel kon bijpraten.

Toen we terugkwamen met het eten hoorden we Hanan en Dilara in de keuken giechelen. Ik hoorde Dilara zeggen dat ze die week lingerie wilde kopen voor de nacht dat ze zichzelf aan mij zou geven. Toen ze ons zagen stopte het gesprek abrupt. Met een rood hoofd keek Dilara me aan. Ik lachte ondeugend en liep naar de huiskamer om het eten klaar te zetten, want ik had honger. Dilara nam een pistoletje met gerookte zalm, ik stortte me op een pistoletje met roomkaas.

Na het eten rookten we op het balkon een sigaret, omdat Hanan niet wilde dat er in huis gerookt werd. Het was eind november en ijskoud, maar we moesten roken. Vooral Dilara was erg nerveus op haar eerste dag weg van huis. De eerste dag van haar nieuwe leven. Ik vond haar vreselijk dapper.

Rond elf uur gingen Faisel en Hanan slapen. Dilara en ik hadden ons op de bank genesteld, dicht tegen elkaar aan. We wilden nog niet slapen, dus had ik wat te drinken gepakt en een asbak naast ons gezet. Nu Hanan sliep hoefden we niet steeds op het balkon te roken. We praatten bij over alles wat er de laatste tijd gebeurd was. Dilara vertelde dat ze door haar broer was geslagen, dat ze voortdurend mishandeld werd. Ook vertelde ze me over Frankrijk.

We praatten tot diep in de nacht en vielen uiteindelijk op de bank in slaap, Dilara in mijn armen. Nadat Hanan en Faisel om halfacht 's ochtends naar hun werk waren vertrokken, sliepen we in hun bed verder tot een uur of twaalf.

Toen we wakker werden stond er een ontbijt voor ons klaar in de keuken.

'Dat wordt nóg een dag vasten inhalen,' zei Dilara.

Ik lachte. 'Maakt niet uit, schat. Jij moet goed voor jezelf zorgen deze dagen.'

We aten croissants met feta erin. Daar was ik gek op. Na het eten gingen we naar buiten voor een wandeling. Samen slenterden we door het park. Het was mooi buiten, al was het koud en kil. Mijn ene hand warmde ik op in mijn jaszak, met mijn andere hield ik de hare vast.

Terug in het huis gingen we weer op de bank zitten. Dilara bekeek een groot Arabisch kunstwerk dat boven het bankstel hing, het huis van Allah in Mekka met daarboven twee vrouwelijke, doordringende ogen die je recht aankeken. Ik keek nu ook, het was waanzinnig mooi.

'Ik moet over een uurtje gaan, schat. Ik moet vanavond werken,' zei ik.

Ze keek bedroefd. 'Blijf bij me alsjeblieft. Ik heb je nodig nu.'

'Dat kan echt niet. Ik moet werken. Morgenavond kom ik weer en dan blijf ik drie nachten. En ik regel meteen een korte vakantie op mijn werk.'

Het bleef een paar tellen stil. Ik zag haar nadenken. 'Wil je deze week met me trouwen?' vroeg ze toen glunderend.

Ik was dolgelukkig. De wonderschone Dilara vroeg mij ten

huwelijk? Wow! 'Jaaaa!' schreeuwde ik door het huis. Ik was dolblij en gaf haar een dikke kus op de mond. We hadden al eerder over een huwelijk gepraat, maar dat had allemaal nog zo ver weg geleken. Nu was het ineens heel dichtbij. Deze week! Ongelovelijk! Ik wilde niets liever dan haar man worden.

Ik liet wat geld achter voor Hanan en haar. 'En als ze het niet aanneemt, stop het dan maar in haar handtas,' zei ik. Uit mijn jaszak toverde ik een oud mobieltje tevoorschijn, dat ik niet meer gebruikte. Dan kon ik haar tenminste direct bereiken.

Dilara hield me stevig vast.

'Ik moet echt gaan, schat,' zei ik terwijl ik me voorzichtig losmaakte. Ik gaf haar nog een laatste kus. 'Deur op slot en doe voor niemand open!' riep ik nog terwijl ik de trappen af liep.

Hanan en Faisel zouden over een uurtje thuiskomen, tot die tijd was ze even alleen. Buiten keek ik omhoog en zag haar voor het raam staan. Ze zwaaide. Het deed me pijn. Ik wilde haar absoluut niet alleen laten, maar ik had geen keus. Ik kon het me niet permitteren om mijn baan te verliezen.

9

*L*ater die week vierde Aselya haar verjaardag bij mij thuis. Haar beste vriendin Sevda was uitgenodigd en Mo zou iets later die dag ook langskomen.

We zaten boven op mijn kamer, die ik met slingers had versierd. Aselya zag er stralend uit. En beeldschoon. Ze droeg een zwarte broek met een laag groen topje erboven. Haar haren had ze gestreken.

Ik schonk een glas champagne voor mezelf in en voor de dames een glas frisdrank.

'Ik wil ook champagne,' zei Aselya.

Ik keek haar verwonderd aan. 'Nee, geen alcohol voor jou.'

'Maar ik drink af en toe ook whisky met mijn neef,' zei ze.

Ik keek haar diep in de ogen en pakte ook voor haar een glas champagne. 'Omdat je jarig bent,' zei ik met een knipoog.

Ze moest lachen.

Sevda had ondertussen een gezellig muziekje opgezet en keek elke tien minuten op de klok, ongeduldig als ze was om Mo te zien.

Ze gaf Aselya een cadeautje. Het was een klein zwart doosje met een gouden kettinkje erin. Er hing een gouden letter aan: een S.

'Wow,' reageerde ze en gaf haar vriendin een dikke kus op de wang. 'Dank je wel!'

'Mooi, Sevda!' zei ik. Ik vond het leuk dat haar cadeau met mij te maken had.

'Ik geloof in jullie. Daarom.' Ze gaf me een knipoog.

Ik haalde een stapel cadeaus uit mijn klerenkast tevoorschijn en legde ze allemaal tegelijk op Aselya's schoot. Ze was verrast over de hoeveelheid. Het eerste wat ze uitpakte was een zwart jurkje. Ze keek me lachend aan.

'Sinds wanneer heb jij verstand van vrouwenkleding?' vroeg ze glunderend en ging verder met uitpakken: een nette beige broek, lingerie, een topje en nog wat andere kledingstukken. Ze was ontzettend onder de indruk en ging toen ze klaar was achterstevoren op mijn schoot zitten, met haar knieën op de bank, en sloeg haar armen om mij heen. Ze kuste me op mijn mond. 'Dank je wel, aşkim,' zei ze.

Toen ze weer naast me zat, stond ik op en pakte een suède doosje uit mijn nachtkastje. Het laatste en mooiste cadeau. Aselya zag het doosje in mijn handen en keek me met grote ogen aan. Ze opende het en er kwam een achttienkaraats gouden sieraad tevoorschijn: twee ringen die aan elkaar vastzaten en samen één ring vormden. Mijn naam en de datum van onze eerste kus had ik erin laten graveren.

'Wow.' Er rolde een traan over haar wangen. 'Prachtig,' zei ze. Ze gaf me een tongzoen. 'Dank je wel voor alles. Dank je wel dat je in mijn leven bent,' zei ze emotioneel. Nogmaals bewonderde ze haar ring. Ook Sevda kon haar ogen niet geloven.

Tot Sevda's grote vreugde arriveerde Mo niet veel later. Aselya en ik liepen naar beneden en lieten de tortelduifjes alleen.

Er was verder niemand thuis. We gingen op de kamer van mijn zusje zitten. Ze duwde me het bed op en ging op me liggen. Ze trok de deken over ons heen. 'Nou zal ik jóú eens verwennen,' zei ze brutaal. Ze kuste me in mijn nek en sabbelde aan mijn oorlel. Met al haar kracht trok ze in één keer mijn gulp open en ontdeed zich vervolgens langzaam van haar eigen kleding. Alleen haar lingerie hield ze aan. Ik was inmiddels poedelnaakt. Ze kwam naast me liggen en deed haar string uit. Haar vingers gleden tussen haar benen. Al masturberend keek ze me aan terwijl de eerste trillingen haar orgasme aankondigden. Ik genoot van het opwindende tafereel en kon me niet meer beheersen. Ik wilde haar. Ik verlangde naar haar. Nu. Voor altijd. Ik ging op haar liggen en spreidde haar benen. Heel langzaam drong ik bij haar naar binnen. Ze kreunde zachtjes.

'Ik hoop dat je me zwanger maakt. Ik wil een kind van je,' zei ze.

Ik keek haar strak aan. Het wond me op om haar zo te horen praten.

'Ik wil ook dat jij de moeder van mijn kinderen wordt,' antwoordde ik hijgend.

Ik voelde de warmte in haar. Langzaam bleef ik doorgaan. Teder. Liefdevol. Op het moment dat ik haar diep van binnen vulde, liet ze haar nagels over mijn borst krassen.

We waren stil. Aselya was duizelig. We bleven even liggen. Bezweet en warm. Onze monden zochten elkaar.

Toen we veel later, na het bed tiptop in orde te hebben gemaakt, weer boven kwamen zaten daar Sevda en Mo dicht tegen elkaar aan, te knuffelen. Aselya zette *Unutabilisem* van Ibrahim Tatlises op en begon mee te neuriën.

* * *

De hele week die volgde was ik koortsig. Omdat ik ziek was geworden bij Mo thuis was ik daar blijven logeren. Ik had het niet echt op dokters, dus weigerde ik er een te bezoeken. Wel had ik mijn eigen dokter: Aselya. Ze kwam elke dag bij Mo langs om me te verzorgen. Ze werkte in de schoonmaak – samen met Sevda en Ayşe –, dus kon ze altijd maar een paar uurtjes per dag komen. 's Morgens vroeg rond acht uur stond ze al op de stoep. Dan zette ze thee met citroen voor me voordat ze naar haar werk ging. En 's middags als ze klaar was met werken kwam ze weer om me een beetje afleiding te bezorgen. Ze streelde mijn benen terwijl we samen films keken en ik ondertussen een beetje sliep. Het voelde of ik opnieuw verliefd op haar werd toen ik op deze manier ontdekte hoe zorgzaam ze was, mijn Aselya.

* * *

Ik voelde me weer beter maar was nog steeds bij Mo thuis. Aselya zou zo weer langskomen. Dit keer had ze haar zusje Hatice en nichtje Derya bij zich. Alle drie hadden ze een rode roos in de hand. Aselya duwde de deur een stukje verder open en liep naar binnen. In de gang gaven ze mij allemaal hun roos.

'Die hebben we voor jou gekocht, schat,' zei Aselya.

Ik kuste haar op de mond. 'Dank je wel, kanjer. Vind ik echt lief. En zelfs één van je zusje en één van je nichtje.'

'Ik heb nog een verrassing voor je.' Haar ogen glommen. Ze vertelde dat ze vandaag een tatoeage op haar rechterborst wilde zetten met mijn naam.

'Serieus?' vroeg ik.

Ze knikte.

We hadden het er wel eens over gehad. Ze had de tatoeage op mijn bovenarm al vaak bewonderd. De naam van mijn ex deerde haar niet. Ze wist dat Dilara heel bijzonder voor me was geweest en zou blijven en respecteerde dit. Maar nu wilde ze mijn naam op haar lichaam hebben. Ze was vastbesloten. Haar zusje en nichtje waren meegekomen voor morele steun.

In de tattooshop kwamen we met vijf man binnengewandeld: Mo, Aselya, Hatice, Derya en ik. Ik kende de tatoeëerder en groette hem. Een man van midden veertig met een kale kop en een volledig ondergetatoeëerd lichaam.

Het was niet druk, Aselya kon meteen plaatsnemen op de stoel en legde precies uit hoe ze het wilde hebben. Na de letters te hebben uitgekozen, deed ze haar topje uit. Alleen haar beha hield ze aan; die duwde ze een beetje naar beneden zodat de man er beter bij kon.

Na een klein halfuurtje was het al gedaan. Aselya ging rechtop staan en bekeek zichzelf in de spiegel.

'Prachtig!' zei ze tegen de man. De vent keek er ook nog eens goed naar en glimlachte. Vol trots showde ze zijn werk aan mij en vervolgens ook aan de rest. *Kijk iedereen, daar staat mijn naam! Ik hou van je, Aselya.*

Ze kreeg een gaasje om het bloeden tegen te gaan. Daarna trok ze haar topje weer aan en kwam naast me staan. Ze wilde gaan betalen, maar ik vertelde haar dat ik dat al had gedaan.

'Wanneer ga jij de naam van mijn zus laten zetten?' vroeg Hatice terwijl ze aan mijn jas trok.

'Wanneer ik met haar verloofd ben,' antwoordde ik haar. 'Dat beloof ik.' Eerder wilde ik het niet doen omdat ik Dilara al op mijn lichaam had staan. Aselya vond het prima, ze was al dolgelukkig met haar eigen tatoeage.

Buiten kwam Derya naast me lopen en zei: 'Waag het niet het ooit met haar uit te maken. Nu moet je wel met mijn nicht trouwen.'

Ik keek haar aan en maakte een klakkend geluid met mijn tong.

Aselya zei dat ze nog even met haar zusje en nichtje de stad in wilde. Mo reed de auto voor en ik kuste mijn beminde gedag.

Een uurtje later haalden we de vrouwen weer op. Hatice liet trots de nieuwe jurk zien die ze net had gekocht. Ik bewonderde het kledingstuk terwijl ik oogcontact met haar zus zocht. Die glimlachte en keek trots in haar topje.

★ ★ ★

Mo en ik zaten bij hem thuis op de playstation een voetbalcompetitie te spelen toen ik het venster van mijn telefoon zag oplichten. Ik zette het spel op pauze en pakte mijn telefoon van tafel.

> Kom naar mijn
> huis en neem Mo
> mee. Sevda zit hier
> te huilen en heeft
> hem nodig. Kus van
> je vrouwtje

'Ik ga echt niet haar huis binnen. Wat als Aselya's vader thuiskomt?' zei Mo angstvallig.

Ik belde Aselya. 'Weet je zeker dat er niemand thuiskomt?' vroeg ik.

'Mijn vader komt vanavond pas thuis. En mijn moeder is boodschappen doen met mijn zusje. Die komen ook pas laat thuis,' zei ze om me gerust te stellen. Ik dacht na en keek naar Mo, die het gesprek afluisterde.

Hij knikte.

'Is goed dan. We komen eraan. We zijn daar over tien minuten.' zei ik. Ik vond het zelf ook behoorlijk eng. We konden elk moment betrapt worden en dan zouden de gevolgen niet te overzien zijn.

Onderweg vertelde Mo dat hij gisteren ruzie met Sevda had gehad. 'Daarom is ze nu aan het janken.'

We gingen Aselya's huis via de brandgang binnen om te voorkomen dat een van de Turkse families in de buurt ons zou zien. Bij de achterpoort zagen we Aselya al staan. Ik rende door de achtertuin meteen het huis binnen en hoorde Sevda huilen in de huiskamer. Ik stuurde Mo naar haar toe en ging met Aselya naar haar slaapkamer.

Mijn hart ging tekeer. Haar vader zou ons ter plekke vermoorden als hij ons hier zou betrappen. Voor de zekerheid liet ik Aselya de voordeur en de achterpoort vanaf de binnenkant op slot doen. Maar nog steeds voelde ik me totaal niet op mijn gemak. Ik stak een sigaret op en keek steeds voorzichtig door het raam, dat uitkeek op de Turkse moskee aan de overkant van de straat. Aselya merkte dat ik niet op mijn gemak was en pakte wat foto's om me een beetje af te leiden. Ik besteedde er weinig aandacht aan. Ik wilde weg hier, geen foto's bekijken. Niet hier. Niet in het huis van haar vader.

Op haar bed lag een rood kussentje in de vorm van een hartje met daarop in zwarte letters 'Seni seviyorum'. Ik wist dat dit 'ik hou van jou' betekende.

'Van wie heb je dat gehad?' vroeg ik jaloers.

Aselya lachte. 'Ben je jaloers, jongetje? Ik zal het je eerlijk zeggen: die heb ik van mijn nichtje gekregen.'

Ik was bang geweest dat ze die van haar ex had gehad of nog erger: van Emre. Gerustgesteld gaf ik haar een vlugge zoen.

Ze liep de slaapkamer uit en ging even naar beneden om te kijken of alles goed was met haar vriendin. Ik drukte mijn peuk uit in de asbak die ik haar gegeven had voor naast haar bed.

Tegen de muur stond een grote spiegel. Ik graaide een stift uit haar etui en schreef: 'Seni seviyorum, kus van mij' op de spiegel, daarna ging ik ook naar beneden. 'Kom we gaan,' riep ik.

Mo stond op en kuste Sevda op de mond. Aselya en ik keken elkaar verbaasd aan. 'Die zullen het wel goedgemaakt hebben,' fluisterde ze. Ik knikte. Snel verlieten Mo en ik het huis via de achterpoort. We hadden het overleefd.

* * *

Ik zat met Emre in de auto en moest aanhoren hoe hij me via een omweg wilde vertellen dat ik moest oppassen voor Aselya.

'Een meisje dat geen maagd meer is wanneer ze bij jou komt, zal je op den duur niet trouw blijven,' zei hij. 'Gewoon advies van een vriend.'

Om de een of andere reden slaagde hij er aardig in me aan het twijfelen te brengen. Tijdens het gesprek noemde hij de namen van de jongens met wie zij naar bed was gegaan. Ik schrok toen ik een naam hoorde die ik nog niet eerder had gehoord. Ik raakte ervan overtuigd dat hij de waarheid sprak. Ik kende de desbetreffende jongen goed. Mijn hart begon sneller te kloppen en ik pakte mijn telefoon om Aselya te bellen.

Boos vertelde ik haar wat ik had gehoord. Aselya bleef stil

en zei na een tijdje dat het niet waar was. Ik geloofde haar niet. Ik geloofde Emre en wilde haar zien. Liefst nu meteen. Ik wilde haar aan kunnen kijken wanneer ik het haar nog eens zou vragen. Ze merkte dat ik echt kwaad was en raakte helemaal overstuur.

'Ik ben thuis. Ontmoet me bij het tankstation bij mij op de hoek over tien minuten,' zei ze met overslaande stem.

Ik hing op en zei Emre snel naar het tankstation te rijden.

Daar zat Aselya al samen met haar zusje en Sevda in het speeltuintje achter de benzinepomp te wachten op een houten bankje. Ik stapte uit en vroeg Emre ook uit te stappen, wat hij liever niet wilde omdat hij bang was met haar te worden gezien door Turken uit de buurt. Toch deed hij het. Toen Aselya hem zag begon ze hem uit te schelden. Ze wilde hem niet zien.

'Deze verhalen komen zeker van jou!' schreeuwde ze woedend terwijl haar wijsvinger in Emre's richting priemde.

Ook ik had Emre liever niet meegenomen. Volgens mij is het altijd gevaarlijk om je vriendin in contact te brengen met haar ex, maar ik had geen andere optie. Ik was woest en wilde de waarheid weten. Ik pakte Aselya bij de arm en trok haar mee.

We liepen naar de andere kant van het speeltuintje. Daar bleven we staan, op het gras. Emre bleef bij het bankje en praatte wat met Aselya's zusje, die een bloedhekel aan hem had en kortaf reageerde. Vanuit zijn ooghoeken hield hij ondertussen de boel in de gaten.

Ik vertelde Aselya precies wat ik had gehoord, rustig en bedaard. Plotseling barstte ze in huilen uit. Fronsend keek ik haar aan.

'Je moet me geloven, aşkim,' snikte ze. 'Ik heb jou eerlijk verteld dat ik geen maagd meer was. Ik ga heus niet liegen over het aantal. Ik heb jou precies verteld met wie ik naar bed ben geweest en heb je zelfs verteld dat die klootzak daar mij ontmaagd heeft,' zei ze terwijl ze naar Emre wees. Ze bleef maar snikken. 'Ik hou van jou. Jij wordt mijn man. Wij gaan trouwen. Wat gebeurd is, is gebeurd. Dat moeten we achter ons laten. Ik ben geen maagd meer, jij bent geen maagd meer... dat hebben we zo geaccepteerd van elkaar. Maar wat Emre nu heeft gezegd is gewoon niet waar. Zie je niet in dat anderen onze relatie proberen kapot te maken?'

Ik keek naar de grond en dacht nog steeds aan Emre's woorden. Ik probeerde alles weer op een rijtje te krijgen.

Het maakte mij niet uit dat ze geen maagd meer was. Dat wist ik namelijk al voordat ik met haar een relatie begon. En zelf was ik ook bepaald geen maagd meer. De profeet was bovendien zelf getrouwd met een vrouw die geen maagd meer was. In de islam is ontmaagding voor het huwelijk niet alleen voor vrouwen een zonde, maar evengoed voor mannen. In mijn islam vond ik het maagd zijn voor een vrouw totaal onbelangrijk omdat ik me er zelf ook niet aan hield.

'Ik weet wel dat mensen ons uit elkaar willen drijven. Ze zijn gewoon jaloers. Maar ik voelde me gewoon bedrogen toen ik dit verhaal van Emre hoorde.'

'Schat, als je zoiets hoort, moet je er altijd eerst met mij over praten. Anders word je gek, zoals nu. Mensen om ons heen gunnen een ander geen geluk. Ze zien ons gelukkig zijn en het eerste wat ze willen, is het kapotmaken.'

Ik sloeg mijn beide armen om haar heen en zei haar dat het me speet. Ik kuste haar op haar wang. Nu werd ze een stuk rustiger. Ze hield op met huilen en veegde haar tranen weg. Ze kuste mijn lippen. 'Laat dit nooit meer gebeuren, bitanem! We moeten elkaar altijd kunnen vertrouwen,' zei ze.

Ze pakte mijn hand en sleurde me mee naar Emre. Het liefst

wilde ze hem aanvliegen maar ik kon haar nog net tegenhouden. Ze begon weer te schelden. Emre werd ook kwaad en wilde haar een klap geven, maar ik greep zijn arm vast.

'Waar ben je mee bezig, jongen? Je kan toch niet van mij verwachten dat ik mijn vriendin laat slaan? Als je haar slaat, dan
sla ik jou. Dan komen wij tegenover elkaar te staan. Vrienden
of niet. Dit kan ik niet accepteren!' schreeuwde ik.

Hij keek me verbaasd aan, alsof hij had verwacht dat ik hem
zijn gang zou laten gaan, en zei toen aarzelend: 'Vooruit dan
maar. Voor jou dan.'

Aselya bleef maar doorgaan met schelden en daagde hem
uit. 'Sla me dan, mietje. Sla me dan... Sla me dan als je een echte man bent,' schreeuwde ze.

Ik keek Emre aan en zei hem in de auto te wachten. Met
moeite slaagde ik erin Aselya stil te krijgen.

Met trillende handen stak ze een sigaret op. Emre liep ondertussen naar de auto. Op dat moment parkeerde er een auto
langs de kant van de weg met twee Turkse mannen erin. Emre
herkende ze. Hij begon sneller te lopen en hoopte dat ze hem
niet zouden opmerken. Maar de mannen stapten uit en zagen
hem lopen. Ze zeiden niets en Emre stapte in zijn auto. De
mannen liepen vervolgens naar het tankstation en keken onderweg onze kant op, heel even maar. Toen verdwenen ze in
het gebouwtje.

Ik schrok me dood. 'Ken jij die mannen?' vroeg ik paniekerig terwijl ik een sigaret opstak.

'Ik ken ze niet, maar het kunnen kennissen van mijn vader
zijn,' gokte Aselya.

Tot mijn verbazing bleef ze rustig. Snel kuste ik haar gedag
en zwaaide naar haar zusje en Sevda terwijl ik naar de auto rende.

Emre startte meteen de motor en met piepende banden reden we weg. Onderweg vertelde hij me dat hij de twee Turkse mannen herkend had. 'Dat zijn kennissen van haar vader. We krijgen nu zeker problemen,' zei hij onrustig.

'Gaan ze naar haar vader denk je?'

'Laten we hopen van niet, maat. Ik ken die vader. Hij is gek, hoor. Hij drinkt veel en dan doet hij gekke dingen. Geloof me.'

Mijn hart klopte in mijn keel. Hier was ik nou al die tijd bang voor geweest. Met zware halen trok ik aan mijn sigaret.

Emre en ik besloten niet meer te praten over wat er net gebeurd was. We reden naar het huis van Selçuk, die zoals afgesproken buiten stond te wachten.

We reden naar de stad, waar een grote kermis aan de gang was. Op elke hoek een andere attractie. Het was er bomvol. We gingen op een terrasje zitten en zochten een goede tafel uit om vanaf daar mensen te kijken. Dat vind ik altijd het leukst aan een kermis, mensen kijken.

Ruim een half uur en wat breezers later gingen we verder. Aan de overkant van de straat stond een gigantisch apparaat dat over de kop ging. 'Daar moet ik in,' zei ik tegen de jongens. Ik rende naar de kassa en kocht maar twee kaartjes, omdat ik wist dat Selçuk nergens in durfde. Emre en ik gingen in de rij staan.

Even later liepen we samen met Selçuk duizelig weer verder. Bij de draaimolen zag ik plotseling een meisje staan dat me erg bekend voor kwam, maar ik kon haar gezicht niet goed zien. 'Loop maar vast door. Ik haal jullie wel in. Ik moet even iets doen,' zei ik tegen de jongens en liep in haar richting.

Ze droeg een witte hoofddoek. Plotseling keek ze om en waren haar grote ogen op mij gericht. Na al die tijd ontmoette mijn blik opnieuw haar feeërieke groene ogen. Ik schrok. Het was dus inderdaad Dilara. Alsof ik haar aanwezigheid gevoeld had. Haar mooie groene ogen bleven op mij gericht en ze glimlachte. Mijn hart sloeg over, ik wist niet wat ik moest doen. Snel keek ik om ons heen en zag dat ze met haar moeder was, zodat ik niet naar haar toe kon lopen. Ik keek haar vragend aan en ook zij bleef me een lange tijd aanstaren. Haar aanblik was totaal anders nu ze een hoofddoek droeg en ze zag er minder goed uit dan vroeger. Ze was lijkbleek en had een ongelukkige blik in haar ogen; de vitaliteit was er volledig uit verdwenen.

Na de anderhalf jaar dat ik haar niet had gezien had ik zo veel te vertellen, zo veel te vragen, maar ik kon niet op haar afstappen. Haar moeder kwam naast haar staan, dus keek ze snel weg. Ze pakte het kindje van haar broer uit de draaimolen en zette hem in de kinderwagen. Ik stond nog steeds te kijken en kon me niet verroeren. Samen met haar moeder en de kinderwagen liep ze van me weg. Ik was perplex. Toen ik me eindelijk weer kon bewegen liep ik naar Selçuk en vertelde hem in geuren en kleuren dat ik Dilara had gezien.

'Eindelijk, man. Dat werd tijd na anderhalf jaar. In dezelfde stad wonen en elkaar nooit tegenkomen. Ik ben echt blij voor je. Echt!' zei hij.

Met een gerustgesteld hart liep ik verder. Ik had me ernstige zorgen gemaakt. Het deed me weliswaar pijn om haar zo ongelukkig te zien, maar ze leefde tenminste nog. Dat was het belangrijkste.

* * *

Die nacht werd Aselya wakker van geluiden op de gang. Ze keek naar haar beha. Haar tatoeage was goed zichtbaar. Verschrikt keek ze weer op en kon nog net de schaduw van haar moeder op de muur richting de trap zien bewegen. Ze wist zeker dat haar moeder de tatoeage had gezien en raakte in paniek, maar durfde zich niet te bewegen. Ze kon nu alleen maar hopen dat haar moeder niks tegen haar vader zou zeggen.

Na vijf minuten muisstil in bed te hebben gelegen stond ze op en opende het raam. Ze stak een sigaret op. Ze stelde zich voor wat er allemaal kon gebeuren. Haar woeste vader, die haar kamer zou binnenstormen en haar door de hele slaapkamer zou slaan, haar huilende moeder, die een verklaring van haar zou eisen, het hele huis zou worden wakker geschud en ze zou in deze onwenselijke omstandigheden haar ouders over mij moeten vertellen...

Maar het bleef stil in huis. Ze hoorde haar moeder niet meer en haar vader evenmin. Na een tijdje viel ze weer in slaap.

★ ★ ★

Toch volgde de afwijzing van haar vader kort hierop. Het was een woensdag. Aselya kwam bij mij vandaan en trof haar vader alleen thuis. Een man van tweeënveertig wiens echtgenote alleen over het huishouden iets te zeggen had, maar verder haar mond moest houden. Ze was nog erg jong maar leidde een geïsoleerd leven, zoals het merendeel van de Turkse vrouwen om haar heen. Buiten haar eigen vertrouwde Turkse wereldje kwam ze niet, mocht ze niet komen van haar man.

Hij zat in de huiskamer en vertelde haar dat hij in het café van twee mannen had gehoord dat ze zijn dochter met een jongen hadden gezien van de week. Aselya slikte en bleef stil.

'Was dat je vriend bij het tankstation?' vroeg hij boos met een sigaret in zijn mond.

Aselya wist even niet waar ze moest kijken. Dit gesprek kwam als een verrassing voor haar. Haar lippen begonnen te trillen. 'Uhhh... papa. Ik wilde je deze week vertellen dat ik iemand heb ontmoet,' bracht ze uit. 'En ik wil met hem trouwen! Het is echt een goeie en serieuze jongen. En hij is moslim! Hij is alleen geen Turk. Hij is Arabisch. Uit Sudan.'

Haar vader balde zijn vuisten en sloeg er keihard mee op tafel. 'Je hebt me voor schut gezet! In het café komen mensen naar mij toe met dit verhaal. En ik weet van niks?'

'Ik wilde het echt vertellen. Hij en ik hadden samen besloten om het jou te vertellen. Ik wachtte alleen op het juiste moment.'

'Het juiste moment is nu!' Hij sloeg nog eens met zijn vuisten op tafel. 'Die jongen komt er niet in. En je ziet hem nooit meer! Begrepen?'

Aselya barstte in huilen uit en rende naar haar slaapkamer. Haar vader rende laaiend achter haar aan en sloeg haar in het gezicht, waarbij hij met zijn nagels haar keel openkrabde. Ze begon te bloeden en nog harder te huilen.

'Ik hou van hem!' schreeuwde ze door de kamer.

Dat maakte haar vader alleen maar bozer en hij bleef haar slaan totdat ze op de grond viel en zich niet meer bewoog. Vervolgens liep hij de kamer uit en trok de deur achter zich dicht.

'Blijf daar!' gebood hij.

Ze lag op de grond en kon niet stoppen met huilen. Rode vegen besmeurden haar witte topje en haar hele keel zat onder de striemen. Ze pakte een kussen van haar bed en legde het op de grond. Met haar hoofd op het kussen bleef ze in foetushouding op de grond liggen. Ze pakte haar telefoon uit haar zak en belde mij op: 'Schat, mijn ouders weten het,' zei ze alleen maar en hing weer op. Ze was als de dood dat haar vader haar aan de telefoon zou betrappen.

Na tien minuten kwam hij opnieuw haar kamer binnengelopen en trof zijn dochter ineengedoken op de grond aan. 'Laat me je handen zien,' zei hij.

Hij zag de gouden ring om haar vinger en trok deze er hardhandig van af. Hij bekeek hem van alle kanten en zag mijn naam erin gegraveerd staan. Aselya stond op en probeerde haar vader tegen te houden.

'Papa, geef mijn ring terug! Geef mijn ring terug!' schreeuwde ze. Maar haar vader gaf haar nog een klap en stormde de kamer weer uit. In tranen wankelde ze richting haar bed.

Aselya's vader ging naar zijn stamkroeg, legde de ring op tafel en liet iedereen een voor een kijken.

'Kent iemand deze jongen?' vroeg hij. Sommige van zijn vrienden pakten meteen hun telefoon en begonnen te bellen. Na vijf minuten hadden ze al mijn persoonlijke gegevens. Mijn straatnaam, huisnummer: alles...

Even later was Aselya's vader weer thuis en hij liep direct naar haar slaapkamer. Hij pakte haar bij de haren en smeet haar door de kamer.

'Wat moet je met hem?' schreeuwde hij.

Haar moeder kwam nu ook naar boven gerend en ging in de deuropening staan. Ze wilde ingrijpen, maar durfde niet en bleef stokstijf en machteloos staan toekijken hoe haar dochter afgeranseld werd.

'Ik hou van hem, papa,' snikte Aselya. 'Ik wil met hem trouwen.'

'Nee meisje, jij trouwt niet met hem. Je bent nog veel te jong om te trouwen,' schreeuwde hij woedend.

'Hoezo? Mama was ook al getrouwd op mijn leeftijd!' snikte ze.

Zonder iets te zeggen stormde hij weer naar beneden toen de huistelefoon ging. De moeder bleef boven en liep naar haar toe. Ze hielp haar overeind en samen gingen ze op het bed zitten.

'Ik hou van hem, mama,' vertelde ze haar moeder droevig.

Haar moeder pakte haar vast en zei: 'Ik heb de tatoeage gezien. Die gaat er hoe dan ook af. Met een schuurspons of kaasschaaf, het maakt me niet uit hoe. Hij gaat eraf.'

Ze keek haar moeder geschrokken aan, duwde haar opzij en vroeg haar om weg te gaan.

Ik zat thuis op mijn kamer. Ik had me net gedoucht en omgekleed. Er was die avond een groot feest op werk: het afscheid van de huidige baas omdat de zaak zou worden overgenomen. Ik had getwijfeld of ik zou gaan, want ik was doodongerust over Aselya, maar besloot dat het een welkome afleiding zou zijn. Ik stond op het punt te vertrekken toen mijn mobiel ging. Nadat ik had opgenomen bleef het lange tijd stil aan de andere kant. Toen hoorde ik een norse mannenstem.

'Weet je wie ik ben jongen? Ik vader van Aselya. Jij van kleine meisjes afblijven. Ik jou nu doodmaken. Wacht jij maar!' hoorde ik hem zeggen. Hij sprak erg gebrekkig Nederlands, wat ik niet verwacht had na al die jaren dat hij hier al woonde.

Ik zweeg, durfde niets te zeggen. Ik slikte en ademde in de hoorn. Mijn hart bonsde luid. Rustig ademen! Rustig! Wat moet ik in hemelsnaam zeggen? Ik zei niets.

'Durf je niks te zeggen? Jij toch echte man?' schreeuwde hij door de telefoon. Ik antwoordde nog steeds niet en hij hing op. Ik checkte nog eens op het venstertje van mijn telefoon of hij echt opgehangen had en legde daarna de telefoon naast me op de bank. Meteen ging hij weer over. Deze keer nam ik niet op. Ik durfde niet. *Hij gaat me vermoorden, hij gaat me vermoorden. Mijn God, ik ga eraan!*

Ik stormde naar beneden en sloot het hele huis af. Eerst de deuren, daarna de ramen. Ook deed ik de gordijnen in de huiskamer dicht. Mijn moeder en stiefvader zaten in de huiskamer en keken me geschrokken aan. 'Wat is er aan de hand?' vroeg mijn moeder.

Ik vertelde haar vluchtig over het telefoontje van Aselya's vader. Ze stond op en liep naar de keuken, waar ze een groot slagersmes uit de lade pakte. Ze ging rechtop op de bank zitten en legde het mes naast zich neer. Mijn stiefvader probeerde haar te kalmeren, maar dat wilde niet echt lukken. Ze was doodsbang geworden en dacht zeker aan twee jaar geleden, toen de familie van Dilara hier dreigend op de stoep had gestaan. Ondertussen was ik druk in de weer om alles goed af te sluiten. Alle ramen, alle deuren en ook de achterpoort ging op slot. Ten slotte liep ik weer naar boven, naar mijn kamer.

Aselya's vader kreeg telefoontjes van verschillende Turkse mannen uit het café. Ze vertelden hem dat Aselya moest uitkijken voor mij; ze hadden uit verscheidene bronnen in de Turkse gemeenschap vernomen dat ik een loverboy zou zijn die jonge meisjes ronselde om ze als hoer te laten werken. Ook zou ik drugs dealen voor mijn werkgever, die bekend stond als een drugsbaron. 'Hoe komt hij anders aan die dure BMW cabrio?' zeiden ze. Ze wisten ook te vertellen dat ik een tijd met zijn 21-jarige neefje Ercan was omgegaan. Hij belde hem gelijk op met de vraag of hij mij kende.

'Die ken ik wel,' antwoordde Ercan verrast. Aselya's vader legde precies uit wat er gebeurd was.

Vervolgens belde Ercan mij op, maar mijn mobiel herkende

zijn nummer niet dus ik nam niet op. Daarop ontving ik een bericht:

Ik heb nog nooit
iemand pijn gedaan
in mijn leven, maar
nu zit je aan mijn
familie. Al mijn
vrienden zoeken je.
Je gaat eraan!

Hetzelfde nummer belde me vervolgens opnieuw. Ik nam op. 'Hé, met Ercan. Je moet van mijn nicht afblijven, jongen. Ik maak je dood. Wacht maar tot we je op straat zien lopen,' hoorde ik hem zeggen.

Ik was verrast want ik had geen flauw idee gehad dat Ercan een neef van Aselya was. Dezelfde Ercan die mij geld schuldig was en die ik in mijn huis had ontvangen toen hij er door zijn ouders was uitgezet. Ik schrok en verbrak de verbinding. Ik wist gewoon niet wat ik op deze doodsbedreigingen moest zeggen.

Met een peuk in mijn hand ijsbeerde ik door de kamer. Ik dacht aan mijn moeder, die beneden zat met een slagersmes in haar handen. Ik keek naar de muur achter het bankstel, waar ik een vlijmscherp zwaard had hangen. Meegenomen uit Sudan. Ik ging op de bank staan en haalde het zwaard van de muur.

Mijn mobiel ging opnieuw af, maar ik nam weer niet op. Er volgde een sms'je:

Ik ben het. Je
kanjer. Neem op!
Kus Aselya.

Helemaal in paniek vertelde ze me even later wat er allemaal
gebeurd was. Ook adviseerde ze me om niet naar buiten te
gaan, want ze wist waartoe haar vader in staat was. Toen ze dit
zei, moest ik even slikken. Ze vertelde me dat ze het niet meer
uithield thuis. Ze werd voortdurend afgeranseld. Ze wilde weg
van huis. Ik zei dat ze de politie moest bellen, maar dat vond
ze in eerste instantie geen goed idee, bang als ze was voor de
gevolgen. Ik deed mijn best haar over te halen, want ik was ervan overtuigd dat de politie haar kon helpen. Na lang nadenken stemde ze in. Maar aangezien zij stiekem belde vanuit de
badkamer vroeg ze mij om namens haar de politie te bellen.

Dat deed ik na ons gesprek meteen. Ik legde de politie uit
dat er sprake was van huiselijk geweld en dat haar familie mij
met de dood bedreigde. De politie reageerde verbaasd. 'Waarom belt ze dan niet zelf?' vroegen ze doodleuk. Ik moest helemaal uitleggen dat ze mij stiekem vanuit de badkamer had gebeld en dat ze niet kon blijven bellen. Er werd besloten een
kijkje te gaan nemen op het adres.

Twee agenten, een man en een vrouw, stapten uit en belden
aan. Haar vader liet hen binnen, terwijl hij ze boos opnam. De
agenten spraken met alle gezinsleden. Aselya namen ze apart.
Het viel de agenten gelijk op dat haar hals open lag. Toen ze
aan haar vroegen hoe dat kwam, verzon ze dat ze tegen de deur
was aangelopen. Ze begon zich een verrader te voelen; het
bleef tenslotte haar vader. Bovendien was ze bang. Bang dat
haar vader anders meegenomen zou worden, wat nog meer
problemen voor haar zou opleveren.

Ze liet hen weten dat haar vader 'boos' was over het feit dat ze een vriendje had. En dat haar vader de jongen niet accepteerde en dat er verder eigenlijk niets aan de hand was. De agenten vertrouwden het verhaal niet helemaal en gaven haar een kaartje.

'Als er iets is, moet je maar bellen. Dan komen we je gelijk ophalen,' zeiden ze tegen haar.

Ze verstopte het kaartje in haar bh.

De agenten gingen naar beneden en liepen terug richting hun auto, Aselya's vader stormde ze achterna en riep in het Nederlands: 'Ik pak die jongen, ik maak 'm dood. Dood!'

Ze schrokken van zijn woorden en probeerden hem te kalmeren. Dat lukte hen echter niet; hij bleef maar schreeuwen. Toen zijn vrouw hem naar binnen trok, besloten de agenten uiteindelijk te vertrekken.

Ik zat nog steeds doodsbang op mijn kamer. De politie moest nu wel bij Aselya langs zijn geweest.

Mijn telefoon begon weer te knipperen. Ik keek naar het venster en herkende inmiddels het nummer van haar vader. Ik besloot niet op te nemen. Daarna stuurde hij een bericht:

De politie is in
mijn huis geweest
door jou! Ik zwartkop.
Ik maak je kapot.
Jij gaat eraan.

Hij kreeg me nog banger dan ik al was.

Een kwartier later belde Aselya. Ditmaal was ze gewoon in haar kamer en had ze haar deur op slot gedaan.

'De politie is geweest, maar ik durfde niks te zeggen over mijn vader,' zei ze heel zachtjes. Daarna fluisterde ze me dat een van de agenten haar een kaartje had gegeven met daarop een nummer dat ze kon bellen als de situatie zou escaleren. Ik hoorde het verdriet in haar stem.

'Houd het kaartje goed bij je. Het komt wel goed, schat. Echt waar,' zei ik. 'Insh'Allah ziet alles er snel een stuk beter uit voor ons,' zei ik hoopvol tegen haar.

Toen hing ze zomaar op. Ik wist niet wat daar gebeurde en maakte me ernstige zorgen, maar kon haar niet bellen. Er zat niets anders op dan af te wachten.

Mijn moeder en stiefvader zaten nog steeds bezorgd en doodsbang beneden op de bank. Mijn moeder had inmiddels de politie gebeld om melding te maken van alle dreigtelefoontjes die ik ontving. De politie vertelde haar dat ze niks konden doen zolang ze nog niets hadden ondernomen.

'Dus die Turken moeten eerst ons huis binnenstormen voordat ik iets aan jullie heb?' vroeg ze overstuur.

De politie gaf daar geen antwoord op. 'Houd de telefoon bij u, mevrouw, zodat u kunt bellen zodra er iets gebeurt.'

Mijn moeder verbrak de verbinding. 'Daar heb je ook niks aan,' raasde ze.

Na een gesprek met haar ouders beneden was Aselya weer naar boven gevlucht. Ze hoorde af en toe mensen aan de deur komen, maar kon niet horen wie dit precies waren. Allemaal vrienden van papa, dacht ze.

Haar vader kwam weer naar boven gerend. Ze lag op bed te huilen. Aan haar haren sleurde hij haar eraf. 'Geef me je mobiel!' schreeuwde hij.

Snikkend gaf ze hem haar telefoon. Hij haalde de simkaart eruit en brak die in tweeën. Het toestel hield hij bij zich. Gelukkig had ze net alle foto's van mij uit haar telefoon gewist.

Ercan kreeg de opdracht om uit te zoeken waar ik was. Hij belde een paar Turkse vrienden van hem op om te komen helpen. Samen reden ze door de stad op zoek naar mij.

Mijn telefoon bleef constant gaan. Na een poosje besloot ik op te nemen.

'Waar ben je?' vroeg Ercan.

Ik vertelde hem dat ik gewoon aan het werk was en niet altijd kon opnemen.

'Tot hoe laat moet je werken?' vroeg hij.

Ik zei hem dat ik vandaag moest werken tot halféén 's nachts. Het was iets van halfacht. 'Ik zie je wel na het werk. Dan praten we verder.'

Haar vader was ondertussen weer in de slaapkamer van zijn dochter. Aselya probeerde hem tot zinnen te brengen, maar dit werkte averechts. Hij werd woedender en woedender bij alles wat er uit haar mond kwam. In plaats van te luisteren trok hij zijn riem uit zijn broek. Aselya dook op de grond om haar gezicht te beschermen en haar vader stortte zich met zijn volle gewicht boven op haar en haalde uit. En nóg eens en nóg eens. Haar rug ving alles op, een vreselijke pijn schoot door haar heen. Eindelijk deed hij zijn riem weer terug in zijn broek, ging de kamer uit en liep naar beneden, waar hij Ercan belde om te vragen of hij al iets wist. Zijn neefje vertelde hem dat ik op mijn werk was, niet ver van hun huis vandaan en dat hij me daar op zou wachten.

Om tien uur belde Aselya mij weer stiekem vanuit de badkamer, dit keer met de mobiel van haar moeder. Snikkend fluisterde ze dat ze opnieuw was mishandeld en dat haar vader zelfs een riem had gebruikt. Ze vroeg me de politie te bellen en te vragen of die haar op konden komen halen. Ze vroeg specifiek of de agenten haar regelrecht naar het politiebureau zouden kunnen brengen. Een ondervraging bij hun thuis durfde ze gewoonweg niet aan; elke confrontatie met haar familie wilde ze uit de weg gaan om hen zo min mogelijk te kwetsen. Ook vroeg Aselya specifiek om de agenten die eerder die avond bij hun thuis waren geweest en gaf me het nummer dat op het kaartje stond.

Geschrokken belde ik het nummer zodra we hadden opgehangen maar ik kreeg te horen dat de betreffende agenten pas weer vanaf elf uur beschikbaar waren. Eerst ruiken ze onraad en geven ze hun kaartje; vervolgens zijn ze onbereikbaar. Belachelijk, maar wat kon ik doen? Ik besloot later terug te bellen.

Een halfuur daarna belde Aselya mij. 'Heb je al gebeld?'

Ik vertelde haar dat ik om elf uur pas terug kon bellen, dat ze nu niet beschikbaar waren.

Om elf uur belde ik opnieuw. Deze keer kreeg ik de agente aan de lijn die eerder die avond een gesprek met Aselya had gehad. Ik vertelde haar dat Aselya mij had gevraagd of ze onmiddellijk door hen opgehaald kon worden, dat ze opnieuw door haar vader mishandeld was en dat ze het echt niet meer uithield thuis. Ik maakte duidelijk dat ze op het moment echt gevaar liep.

De agente wachtte tot ik uitgepraat was en zei: 'We zijn al eerder vanavond op het adres geweest. We kunnen niet weer langsgaan.'

Ik wist niet wat ik hoorde. 'Jullie hebben zelf jullie kaartje aan haar gegeven om contact op te nemen, mocht het uit de hand lopen. Dat is dus nu!' maakte ik haar duidelijk. 'Ze heeft zelfs haar tas al gepakt.'

Ze bleef weigeren. Wel boden ze aan een keertje door de straat te rijden.

'Ze wil weg van huis. Als jullie haar niet komen ophalen zal ze één dezer dagen zelf weglopen van huis. Dat kan ik je nu al op een briefje meegeven,' zei ik woest.

De agente herhaalde dat ze door de straat zou rijden, maar dat ze verder niets kon doen.

'Jullie worden bedankt, zei ik en verbrak de verbinding. Het werd alleen maar erger. Nu voelde ik niet alleen angst voor haar familie, maar ook enorme woede vanwege het seniele gedrag van de politie.

Om kwart over elf belde Aselya me weer.

'Wanneer komen ze me nou ophalen?' vroeg ze. Ze was ongeduldig geworden.

Met grote spijt vertelde ik haar over mijn gesprek met de politie.

Ze was even stil. 'Wat moet ik nu doen dan?' fluisterde ze toen kleintjes.

'Ik weet het ook niet meer. De politie wil je niet komen ophalen. Wel hebben ze toegezegd nog eens door je straat te rijden. Zorg dat je tas klaarstaat, dat je meteen kunt vertrekken mochten ze beslissen toch aan de deur te komen. Voor de zekerheid,' zei ik.

Ze slaakte een diepe zucht.

De hele nacht wachtte ze op de politie, die niet kwam. Haar tas had ze onder haar bed verstopt. Lange tijd bleef ze voor het raam wachten in de hoop de agenten voorbij te zien rijden. Maar nee. Ze lieten haar in de steek.

10

*I*k had Dilara net achtergelaten in een vreemde stad en was weer in mijn eigen omgeving, maar ik voelde me er niet veilig. Ik stelde me allerlei mogelijke scenario's voor en keek constant paranoïde om me heen. Elk zuidelijk type was in mijn ogen een gevaarlijke Turk. Ik snelde de bus in en ging regelrecht naar werk, zonder eerst langs huis te gaan.

Later op de avond belde mijn moeder naar het restaurant om te vertellen dat er twee onbekende Turkse mannen aan de deur waren geweest, op zoek naar mij. En dat ze niet echt vriendelijk leken. Nerveus rookte ik een sigaret voordat ik weer aan het werk ging.

Nog geen kwartier later ging de telefoon bij de bar. Het was de receptioniste met de boodschap dat er twee mannen voor mij waren. Ik kreeg hartkloppingen.

'Zeg maar dat ik het druk heb en dat ik ze nu niet kan ontvangen,' zei ik angstig.

Een goede kennis van me, een Nederlandse man van rond de vijftig met een groezelig gezicht, zat die avond aan de bar. Hij kwam regelmatig in de sauna en had veel connecties in de onderwereld. Vooral in de Turkse onderwereld. Ik legde hem uit wat er aan de hand was en dat er nu Turken achter mij aan zaten. Hij pakte meteen zijn telefoon en belde iemand van de Turkse maffia, die hij verzocht direct naar het restaurant te komen. Hij zou er zo zijn. In de tussentijd liep mijn kennis naar buiten om te kijken of ik inderdaad werd opgewacht. Voor het pand zag hij een personenauto geparkeerd staan met twee Turkse mannen erin.

Ik besloot te stoppen met werken voor die dag en ging samen met mijn kennis in de kantine zitten wachten op Osman, die lid was van de gevreesde Grijze Wolven: een extreem rechtse organisatie met veel connecties in de Turkse maffia. Deze ultranationalistische en fascistische organisatie bestaat officieel niet meer, maar in de praktijk zijn ze nog altijd springlevend, actief en invloedrijk. Zoals alle radicaal-nationalistische bewegingen hebben de Grijze Wolven hun eigen symbolen en gebaren, zo beelden zij als herkenningsteken met de vingers van hun rechterhand een wolvenkop uit.

Een halfuur en vijf sigaretten later kwam hij de kantine binnengelopen. Ik stond direct op en gaf hem een hand. Een grote, forse man van in de veertig, zonder haar op zijn hoofd maar met een grote zwarte snor. Hij liep mank, wat kwam doordat hij twee keer in zijn linkerbeen was geschoten, vertelde hij later. Hij keek mijn kennis aan en maakte met zijn rechterhand een wolvenkop. Mijn kennis staarde even naar zijn hand en knikte vervolgens.

In gebrekkig Nederlands opende Osman het gesprek. Hij vroeg me de naam van het meisje, en toen ik die noemde zei hij precies te weten over welke familie ik het had. Hij had het verhaal al rond horen gaan in de Turkse gemeenschap en wist te vertellen dat ik niet met Turken maar met Turkse Koerden te maken had.

'Ben je met haar naar bed geweest?' vroeg hij bezorgd.

'Nee!' riep ik.

Hij leek opgelucht en zei dat hij het voor me op ging lossen, op één voorwaarde: ik moest Dilara terugbrengen naar huis en het contact met haar verbreken.

Hoe moeilijk ik het ook vond, ik stemde toe. Een andere uitweg zag ik op dat moment niet. Bovendien was ik toch niet van plan me aan de voorwaarde te houden en zou het sowieso eerst met Dilara moeten bespreken.

Vervolgens liep Osman naar de auto waarin de broer en de neef van Dilara op me zaten te wachten onder het genot van een fles alcohol. Ze hadden ieder een pistool bij zich en waren stomdronken. Osman ging naast de auto staan en zei in het Turks: 'Oprotten hier. Jullie laten die jongen met rust! Anders gaan wij ons ermee bemoeien.'

Uit respect voor Osman en uit vrees voor de Grijze Wolven gehoorzaamden ze meteen.

Toen Osman me vertelde dat ze pistolen bij zich hadden en dat ze me hoogstwaarschijnlijk hadden geliquideerd als hij ze niet had weggestuurd, zat ik te trillen op mijn stoel.

Osman bood aan om mij naar huis te escorteren zodat ik in ieder geval veilig aan zou komen. Samen liepen we naar zijn auto, terwijl hij oplettend om zich heen keek. Hij opende de deur voor me en ik stapte snel in. Voor de deur van mijn huis bleef Osman staan wachten tot ik binnen was. Ik was hem ontzettend dankbaar; hij had me gered.

Ik sloot meteen het hele huis goed af en deed de gordijnen

dicht. Mijn moeder zat met mijn stiefvader op de bank. 'Wat is er in godsnaam aan de hand?' vroeg ze.

Kort legde ik het haar uit. Ik had mijn verhaal nog niet afgemaakt of ze liep naar de keuken. Ze kwam terug met een groot mes in haar handen; ze was doodsbang geworden in haar eigen huis.

We bleven in de huiskamer zitten met de gordijnen dicht. Ik hoorde allerlei auto's door de straat rijden en parkeren. Het was drukker dan normaal. Later, rond een uur of tien 's avonds, meende ik mensen Turks te horen praten op straat. Mijn moeder deed het gordijn een stukje opzij om naar buiten te gluren en zag daar een man of twintig staan. We waren omsingeld. Ze twijfelde geen moment en belde de politie, die ons vertelde dat ze nog steeds niks konden doen. Kwaad verbrak ze de verbinding.

Vervolgens pakte ik de telefoon om Marouane te bellen, een gladde Marokkaan van in de veertig. Een bekende in de onderwereld. Hij droeg altijd een net pak en een Armani-brilletje. Ik vroeg hem naar mijn huis te komen.

Twintig minuten later ging de deurbel. Zoals ik had gehoopt werd hij door de Turken met rust gelaten. Ik liet hem binnen en hij ging bij mijn ouders zitten. Hij verzekerde hen dat zij en mijn zusjes, die boven lagen te slapen, in ieder geval veilig waren omdat ze alleen mij en het meisje moesten hebben. Na lang overleg besloten Marouane en ik naar het politiebureau te gaan. Er moest iets gebeuren, dit kon zo niet langer.

We wachtten tot het gevaar geweken leek, tot er geen geluiden en geen schimmen meer in de straat waren. Waarschijnlijk waren ze het wachten zat geworden of dachten ze dat ik die avond toch niet meer naar buiten zou komen. We hadden geen

idee of ze echt helemaal weg waren, maar zagen nu een mogelijkheid om veilig de auto in te komen en besloten het erop te
wagen.

Eenmaal de straat uit merkten we echter meteen dat we achtervolgd werden door een rood busje, en een stukje verderop
werden we afgesneden door een zwarte personenauto. We weken uit en maakten enorme snelheid. We reden op een twee-
baansweg en gingen richting een rotonde toen een wit busje
ons tegemoet kwam. Het reed een stukje onze weghelft op in
een poging ons tot stilstand te brengen. Wij weken uit naar
rechts, kwamen half op de stoep terecht en reden hard door.
We bereikten het bureau en parkeerden de auto voor de deur.
Ik stoof naar binnen. Daar slaakte ik een zucht van opluchting. Marouane was kalm gebleven, vermoedelijk maakte hij
vaker zulke dingen mee.

Binnen namen we plaats op een bankje bij de receptie. Nog
geen vijf minuten later liepen de vader en de broer van Dilara
het politiebureau binnen. Ik herkende ze van de foto's die Dilara me op haar mobieltje had laten zien. Haar vader keek even
naar mij maar draaide zijn hoofd meteen weer weg. Haar broer
bleef me met een hatelijke blik in zijn ogen aankijken.

Ze liepen naar de receptie en ik kon horen wat ze zeiden.
'We willen iemand spreken over de vermissing van mijn dochter.' Ze werden gelijk ontvangen, ik moest nog wachten.

Een tijdje later kwam een agent mij halen; Marouane bleef
bij de receptie wachten. Ik vertelde de agent het hele verhaal.
Het weglopen van Dilara nadat ze thuis was mishandeld en de
ernstige bedreigingen van haar familie jegens mij. Alles werd
in een dossier genoteerd.

Voordat ik mijn handtekening kon zetten wilde de agent het
adres weten waar Dilara op dat moment verbleef.

Ik zei hem dat ik dat niet kon geven. 'Dat wil ze zelf niet,' legde ik weifelend uit, 'maar ik kan wel een telefoonnummer geven.'

De agent maakte me wijs dat hij aan onze kant stond en dat-ie ons alleen maar zo goed mogelijk wilden helpen en dat dat alleen kon als hij haar adres had. Hij beloofde me dat hij eerst telefonisch contact met Dilara op zou nemen voordat de politie bij haar aan de deur zou komen.

Ik twijfelde maar besloot hem uiteindelijk mijn vertrouwen en het adres te geven. Omdat ik het niet precies uit mijn hoofd wist, belde ik Hanan en legde haar uit dat ik op het bureau zat en dat ze hier het adres per se nodig hadden. Na lang aarzelen gaf ze het. Ik kreeg nog snel even Dilara aan de lijn.

'Niet geven!' riep ze meteen.

Maar ik luisterde niet naar haar en gaf het toch.

Na de aangifte liep ik samen met Marouane terug naar de auto, ondertussen zenuwachtig om me heen kijkend. Geen blijk van gevaar. Hij bracht me zonder verdere problemen thuis.

Een uur na mijn aangifte stonden er plotseling drie politieauto's voor Hanans flat. Ze hadden zich niet zoals afgesproken van tevoren telefonisch gemeld en liepen zwaar bewapend de trappen op. Ze belden tweemaal aan, Hanan en Dilara deden samen de deur open. Faisel sliep op dat moment. Ze vielen binnen en vroegen naar Dilara. 'Dat ben ik,' antwoordde Dilara geschrokken. Enkele agenten liepen de woning binnen en doorzochten het hele huis; de anderen hielden de wacht bij de meisjes.

Ze wilden haar meenemen en Dilara deed haar best uit te leggen dat ze niet naar huis wilde en dat ze morgenmiddag een afspraak had met maatschappelijk werk. Uiteindelijk besloten de agenten haar op het adres te laten, aangezien ze nu uit haar mond te horen hadden gekregen dat ze niet terug naar huis wilde. Ze verlieten de flat en lieten Dilara geschrokken achter.

Hanan was erg boos op me, omdat ik haar had overgehaald het adres te geven. 'Zie je wel dat we de politie niet kunnen vertrouwen?' zei ze tegen Dilara.

Even later ging Hanans mobiel. Hanan luisterde aandachtig terwijl Dilara haar pupillen zag verwijden. Ze herkende mijn moeders stem en raakte in paniek.

'Wat is er aan de hand? Wat is er?' vroeg ze zodra Hanan had opgehangen.

Hanan was even stil, maar begon daarna rustig te vertellen. 'Ze hebben je moeder gebeld en gezegd dat ze maar goed op haar jonge dochters moest letten. Ze zouden er één te grazen nemen.'

Toen Dilara dit hoorde draaide ze door. Ze begon hysterisch te gillen en aan haar haren te trekken, en rende richting het balkon met de bedoeling eraf te springen. Ze was al buiten toen Faisel, die haar zo snel hij kon achterna was gerend, haar terug naar binnen trok. Hij draaide de deur naar het balkon op slot. Dilara barstte in huilen uit en zakte op de grond in elkaar. Tranen rolden over haar wangen. Ze was zichzelf niet meer. Ze zou het zichzelf nooit kunnen vergeven als er iets met die kleintjes zou gebeuren.

Hanan ging naast haar op de grond zitten en maande haar tot kalmte. Faisel en zij legden haar op de bank en brachten haar een warme deken. Hanan bleef bij haar zitten totdat ze in slaap viel.

De volgende ochtend stonden Dilara en Hanan vroeg op. Faisel was de deur al uit. Dilara was een beetje bijgekomen van de avond ervoor en nu was ze erg opgewonden over haar eerste afspraak met maatschappelijk werk. Ze douchten, ontbeten – beiden hadden door deze aangrijpende omstandigheden besloten ramadan dit jaar niet voort te zetten – en stonden op het punt te vertrekken toen de deurbel ging. Hanan durfde niet open te doen. Ze had geen idee wie het kon zijn, aangezien de politie vannacht al was geweest.

Na twee keer aanbellen werd de deur ingetrapt. Van schrik begonnen de meisjes te gillen. Was het haar familie? Nee, het was de politie weer. Ze hadden de opdracht gekregen haar terug naar huis te brengen, ook al was ze het daar zelf niet mee eens. Omdat ze minderjarig was. Ze brachten haar tegen haar zin in naar het bureau; Hanan ging mee.

Op het bureau werd Dilara naar achteren meegenomen en Hanan werd verzocht het bureau te verlaten. Omdat ze weigerde haar vriendin alleen te laten werd ze er uiteindelijk letterlijk uitgegooid. Volgens de politie had ze er niets te zoeken. Dilara moest haar telefoon en sieraden afgeven. Vervolgens werd ze in de cel gezet. Hanan belde overstuur naar maatschappelijk werk om te vertellen wat er gebeurd was. Ze smeekte om hulp maar kreeg te horen dat ook zij Dilara niet meer konden helpen nu de politie haar had meegenomen.

Intussen was Dilara's familie ervan op de hoogte gesteld dat hun dochter terecht was en dat ze haar konden komen ophalen. Spoedig waren ze ter plekke. Eerst kregen ze de tijd om in het bijzijn van een agent met hun dochter te praten. In het Turks, zodat de agent het gesprek niet kon volgen. Ze maakten haar duidelijk dat er iets met mijn familie zou gebeuren als ze nu niet naar huis zou meekomen. Dilara aarzelde. Ze wilde echt niet naar huis, maar als ze niet zou gaan was mijn familie niet veilig. Ook wist ze dat als ze naar huis ging haar een ongelukkig leven te wachten stond. Ze besloot toch naar huis te gaan en stelde zo het leven van mijn zusjes boven het hare.

Nadat ze haar beslissing aan haar familie bekend had gemaakt moest ze die bevestigen tegenover de politie. En daarmee was het voor hen opgelost: het weggelopen meisje was weer naar huis. Einde zaak. Samen met haar familie verliet Dilara het gebouw; haar bezittingen liet ze achter op het politiebureau omdat ze ze in het bijzijn van haar familie niet terug durfde vragen. Ze was bang dat haar familie weer problemen zou maken bij het zien van haar gouden ring, gouden armband en mobieltje.

Kort na haar thuiskomst werd Dilara opgenomen in het ziekenhuis. Ze had haar polsen proberen door te snijden.

Twee maanden bleef ze daar. Haar dagprogramma bestond uit een aaneenschakeling van therapieën. Tijdens haar verblijf daar probeerde ze opnieuw haar leven te beëindigen. Ze had genoeg van deze wereld, vooral van het Turkse wereldje om haar heen. Van de haar toegewezen psychiater wilde ze eigenlijk niets weten. 'Psychiaters zijn voor gestoorden,' zei ze. Zij was niet gek, alleen kapot van liefdesverdriet.

Na twee maanden werd ze dan eindelijk uit het ziekenhuis ontslagen en keerde ze terug naar huis. Ook daar had ze het erg moeilijk. Ze werd nog steeds geslagen door haar vader en haar broer en mocht nog steeds niet werken of naar school. Haar familie was als de dood dat ze mij opnieuw zou opzoeken en hield haar gevangen in huis. Eenzaam en apathisch zat ze dag in dag uit op haar kamertje. Ook haar vriendinnen zag ze niet meer. Elke avond voordat ze ging slapen reciteerde ze een gebedje voor me.

Ik voelde me zo schuldig. Ik had de politie nooit in vertrouwen moeten nemen. Ik had nooit het adres moeten geven; het telefoonnummer was genoeg geweest. Dan hadden ze ook met haar kunnen praten en dan had ze zelf kunnen beslissen of ze het adres wilde geven of niet. Ik werd voortdurend gekweld door de gedachte aan de verschrikkingen die zij thuis nu vast doormaakte.

Mijn vrienden zagen me op slag veranderen van een levensgenieter in een kluizenaar. Ik sloot mezelf op in mijn kamer, luisterde de hele dag droevige Turkse muziek en raakte opnieuw zwaar depressief. Voor mij is liefde de bron van geluk en inspiratie, zonder ben ik leeg en moedeloos. Ik kwam alleen nog buiten om te werken. Niet omdat ik bang was maar omdat ik geen zin meer had om plezier te maken. Ik besteedde veel tijd achter de computer, aan het downloaden van nog meer droevige muziek. Mijn maten zag ik nog maar weinig. Met mijn Turkse 'vrienden' wilde ik sowieso niets meer te maken hebben; zij waren schuldig aan dit alles. Andere vrienden zochten me soms thuis op. Ik verdronk in mijn eigen verdriet en deed niets anders dan keihard werken voor een beetje afleiding.

Ik zocht drie van Dilara's mooiste foto's bij elkaar en liet deze vergroten. De drukkerij leverde goed werk. Ik kreeg ze terug als posters van één bij één meter en op een ervan liet ik bovendien een tekst drukken: Belalim benim. Ons liedje. Ik hing ze op mijn kamer en verloor me in haar ogen. Godverdomme, wat hield ik van die vrouw. Wat miste ik haar. Ik wilde haar bij me hebben, voor altijd. Met grote weemoed bekeek ik ook vaak de foto die in het computerlokaal was genomen, met mij in pyjama. Dat was nog eens een mooie tijd geweest, en toen dacht ik dat dat heel gewoon was...

★ ★ ★

Maanden waren intussen verstreken en ik had niets meer van Dilara vernomen. Mijn vrienden adviseerden me haar te vergeten. Dat viel me uiterst zwaar maar ik deed mijn best, want een andere optie had ik niet. Ik zag geen toekomst meer met haar.

Op een zaterdag was ik nog maar net aan het werk toen er een Turkse vrouw van in de dertig in haar ochtendjas naar me toe kwam lopen. Een brunette met een prachtige teint en lang krullend haar. Ze keek me verleidelijk aan en zei: 'Ik wil niet brutaal overkomen, maar ik heb je een beetje in de gaten gehouden terwijl je aan het werk was. Mijn naam is Özlem.'

Ik keek haar aan. Ze had mooie ogen, maar droeg overduidelijk kleurlenzen. 'Aangenaam. Ben je alleen of ehm...?' vroeg ik aarzelend.

'Ik ben met een vriendin,' zei ze. Achter haar zag ik een Nederlandse vrouw aan een tafel zitten met een glas rode wijn in haar handen.

'Heb jij plannen na het werk? Want ik heb zin om iets leuks te doen vanavond. Met jou,' zei ze op de man af.

Haar directe aanpak verbaasde me maar ik was er wel van gecharmeerd. 'Nee. Ehm... ik heb nog geen plannen voor vanavond. Ik ben tegen middernacht klaar. Als je wilt, kan je hier blijven wachten tot na sluitingstijd. Dan drinken we daarna wat samen.'

Ze lachte en zei: 'Oké. Waarschuw me als je klaar bent. Mijn vriendin gaat eerder naar huis, dus dan zijn we helemaal alleen.' Ze draaide zich om en liep weer terug naar haar tafeltje.

Enthousiast vertelde ik Léon wat er was gebeurd.

'Ik laat jullie vanavond wel alleen hier, maat,' reageerde hij.

'Cool, dat waardeer ik echt,' zei ik.

Maar hij kon horen dat me iets dwars zat en vroeg bezorgd wat er was.

'Niks. Er is niks.'

'Ik ken jou langer dan vandaag. Ik weet dat je ergens mee zit.'

Ik bleef stil.

'Nou?'

'Het is Dilara. Kan ik dit wel maken tegenover haar?'

'Luister. Je moet haar vergeten. Ik meen het. Het is over en daar moet je vrede mee leren hebben. Dit is een mooie kans.'

Ik keek bedenkelijk en haalde toen mijn schouders op. 'Oké, je zult wel gelijk hebben,' zei ik.

We werkten verder. De avond leek langzaam voorbij te gaan. Toen het eindelijk sluitingstijd was en de laatste gasten de deur uit waren, kwam Özlem omgekleed bij me aan de bar zitten. Ik was net klaar met het afsluiten van de zaak; Léon en de receptioniste waren al weg. We hadden het rijk nu voor ons alleen. Ik schonk ons beiden een cocktail in en nodigde haar uit om plaats te nemen in een van de lekkere ligstoelen in een Japans gedecoreerde kamer. We praatten wat. De openhaard naast ons brandde nog en ik hoorde het vuur knisperen tijdens ons gesprek. Ik keek in haar mooie ogen, die knipperden van het felle haardlicht.

Na een klein halfuurtje stond ze op uit haar stoel en kwam op mijn schoot zitten. Ze kuste me.

'Zullen we de sauna ingaan?' vroeg ik terwijl ze me in mijn nek zoende.

'Ja, dat lijkt me een geweldig idee.'

We kleedden ons uit en deden een badjas aan. Samen liepen we de gigantische Japanse tuin in. Het was pikdonker buiten maar de baden en saunacabines waren nog verlicht. We kozen de Finse, die met zijn 120 graden Celcius verreweg de heetste was.

Naakt zaten we tegenover elkaar. Vol bewondering bekeek ik haar voluptueuze lichaam. Ze vertelde me over haar Turkse man, van wie ze na een lange, moeilijke weg had weten te scheiden. Ik stond versteld van haar openheid. Ik kende haar nog maar net en ze vertelde me nu al dit soort intieme details.

Na een kwartier zweten renden we naar het dompelbad om even goed af te koelen. Het was zo afschuwelijk koud dat we het na één keer kopje onder dan ook meteen weer verlieten en op haar voorstel verruilden voor de jacuzzi.

We zaten heerlijk van de bubbels te genieten toen ze op mijn schoot kwam zitten. Ze kuste mijn lippen en ik speelde wat met haar grote borsten. Haar handen verdwenen onder water. Met haar rechterhand pakte ze mijn geslacht vast en langzaam ging ze op me zitten. Ik schoof in haar. Heel rustig bewoog ze zich op en neer, waardoor het water tegen de kant klotste. Ze liet me letterlijk de sterren zien op deze heldere nacht. 'Jaaa... ik kom... ik kom!' kreunde ik terwijl ik omhoog keek: een onbetaalbaar uitzicht.

Na de seks gingen we weer naar binnen en schonk ik ons nog een cocktail in. Na een uurtje besloten we ons aan te kleden en de sauna te verlaten. Terwijl ik de deuren afsloot was zij al naar buiten gelopen om haar auto te pakken. Ze kwam naar me toe rijden en vroeg me in te stappen.

'Slaap vanavond lekker bij mij,' zei ze.

Ik keek haar aan. Ze lachte haar parelwitte tanden bloot. Ik dacht aan Léons woorden. Een beetje afleiding kon ik inderdaad goed gebruiken, en dit was een goede mogelijkheid voor me om mijn mistroostige gedachten eens even helemaal opzij te zeten. Dus, waarom ook niet? Het was het proberen waard.

Ik opende het portier en stapte in.

II

Om halfeen 's nachts was het personeelsfeest afgelopen. Voor de deur van het restaurant stond een donkere personenauto geparkeerd met drie Turkse mannen erin, van wie Ercan er een was. Ze stapten uit en bleven wachten tot ze mij zagen komen. Toen ze ongeduldig werden liep Ercan op een collega van mij af om te vragen of ik nog binnen was en kreeg te horen dat ik helemaal niet aanwezig was geweest.

'Verdomme, hij heeft ons voor de gek gehouden. Hij was hier niet eens,' liet hij zijn vrienden weten.

Zo snel ze konden reden ze terug naar Aselya's huis om haar vader in te lichten. Ze probeerden me telefonisch te bereiken maar ik nam niet meer op. Ik had genoeg van hun bedreigingen en lag al in bed, in navolging van mijn ouders. Mijn moeder had het slagersmes naast haar bed gelegd; naast het mijne stond mijn zwaard. Muziek luisteren was geen optie, ik moest alert blijven op vreemde geluiden in huis. Mijn mobiel stond uit want ik wilde een ongestoorde nachtrust, maar ik kon de slaap niet vatten; ik maakte me zorgen om mijn vriendin. Pas na drie uur woelen dommelde ik in.

★ ★ ★

De volgende dag werd ik om tien uur wakker. Het was donderdag. Het eerste wat ik deed was naar beneden gaan om te controleren of alles nog steeds goed afgesloten was. Gelukkig kon ik na mijn checkrondje vaststellen dat het huis potdicht zat. Alleen de gordijnen in de huiskamer waren open; dat had mijn moeder vermoedelijk gedaan omdat ze niet van een donkere huiskamer hield. Ze was nu niet thuis. Er was niemand thuis. Het dagelijks leven van mijn familie ging gewoon door. De gordijnen sloot ik weer voor een veiliger gevoel en daarna ging ik terug naar boven.

Ik kon bijna niet stil blijven zitten; ik liep te ijsberen en pakte steeds mijn telefoon. Die stond nog uit en dat wilde ik zo houden. Wel zo rustig. Maar toch was ik ermee bezig.

Rond een uur of drie zette ik hem weer aan, en niet veel later ging hij over. Het was Aselya. Ze had me al vaak geprobeerd te bellen en smeekte me om haar vader vandaag te bellen om uit te leggen dat ik allesbehalve kwade bedoelingen met haar had gehad, dat ik met haar wilde trouwen. Ik twijfelde, uit angst en omdat ik wist dat hij mij toch alleen maar zou bedreigen en niet zou willen luisteren. Aselya bleef smeken en ik besloot haar dan toch maar tegemoet te komen. Voor haar zou ik het doen. Aselya vertelde verder dat ze de hele nacht tevergeefs op de politie had gewacht.

'Ik moet weer ophangen, lieverd,' zei ze toen. 'Ik bel nu stiekem met de mobiel van mijn moeder. Mijn vader dadelijk wel bellen hè?'

Ik beloofde het.

'Ik hou van je,' zei ze nog voordat ze ophing.

Mijn moeder kwam thuis met een tas vol boodschappen en ik vertelde haar dat Aselya me had gevraagd haar vader te bellen. Mijn moeder moedigde me aan dit inderdaad te doen. 'Misschien komen jullie wel tot een oplossing,' zei ze, hoopvol terwijl ze de boodschappen uitpakte. Behoedzaam zette ze twee dozen eieren op het aanrecht. 'Ja, je moet hem echt bellen. Dit kan niet langer zo.'

Ik knikte en liep weer naar boven, in het besef dat ik er niet onderuit kon. Ik pakte een kladblok, legde het op mijn schoot en schreef alles op wat ik Aselya's vader wilde zeggen. Dat zou me helpen als ik niet uit mijn woorden kon komen en zo zou ik bovendien niets vergeten te zeggen.

Het resultaat liet ik aan mijn moeder lezen.

'Dat ziet er heel goed uit,' zei ze.

Boven nam ik mijn mobiel in mijn handen. Na tien minuten naar het venstertje te hebben gestaard, koos ik trillend zijn nummer uit de oproeplijst. Hij nam meteen op. Waarschijnlijk wist hij al wie ik was, ik belde met mijn nummerherkenning aan.

'Ja?' zei hij.

Ik schraapte al mijn moed bij elkaar. 'Goedenavond meneer,' begon ik met een benauwd stemmetje. 'Allereerst wil ik u laten weten dat ik geenszins slechte bedoelingen met uw dochter had. Ik hou van haar en wil met haar trouwen. Zij wil ook niets liever. Ik wilde vragen of het misschien mogelijk was om, als moslims onder elkaar, een afspraak te maken om een eventuele bruiloft te bespreken. Ik ben bereid om samen met mijn vader bij u thuis te komen om om haar hand te vragen.'

Het viel me nog mee dat ik dit gezegd kon krijgen. Ik had

verwacht dat haar vader er meteen al tussen zou komen met zijn bedreigingen. Het papier hielp me in ieder geval om snel en zonder hakkelen te praten. Maar verder dan dit kwam ik niet.

'Vergeet het maar! Je krijgt haar niet. Ik jou doodmaken. Jij bent kinderneuker,' schreeuwde hij nadat hij mijn verzoek had aangehoord.

Ik ging verder. 'Maar meneer, luister alstublieft.'

Haar vader onderbrak me. 'Ik hoef niet te luisteren naar jou. Je kan het vergeten jongen. Jij gaat eraan,' schreeuwde hij weer.

Ik deed nog een laatste poging. 'Meneer. Ik had echt gehoopt om als volwassenen met elkaar te kunnen praten hierover...'

'Ik zwartkop. Ik hoef niet met jou te praten. Ik stop jou in de molen,' schreeuwde hij. Daarna werd de verbinding verbroken.

Met een zwaar hart liep ik naar beneden om mijn moeder het slechte nieuws te vertellen. We hadden niet eens een normaal gesprek kunnen voeren, laat staan dat we tot een oplossing waren gekomen. Ook mijn moeder snapte niet dat de man niet eens wilde luisteren.

Die avond controleerde ik om het kwartier het venster van mijn mobieltje om te kijken of ik een oproep van Aselya had gemist. Niks. Alleen nieuwe berichtjes van haar neef met allerlei doodsbedreigingen.

Aselya bracht het grootste deel van die avond op haar kamer door. Ze wilde alleen zijn. Haar zusje had haar verteld over het gesprek tussen haar vader en mij, en ze was erg teleurgesteld. Al haar hoop was hierop gevestigd geweest. Maar ze was blij dat ik het tenminste had geprobeerd.

Haar vader liet haar niet met rust. Hij kwam meerdere malen boos en dronken haar kamer binnenlopen om haar af te ranselen en zij kon niets anders doen dan alle klappen incasseren. Ze voelde zich verschrikkelijk, wilde weg. Weg van huis.

Toen hij voor de zoveelste keer die avond Aselya's kamer binnenkwam, ging hij naast haar bed staan en zei: 'Oké je mag kiezen. Of je blijft hier met je familie en je vergeet die jongen, of ik zet je persoonlijk bij hem thuis af. Als je voor het tweede kiest, ben je hier niet meer welkom. Dan breng ik je persoonlijk met de auto naar hem toe en beloof ik dat ik hem niets aan zal doen.'

Aselya wist niet wat ze hoorde. Ze keek haar vader aan en vroeg: 'Meen je dat echt, papa?'

'Ik meen het. Ik laat de keuze aan jou en zal die accepteren,' zei hij.

Aselya's ogen glinsterden, maar ze was bang om antwoord te geven omdat ze er nog niet helemaal zeker van was dat hij het echt meende. Ze kon het niet geloven. Ze zweeg even, keek hem toen recht in de ogen en zei moedig: 'Ik kies ervoor met hem te zijn. Ik hou van hem en wil met hem trouwen.'

Aan zijn lichaamstaal was te zien dat hij van dit antwoord schrok, maar hij antwoordde heel bedaard: 'Ik geef je een half-uur om je koffer in te pakken en afscheid van je moeder en zusje te nemen. Daarna breng ik je naar hem toe.'

Hij verliet de kamer en liep naar beneden, waar hij zijn vrouw en dochter op de hoogte bracht. Haar moeder barstte in huilen uit en rende naar boven. 'Mijn dochter... mijn dochter... mijn lieveling! Blijf hier alsjeblieft. Ik smeek je,' snikte ze.

'Ik hou van hem, mama. Laat me gelukkig zijn. Met hem!'

Huilend verliet haar moeder de kamer weer. Beneden hoorde Aselya haar ouders heftig discussieren. Haar moeder bleef huilen. Aselya pakte haar spullen. Ze had een grote sporttas op haar bed gezet en propte deze zo vol mogelijk.

Na een kwartier stormde haar vader opnieuw haar kamer binnen en balde zijn rechtervuist. Hij sloeg haar tegen de grond.

'Jij gaat nergens heen. Wat denk jij wel niet? Dacht je nou werkelijk dat ik je zou laten gaan en bij hem zou afzetten?'

Aselya viel op de grond. Een pyjama en een hemd vielen uit haar handen. Ze keek omhoog naar haar vader.

'Papa, alsjeblieft, hou op! Ik hou van hem. Laat me gewoon met hem zijn. Ik smeek het je papa,' zei ze angstig. Ze was bang, bang voor haar eigen vader.

Hij pakte haar bij de haren en sleurde haar de kamer door. Daarna gaf hij haar nog een klap na. 'Ik wil niks meer over die jongen horen!' schreeuwde hij zo hard hij kon. Hij liet Aselya alleen achter op haar kamer.

Ze voelde aan haar hoofd, dat verschrikkelijke pijn deed. Met moeite stond ze op en liet ze zich weer op bed vallen. Haar sporttas duwde ze opzij. Ze pakte een kussen, hield dit met beide armen stevig vast en droogde haar tranen eraan af. Toen ze was uitgehuild stond ze op en deed de deur op slot. Ze wilde rust.

* * *

Tegen alle verwachtingen in liet haar vader haar de volgende dag weer naar school gaan. Het was vrijdag. Ze werd door hem afgezet en zou door hem weer worden opgehaald. Op het schoolplein zocht ze meteen haar vriendinnen Sevda en Ayşe op. Ze legde hun vluchtig uit wat er allemaal gebeurd was en met Ayşe's mobiel belde ze mij op.

'Schat. Ik ben nu op school. Kan jij me ophalen? Dan gaan we er samen vandoor,' zei ze.

Ik antwoordde zonder enige aarzeling: 'Natuurlijk kom ik je ophalen. Als de politie je niet naar een andere plek brengt, doe ik het wel. Ik haal je in de pauze op.'

'Ik heb alleen geen kleren kunnen pakken, omdat mijn vader mij naar school heeft gebracht.'

'Geeft niet. Maak je geen zorgen schat. Als we maar weg zijn. De rest regelen we later wel.' Ik hing op en belde Ramses, een Nederlandse jongen met een bolle kop, blond haar en blauwe ogen, die altijd voor me klaar stond. Ik legde hem uit wat er aan de hand was en vroeg of hij ons naar Amsterdam kon brengen vanmiddag. Hij zou er meteen aankomen.

Gisteren was de laatste dag van mijn vakantie geweest en ik had vandaag eigenlijk weer moeten beginnen met werken. Het zou ook gelijk de eerste dag met de nieuwe eigenaar zijn geweest. Maar in mijn situatie zat er niets anders op dan me ziek melden. Ik durfde immers mijn huis niet uit, was absoluut niet veilig buitenshuis. Een goede eerste indruk bij de nieuwe eigenaar maakte dat natuurlijk niet, maar ik had geen keus.

Nog geen halfuur later stond Ramses voor de deur. Ik had inmiddels een grote sporttas met kleren klaarstaan. Mijn stiefvader had voor mijn vriend opengedaan; mijn moeder was niet thuis. Toen Ramses mijn kamer binnenkwam liep ik opnieuw te ijsberen. Hij ging op de bank zitten.

'Weet je echt zeker dat je dit wilt doen?' vroeg hij me.

Ik knikte. 'Ik kan niet anders. En zij wil het ook. Dit is onze enige optie om samen te zijn.'

Ondertussen kreeg ik weer berichtjes van haar familie binnen. Ze bleven maar komen en ik besteedde er niet veel aandacht meer aan. Het waren stuk voor stuk bedreigingen waar ik niets mee kon.

Ik belde Hanan. Ze was al op de hoogte, want ik had haar twee dagen ervoor gebeld om haar van alle ontwikkelingen op de hoogte te brengen. Ik vroeg haar of het mogelijk was om samen met Aselya een tijdje bij haar in te trekken. Hanan was inmiddels gescheiden van haar man Faisel en woonde nu sinds vier maanden samen met haar nieuwe vlam, Yassine.

'Natuurlijk,' zei ze meteen. 'Geen enkel probleem. Jij en Aselya zijn meer dan welkom.' Ze had Aselya nog nooit ontmoet, maar was veel over haar te weten gekomen door mijn trotse verhalen.

'Ik bel maatschappelijk werk zodra ik met haar in de auto zit. Maar het is natuurlijk niet zeker of we daar gelijk terecht kunnen. Het plan is om daarna naar jou te komen totdat we zelf iets hebben gevonden. Vindt je verloofde dat ook oké?'

Hanan vertelde me dat ze haar verloofde na mijn telefoontje eerder die week al had voorspeld dat dit zou kunnen gebeuren en dat hij altijd achter haar stond.

'Dat is dan geregeld. Ik bel je wanneer Aselya bij me is,' zei ik en hing op.

Het was halftwaalf. Ramses en ik liepen naar beneden. Hij liep voor mij uit naar buiten om te kijken of er geen Turken in de straat op me stonden te wachten. In de keuken zag ik mijn stiefvader staan, en ik realiseerde me dat ik er niet over na had gedacht wat ik hem zou zeggen.

Hij stelde de voor de hand liggende vraag: 'Waar ga je met die tas naartoe?'

Er ging een rilling door me heen. 'Ik ga even bij iemand langs. Ik ben zo terug,' zei ik. Ik vond het maar niks om te liegen en hij vertrouwde het zichtbaar niet helemaal, maar zweeg verder.

Op het moment dat ik de voordeur uitliep passeerde ik mijn moeder. Ik zei niets, om het niet moeilijker te maken dan het al was. Mijn moeder zou me zeker proberen tegen te houden als ze wist wat ik van plan was.

Maar zij draaide zich naar me om en vroeg: 'Waar ga je heen, lieverd?'

'Ik ben zo terug, mam,' zei ik zonder haar aan te kijken en liep verder.

Ramses zat te wachten. Ik gooide mijn tas in de kofferbak en keek nog even om. Mijn moeder stond me in de deuropening na te kijken.

Ramses wilde eerst zijn vriendin ophalen voordat we naar Aselya's school zouden gaan. Dat vond ik geen probleem, als hij maar op zou schieten. Onderweg kocht ik in een eenvoudig winkeltje nog wat spulletjes voor Aselya en rookte ik de ene sigaret na de andere. Ja, ik was verslaafd geraakt aan roken, dat realiseer ik me nu pas. Ik jaagde er al gauw een pakje Marlboro Lights per dag doorheen.

Bij school parkeerde mijn vriend de auto op het enorme grasveld met het ganzenmeer dat voor het schoolplein lag. Zo konden we goed in de gaten houden of niemand mij stond op te wachten. Toen ik met kloppend hart de auto uitstapte zag ik Aselya en haar vriendinnen Ayşe en Sevda aan komen lopen. Ik rende naar ze toe. Ze waren alle drie aan het huilen. Na deze stap zou alles veranderen en zouden ze elkaar misschien niet meer terugzien.

'Lieverdjes, ik moet dit doen. Jullie willen toch ook dat ik gelukkig ben? En ik ga jullie echt wel bellen hoor,' snikte Aselya.

Ze begonnen nog harder te huilen. Aselya liep verder, want ze wist dat ze moest opschieten. Haar vriendinnen volgden haar tot aan de auto. Daar omhelsden ze elkaar.

Ik pakte Aselya bij de arm en maakte haar opnieuw duidelijk dat ze vanwege deze stap door haar familie zou worden verstoten. Ze keek me aan maar zei niets. In plaats daarvan stapte ze in en groette Ramses. Zijn vriendin stelde zich aan haar voor.

Net voordat ik wilde instappen, zei Sevda streng: 'Wees lief voor haar!' Ze omhelsde me.

Ayşe deed hetzelfde. 'Ik hoop echt dat jullie gelukkig worden. Jullie zijn in ieder geval samen nu,' zei ze.

'Maak je geen zorgen. Ik hou van haar. Ik ga haar gelukkig maken,' zei ik en stapte in.

Aselya pakte mijn hand vast en kwam dicht tegen me aan zitten. Ze begon opnieuw te huilen. We reden de snelweg op, richting Amsterdam.

Aselya huilde de hele weg.

'Weet je zeker dat je dit wilt, schat? Ik kan je nog terugbrengen als je dat wilt,' prevelde ik.

'Ik ga niet terug naar huis. Nooit meer! Mijn leven is nu met jou,' zei ze vastbesloten. 'Het deed me gewoon pijn afscheid van mijn vriendinnen te moeten nemen. Dat is alles.'

'Rust maar even,' zei ik.

Ik pakte mijn telefoon en belde maatschappelijk werk in Amsterdam. We mochten meteen diezelfde middag komen, om twee uur moesten we er zijn. Het was nu halfeen, dus dat was te doen. Maar op de snelweg kwamen we in de file terecht. Het was een enorme file en het begon er steeds meer op te lijken dat we het afgesproken tijdstip niet gingen halen. Om kwart voor twee wist ik het zeker, dus belde ik ze opnieuw met de vraag of we onze afspraak wat konden verschuiven. Ze zaten voor de rest van de middag vol, wat betekende dat er nu een heel weekend overheen zou gaan.

'Dinsdagmiddag kunnen jullie langskomen,' zei ze. 'Hebben jullie tot dan wel onderdak?'

Ik vertelde haar dat we zolang terecht konden bij een kennis van me en maakte de afspraak voor dinsdagmiddag, zelfde tijd. Ik baalde ontzettend van het uitstel maar er was niets aan te doen.

Om kwart voor drie werden we in Amsterdam afgezet. Yassine kwam ons op de afgesproken plek ophalen.

'Dus jij bent Hanans verloofde?' vroeg ik toen ik hem zag naderen.

Hij lachte en knikte. Hij was twintig jaar en erg lang. Ramses en zijn vriendin wensten ons geluk en reden weg.

Daar stonden we dan. Aselya, ik en een sporttas. Meer hadden we niet bij ons.

Hanan had haar huis weer gezellig ingericht. De huiskamer was direct naast de slaapkamer, met een open doorgang. Er was een aparte keuken en een balkonnetje met een tafel en wat tuinstoelen, omringd met kleurrijke bloembakken.

Het was een warme dag, dus we gingen op het balkon zitten. Yassine bracht ons iets te drinken.

'Ik laat jullie nu alleen. Ik moet naar mijn werk. Hanan komt over twee uurtjes thuis,' zei hij terwijl hij de glazen op tafel zette. Hij belde Hanan nog even voordat hij vertrok en gaf de telefoon aan mij.

'Jullie zijn er echt! Geweldig! Ik zie jullie over twee uurtjes. Ga lekker douchen en rust een beetje uit. Doe alsof je thuis bent,' zei ze.

'Dank je wel. Ik waardeer dit echt. Tot zo,' zei ik.

Aselya en ik keken elkaar aan. 'Ik heb het gewoon echt gedaan. Ik ben weg van huis. 'Ik had nooit gedacht dat ik het zou durven,' zei ze.

Ze stond op en zette haar stoel aan de kant. Het kussentje haalde ze eraf en legde het op de grond. Ik volgde haar voorbeeld. We gingen lekker dicht tegen elkaar aan zitten. De zon scheen fel in mijn gezicht. Ik sloot mijn ogen en probeerde te genieten van dit moment met Aselya naast me.

Ze stak een sigaret op en streelde mijn armen. Ze kuste me en zei: 'Ik weet niet hoe het komt, lieverd, maar ondanks al die spanning heb ik ontzettend veel zin in je gekregen.'

Ik moest lachen. Een vrijpartij op zo'n gespannen moment leek me niet eens zo'n slecht idee. Ik stond op en nam haar mee de slaapkamer in. Hanans slaapkamer.

Aselya nam eerst een douche en ik ging op bed liggen en trok alvast mijn kleren uit; alleen mijn boxershort hield ik aan.

Na een kwartier kwam mijn beloofde poedelnaakt de slaapkamer binnengelopen. Ze ging naast me liggen.

'Jij bent van mij,' fluisterde ze.

Met haar zachte handen streelde ze heel teder mijn lichaam. Ze trok mijn boxershort uit en gooide hem nonchalant naast het bed op de grond. Ik zoende haar. Ze stond op, knielde naast het bed neer en trok me naar zich toe. Ze spreidde mijn benen en nam mijn geslacht in haar mond. Met haar tong bewerkte ze me tot ik het niet meer hield en haar terug het bed in trok. Ik ging op haar liggen, spreidde haar benen en gleed heel langzaam in haar. Haar gehijg in mijn oor maakte me enorm opgewonden. We wisselden van positie. Nu zat zij op mij en ging tekeer. 'Aşkim... O aşkim... Jaaaa!' Ik voelde haar dijbenen aanspannen, ze hield haar adem in en kwam tot haar climax. Omdat ik nog wat tijd nodig had ging ze in een rustig tempo door. Toen ik klaarkwam bleef ze op me zitten en kuste me op mijn voorhoofd.

'Jij maakt mij echt gek,' zei ze met een trillende stem. Ze was er helemaal duizelig van geworden, Aselya werd bijna altijd duizelig van onze hevige vrijpartijen. Uitgeput liet ze zich op het bed neervallen.

We hadden nog een klein uurtje voordat Hanan thuis zou komen. Ik ging douchen, Aselya kleedde zich aan en zocht op het balkon het zonnetje weer op.

Toen Hanan thuiskwam zag ze ons buiten zitten.

'Jullie zijn gek. Jullie zijn gewoon echt weggelopen zeg. Ik kan het niet geloven,' zei ze.

We keken haar aan en lachten. Ik stelde Aselya aan haar voor.

'Dus jij bent de grote liefde over wie ik zo veel heb gehoord?' vroeg Hanan.

Aselya pakte mijn hand en kuste me op mijn wang. 'Dat hoop ik wel, ja,' zei ze fier.

Omdat Aselya een laag topje aan had, kon Hanan een stukje van haar tatoeage zien. 'Wow, mooi zeg! Echt mooie letters ook,' zei ze vol bewondering. Aselya liet hem nog wat beter zien door haar topje een stukje verder omlaag te trekken. 'Echt supermooi,' herhaalde Hanan.

Om Aselya en Hanan even wat tijd alleen te geven liep ik de keuken in en maakte broodjes klaar. Ik dekte de tafel en riep de dames naar binnen. Ze waren inmiddels druk in gesprek dus genoot ik ongestoord van de broodjes met fetakaas erin, die Hanan speciaal voor mij had meegenomen.

★ ★ ★

Toen Aselya's vader naar school ging om zijn dochter op te halen, kreeg hij te horen dat ze daar niet meer was. Ook Sevda en Ayşe waren nergens te vinden. Giftig reed hij terug naar huis. Zonder zijn dochter. Hij vertelde zijn vrouw dat ze zoek was en zij barstte in huilen uit en liet zich in de woonkamer op de grond vallen. Huilend bleef ze daar zitten, terwijl haar man zijn neefje Ercan opbelde.

Niet veel later stond Ercan bij mijn moeder op de stoep. Hij belde aan. Mijn moeder was alleen thuis. Ze keek door het raam wie er aan de deur stond en zag Ercan staan. Ze weigerde hem binnen te laten.

'Doe open! Doe open! Doe open voordat ik de deur intrap. Ik weet dat ze hier is!' schreeuwde hij.

Mijn moeder werd bang en zag ineens mij weer voor zich met die grote tas over mijn schouder. Ze besefte nu pas dat ik er samen met Aselya vandoor was.

Toen het geschreeuw ophield, gluurde mijn moeder door het raam en zag dat hij weg was. Ze haalde diep en opgelucht adem.

* * *

Later die avond bracht Hanan ons naar een leegstaand appartement. De woning werd al een aantal maanden niet meer bewoond en de eigenaars, vrienden van Hanan en Yassine, waren voor onbepaalde tijd naar het buitenland vertrokken. Wij mochten zolang het nodig was in hun appartement blijven.

Het was volledig gemeubileerd en had gas, licht en elektriciteit. Bovendien was de woning behoorlijk ruim: er was een klein keukentje met een balkon, een ruime huiskamer, aan weerszijden van de badkamer twee grote slaapkamers, waar-

van er een een groot balkon had, en nog een kleine slaapkamer. In de badkamer ontdekte Aselya tot haar vreugde een
groot ligbad.

In de grote slaapkamer met balkon zetten Aselya en ik onze
spullen neer. Ik mijn grote tas en Aselya haar handtasje, volge-
propt met make-up.

'Hier slapen we!' riep Aselya blij naar Hanan. Hanan opende ondertussen in de huiskamer alle ramen om wat frisse lucht
binnen te laten.

Aselya en ik vroegen haar na kort overleg of zij zolang ook
met haar verloofde hier in zou willen trekken. Het leek ons
eng om helemaal alleen in dit grote appartement te blijven. Ze
dacht even na, maar stemde al snel in.

'Ik bel Yassine wel even om te vragen of hij onze spullen na
zijn werk wil meenemen,' zei ze. Aselya en ik keken elkaar ver-
heugd aan.

Hanan ging nog even naar de avondwinkel voor wat kleine
boodschapjes; Aselya en ik bleven thuis. We wilden zo veel
mogelijk binnen blijven.

'Mijn vader heeft nu zeker al een grote zoekactie gestart,'
zei Aselya huiverend. Ik dacht aan mijn familie, die nu misschien door mij in de problemen kwam.

★ ★ ★

Rond halftwee 's nachts kwam Yassine het appartement binnen. Hij had drie volle tassen bij zich, die hij in de slaapkamer
tegenover de onze zette. Hanan, Aselya en ik zaten in de huiskamer. Er klonk zachtjes Turkse muziek op de achtergrond:
Dogu met *Yaktim Gemileri*. Aselya lag met haar hoofd op mijn
schoot op de bank van de muziek te genieten. Hanan zat op de

andere sofa. Ik had Aselya al meerdere malen gezegd te gaan slapen, maar dat weigerde ze. Hanan vertelde haar hoe het was gegaan toen zij drie jaar geleden van huis was weggelopen. Haar verloofde kwam erbij zitten en luisterde mee.

'Ik was naar mijn kamer gevlucht nadat mijn vader me had geslagen. Ik draaide meteen de deur op slot. Hij liep me achterna naar boven en bonsde op de deur. "Doe open! Doe open! Doe open, hoer!" schreeuwde hij. Huilend deed ik open. "Zie ik eruit als een hoer?" zei ik. Hij knikte. "Mijn dochter is altijd buiten. Dat hoort niet," schreeuwde hij woedend. "Als ik een hoer ben, neuk me dan!" riep ik tegen mijn vader. Hij keek me verbaasd aan. Ik ging met mijn benen wijd staan. "Kom maar. Neuk me dan! Neuk me dan, papa!" schreeuwde ik jankend door het huis. Ik hoorde mijn moeder beneden op de trap huilen. Mijn vader sloeg me tegen de grond en draaide zich om. Hij was woedend en liep naar beneden. Ik gooide de deur achter hem dicht en zakte op de grond in elkaar. Ik was kapot.

Dat was mijn laatste avond thuis. De dag erna liep ik weg. Ik heb mijn verjaardag in de cel moeten doorbrengen omdat de agenten mij tegen mijn zin naar het bureau hadden meegenomen om me daar met mijn familie te confronteren.'

Aselya keek me geschrokken aan. Ook ik was aangedaan door het verhaal, ook al kende ik het al. 'Bedtijd,' zei ik om de spanning te breken. Ik was toe aan rust en geborgenheid. Ik stond op en nam Aselya mee naar bed voor onze eerste nacht samen.

★ ★ ★

De volgende dag was een zaterdag. We werden pas rond een uur of elf wakker. Hanan hoefde vandaag niet te werken, ook zij lag nog in bed. Alleen Yassine was de deur al uit. Hij werkte in de horeca en had dus onregelmatige werktijden.

Aselya maakte het ontbijt klaar terwijl ik nog even in bed bleef liggen. Tijdens het eten hadden we het over een huwelijk. We wilden zo snel mogelijk trouwen, zodat onze relatie voor de islam gerechtvaardigd zou zijn. Het probleem was alleen dat Aselya haar paspoort niet bij zich had en zich dus niet kon identificeren. We kwamen op het idee om te vragen of maatschappelijk werk misschien een identiteitskaart voor haar kon regelen.

Aselya vertelde dat haar moeder ook was weggelopen toen ze jong was. Naar haar huidige man, Aselya's vader. Ik kon mijn oren niet geloven. Wat een ironie.

Hanan ging die dag de stad in met haar vriendin Dalia; Aselya en ik namen een bad.

Ze kwam tussen mijn benen liggen, waardoor ik haar tatoeage mooi kon zien, zij het op zijn kop. Met een grote spons zeepte ik haar in. Toen ik haar hele lichaam had gehad, wisselden we van positie. Nu was mijn rug aan de beurt. Het warme water maakte ons rustig. Bovendien was het muisstil in huis. Het enige wat ik hoorde was het geluid van het water dat langzaam van mijn rug afgleed.

Aselya legde de spons naast zich neer en sloeg haar armen om mij heen. 'Ik hou zo veel van jou. Je hebt geen idee,' zei ze.

Ik boog mijn hoofd achterover en kuste haar vurig op haar mond. 'Ik hou ook van jou.'

Pas anderhalf uur later kwamen we uit bad. Hanan had schone kleren voor Aselya klaargelegd op het bed. Ze hadden gelukkig dezelfde maat. Uit mijn tas haalde ik de plastic tas met spulletjes die ik voor haar had gekocht. Aselya keerde het tasje ondersteboven op het bed en bekeek wat eruit viel: tandenborstel, beha, string, oogpotlood, nagellak, shampoo, borstel, slippers met hakjes en wat andere simpele artikelen. Aselya pakte een doosje op.

'Een jongen die tampons koopt?' zei ze lachend.

Ze paste de slippers en paradeerde ermee door de slaapkamer. Ze pasten haar prima.

Toen ze eenmaal aangekleed was opende Aselya de schuifpuien van de slaapkamer en ging op het balkon staan. De zon scheen. Beneden was een groot plein, dat aan alle kanten omgeven was door balkonnetjes. Sommige buurtbewoners zaten net als wij buiten. Ook de buren kwamen nu het balkon op. Een oude vrouw en haar zoon. Ze riepen iets in het Turks naar Aselya. Ik schrok toen ik Turks hoorde praten en ging een kijkje nemen.

Aselya stelde me gerust. 'We hebben Turkse buren. Dat is alles,' zei ze zachtjes tegen me zodat de buren het niet zouden horen.

Ze praatte met de buurvrouw over Turkije. Haar zoon liep weer terug naar binnen. Ze bleken uit dezelfde streek te komen, maar kenden elkaar niet. De oude vrouw vroeg of we vrienden van de eigenlijke bewoners waren en Aselya vertelde dat we tijdelijk met vier personen in dit huis zouden verblijven, dat onze vrienden bekenden waren van de bewoners van het huis.

'Goed om weer eens Turks te praten met een buurtgenoot,' zei de oude vrouw blij.

Aselya glimlachte. In het Turks vroeg haar gesprekspartner wie ik was. Aselya stelde me voor als haar man. Ze vertelde ook dat ik geen Turk was, zodat de vrouw geen Turks tegen mij zou gaan praten.

De vrouw keek me aan en lachte. 'Jullie zijn zo jong en al getrouwd. Heel goed van jullie!' zei ze met een zwaar accent. 'Kom eens op de koffie,' riep ze nog voordat ze weer terug naar binnen ging.

Aselya knikte. Ook wij gingen weer naar binnen.

Rond etenstijd kwam Hanan thuis, samen met Dalia. Ze stelde ons voor en kwam bij ons in de huiskamer zitten.

'Jullie zitten al de hele dag binnen. Dalia en ik nemen jullie vanavond mee de stad in. Het is zaterdagavond!' zei ze.

Aselya keek me met vragende ogen aan.

'Is goed dan. Laten we vanavond even door de stad lopen en dan eten we daar gelijk iets,' antwoordde ik.

Nu kwam ook Yassine thuis. Hij was net klaar met werken en erg moe. Hij schonk zich een glas cassis in en kwam bij ons zitten. Hij klaagde tegen Hanan over zijn moeizame werkdag. Aselya en ik waren met Dalia in gesprek geraakt. Ze zei dat ze ons bijzonder vond samen, wat wij leuk vonden om te horen.

Om negen uur waren we in de stad. Het was al erg donker. Ik keek constant achterom om me ervan te verzekeren dat we niet gevolgd werden. Dalia bracht ons naar een goede friettent. We bestelden ons eten en terwijl iedereen aan tafel bleef wachten, nam ik Aselya mee naar buiten om samen een sigaret te roken.

'Hoe gaat het? Je hebt toch geen spijt, hè?' vroeg ik.

Ze keek me aan met haar prachtige ogen. 'Nee lieverd. Ik voel me goed. En ik heb echt geen spijt. Ik blijf bij jou en ik trouw met je. Dat is wat ik wil,' zei ze in één adem.

Ik pakte haar hand vast en streelde die. We bleven buiten staan totdat Hanan hard op de voorruit bonkte om ons te laten weten dat het eten klaar was.

Na het eten ging iedereen weer terug naar huis. Het was inmiddels helemaal donker. Onderweg liepen we door een parkje. Aselya keek op haar horloge.

'Het is al halftwaalf en ik loop gewoon buiten met jou naast me. Als mijn vader wist dat ik rond dit tijdstip buiten was, zou ik zeker klappen krijgen.'

In het midden van het park bleef ze stilstaan en sloeg haar armen om me heen. Ze drukte zich dicht tegen me aan en kuste me hartstochtelijk.

'Jij geeft me echt een beschermd gevoel. In jouw armen voel ik me onaantastbaar,' zei ze.

'Gelukkig maar,' antwoordde ik. Ik vond dat fijn om te horen, want ik wilde ervoor zorgen dat ze zich zo veel mogelijk op haar gemak voelde in deze moeilijke periode.

We liepen verder. Ze begon te vertellen over haar tante. Ook zij was vroeger weggelopen met haar niet-Turkse vriend. Na drie jaar was zij opgespoord door haar broer, Aselya's vader. Ik schrok toen ze me dit vertelde. Haar vader was na drie jaar dus nog steeds op zoek geweest en had haar na al die tijd ook nog weten te vinden.

Ik pakte Aselya's hand en samen renden we naar Hanan en Yassine.

* * *

Twee dagen nadat we waren vertrokken, organiseerde Aselya's vader een klopjacht op mij. Mijn moeder kreeg bezoek van een aantal Turkse mannen. Drie oude, propvolle Mercedessen parkeerden voor de deur. Een man of vijftien stapte uit. Aselya's vader en neef liepen naar de deur; de rest bleef dreigend op de stoep staan. Mijn moeder was op dat moment alleen thuis. Ze was erg bang om open te doen, maar deed het toch omdat ze wilde weten wat er aan de hand was. Ze maakte zich vreselijke zorgen om mij.

De vader vroeg vertoornd waar zijn dochter en ik waren. Ercan gaapte haar aan. Ze vertelde hem dat ze geen idee had waar we waren en dat ze zelf ook erg ongerust was. De vader geloofde het niet; hij was ervan overtuigd dat we daar waren. Ercan en hij duwden haar opzij, stormden naar binnen en doorzochten het hele huis. Elke deur werd geopend. Mijn moeder bleef in de gang staan, doodsbang. De hele voortuin stond nog vol met Turken. Aselya's vader en neef renden de trap op. Mijn moeder hoorde beneden hoe ze hardhandig de deuren opensmeten.

Na de vergeefse huiszoeking renden de ongenode gasten de deur weer uit, langs mijn moeder, die volkomen genegeerd werd. In volle vaart reden de drie wagens weg en al snel was de rust in de straat teruggekeerd. Mijn moeder belde over haar toeren de politie op om aangifte te doen.

Die avond kreeg mijn moeder een telefoontje van haar contactpersoon bij de politie. Het korps had ook een contactpersoon toegewezen aan Aselya's familie.

'We kunnen de Turken niet tegenhouden. Jullie zijn daar thuis niet meer veilig. We adviseren u om per direct onder te duiken,' kreeg ze te horen.

Met open mond hing mijn moeder op en onmiddellijk begon ze rond te bellen om een onderduikadres te regelen. Toen dat gelukt was pakten mijn stiefvader en zij snel wat tassen in. Mijn zusjes wilden niet weg omdat ze dan al hun speelgoed moesten achterlaten, dus gooide mijn moeder een grote tas vol met speelgoed. Binnen een kwartier na het telefoontje stonden ze gepakt en al buiten. Ze sloten het huis goed af en reden richting hun onderduikadres.

Daar kregen ze bezoek van de politie, die nog eens duidelijk maakte dat ze hier voorlopig moesten blijven en ook dat mijn zusjes absoluut niet naar school konden gaan. Dat was te gevaarlijk. Mijn moeder barstte in huilen uit. Ze was doodsbang en vooral ook woedend op mij. Ik was de veroorzaker van al deze ellende.

* * *

Die avond brachten de Turkse mannen ook een bezoek aan het huis van Mo. Ze wisten dat hij een goede vriend van me was.

Er werd niet opengedaan. Zijn ouders waren nog op vakantie en Mo was in de stad aan het zuipen. Ze belden nog eens aan; weer niets.

Een vriend van Ercan pakte een baksteen uit de tuin en gooide deze door de voorruit. Het gerinkel moet mijlenver te horen zijn geweest.

'We kunnen naar binnen!' zei hij. 'Heel snel, jongens.'

Ze doorzochten het huis grondig, in de hoop ons hier te vinden. Tevergeefs. Na twee minuten waren ze klaar en gingen er snel weer vandoor.

De volgende dag stuurde Mo mij een e-mail.

Van: Mo
Aan: Sherief

Luister maat. Ik zit in gigantische problemen door jou. Die vader met zijn hele familie zoekt mij. Ze zijn al een paar keer langs mijn huis geweest. Ze hebben nu zelfs de ruit ingegooid en zijn hier ongevraagd binnengeweest! Ook langs het huis van Appie, maar die is nog niet terug van vakantie.

Je hebt de hele tijd je telefoon uit staan. Ik snap dat je bent gevlucht voor haar familie. Die mensen zijn gek!

Wat jij doet is verkeerd. Jouw hele gezin zit nu ondergedoken. Haar familie is met een paar wagens voor je huis geweest en ze hebben je familie bedreigd. Dit is gewoon niet meer normaal!

Denk niet alleen aan jezelf. Je brengt iedereen om je heen in gevaar. Ik zeg niet dat je nu terug moet komen, maar jullie moeten haar vader bellen om te laten weten dat het goed met haar gaat.

Het is nu een race geworden tussen de politie en haar familie. Het gaat erom wie jullie het eerste vindt. Als dat haar familie is, dan zijn jullie allebei dood. Dat zweer ik je.

Maat, geloof me, het zou me niks verbazen als ik over een week niet meer leef. Of als me iets overkomt. Sterker nog, daar ga ik van uit. Ze weten zelfs mijn tweede adres, het adres van mijn zus, alles gewoon. Ik hoop echt dat je dit leest. Je hebt geen idee.

Groet Mo

* * *

Aselya's vader besloot ook langs het huis van Dilara te gaan. Hij ging alleen. Dilara's vader deed open.

'Die klootzak heeft mijn dochter ook te pakken,' zei Aselya's vader meteen.

Dilara's vader wist direct over wie het ging, gaf hem een hand en zei: 'Kom binnen. Dan praten we verder.'

'Ik weet dat jullie dochter een paar jaar geleden is weggelopen. Nu heeft mijn dochter hetzelfde gedaan. En het gaat om dezelfde jongen!', zei Aselya's vader toen ze in de huiskamer waren gaan zitten.

Dilara's broer, die erbij was komen zitten, keek met woeste blik voor zich uit. 'We moeten hem dit voor eens en voor altijd afleren,' zei hij vastberaden. Beide vaders knikten.

Dilara kwam op dat moment de trap aflopen, maar bleef op de derde trede stilstaan om stiekem mee te luisteren.

'Ik zal mijn best doen om je te helpen,' hoorde ze haar vader beloven. Aselya's vader stond op en gaf hem een hand.

Dilara snelde de trap op om niet gezien te worden. Ze rende haar kamer in en ging op bed zitten. Ze stak een sigaret op. Het deed haar pijn om te horen dat ik een nieuwe liefde in mijn leven had, maar haar grootste wens was dat ik gelukkig zou worden, ook al was dit niet met haar.

★ ★ ★

Ercan en een paar vrienden van hem besloten ook een neefje van mij een bezoek te brengen. Ze waren met vier man. Ercan belde aan. Het was al laat in de avond en erg donker buiten. Mijn achttienjarige neefje deed open. Hij wist nog van niks.

'Waar is je neef?' vroeg Ercan.

Mijn neefje keek hem verbaasd aan. Hij had geen idee over wat of wie hij het had.

'Je neef is weg met mijn nicht!' werd hem verduidelijkt. Hij werd gewaarschuwd dat hij mij beter niet kon helpen, mocht ik hem daarom vragen.

'Als ik erachter kom dat jij iets achterhoudt of hem helpt, dan ga je eraan!' schreeuwde Ercan en liep weg, gevolgd door zijn drie vrienden. Geschrokken sloot mijn neef de deur.

Buiten zagen ze zijn auto geparkeerd staan. Ercan pakte een mes en sneed alle vier de banden open. Mijn neefje deed de volgende dag aangifte bij de politie.

★ ★ ★

Diezelfde dag brachten Ercan en zijn zus Sibel een bezoek aan een vriendin van mij, Yasemin, een Turkse.

'Aselya is weggelopen met haar vriend,' vertelden ze haar.

Yasemin schrok. Ze was altijd al tegen mijn relatie met Aselya geweest, vond haar niet goed genoeg voor mij of zo.

'We hebben zijn foto nodig, zodat meer mensen naar hem op zoek kunnen gaan. En jij hebt misschien wel een klassenfoto waar hij op staat, aangezien jij bij hem in de klas hebt gezeten,' zei Sibel.

Yasemin antwoordde dat ze wel op dezelfde school had gezeten, maar niet in dezelfde klas. Zij deed mavo, terwijl ik op het vwo zat. Teleurgesteld bedankte Sibel haar en samen met haar broer liep ze terug naar de auto, waar haar vader en oom hen opwachtten.

Ze besloten langs mijn werk te gaan, om daar een foto te regelen. Ercan stapte uit, de rest bleef in de auto wachten. Hij liep het pand binnen en meldde zich bij de receptie. Daar vroeg hij om een pasfoto van mij, maar het bedrijf weigerde deze te geven. Boos draaide Ercan zich om en verliet het pand weer.

Die nacht ging Ercan in zijn eentje nog langs Selçuk, Emre en Bayram. Dat waren immers ook zijn vrienden. Ze waren die nacht samen buiten op een pleintje aan het blowen; hij rookte een jointje met ze mee. Hij had gehoopt dat zij misschien iets wisten, maar niemand van hen had enig idee waar zijn nicht en ik ons hadden verstopt.

Maar Aselya's familie gaf niet op.

12

*I*k kon er niet meer tegen, Dilara liet me niet los. Tegen ieders advies in bedacht ik een plan om in contact met haar te kunnen komen, om haar tenminste te laten weten dat ik haar niet vergeten was. Ik vroeg Esra, mijn schoolvriendin, om een cd naar Dilara te brengen. Ondanks dat zij vriendinnen waren, was Esra erg bang om deze missie uit te voeren. Pas na lang smeken stemde ze toe.

Dilara's moeder liet haar binnen, even later kwam Dilara naar beneden. Toen ze Esra in de gang zag staan kreeg ze tranen in haar ogen; ze wist meteen dat ik haar had gestuurd. Ze veegde ze snel weg en ging met haar vriendin in de huiskamer zitten, bij haar moeder, die hun thee bracht terwijl de meiden wat kletsten. Ze zorgden ervoor dat Dilara's moeder het niet kon volgen. Esra herinnerde haar bijvoorbeeld aan die zomerse dag op het schoolplein toen Dilara haar nieuwe gouden ring kwam showen.

Na een tijdje gingen ze even naar Dilara's slaapkamer, en

daar gaf Esra haar de cd. Dilara speelde hem meteen af. Er stonden maar vier nummers op, alleen de liedjes die Dilara en ik altijd samen luisterden. Meteen bij het eerste nummer barstte ze in huilen uit en vertelde haar vriendin dat ze het ontzettend moeilijk had zonder mij.

Esra kon niet lang blijven. Ze vertelde Dilara dat ik nog steeds enorm veel van haar hield. Opnieuw met tranen in haar ogen zei Dilara dat voor haar hetzelfde gold, en hoe blij ze was dat ze op deze manier toch iets van me hoorde. Esra omhelsde haar.

Op weg naar de bushalte belde ze meteen mij op om verslag te doen. Blij en gerustgesteld luisterde ik thuis meteen de cd en stelde me voor hoe zij naar dezelfde muziek luisterde, onze muziek.

★ ★ ★

Een tijdje later liet ik een Turks gedicht voor Dilara op mijn rug zetten:

'Hayatimin en onemlisi en Dilara. Adini kalemle deftere degil, kanimla kalbime yazdim!'

('Het belangrijkste in mijn leven is Dilara. Je naam is niet met pen op schrift geschreven, maar met bloed in mijn hart!')

De tatoeage, haar reusachtige foto's om me heen en de droevige Turkse muziek hielden me op de been. Ik weigerde haar te vergeten. Ik moest haar weer bij me hebben. Ik kon zo niet verder. Ik wilde zo niet verder.

★ ★ ★

Op een dag was Hanan bij Dilara in de wijk, waar ze haar orthodontist nog had zitten. Ze zag haar richting speeltuin lopen met het kindje van haar broer. Hanan liep direct naar haar toe en omhelsde haar stevig. Ze belde mij. Toevallig zat ik op dat moment bij iemand in de auto en we raceten als gekken naar het speeltuintje. Ik was super zenuwachtig. Zag ik er wel goed uit? Wat moest ik zeggen?

Tien minuten later zag ik Dilara samen met Hanan op het bankje zitten, terwijl het kindje in de zandbak speelde. Ze keek over haar schouder. Zwijgend en doordringend keek ze me aan. Zonder iets te zeggen pakte ik haar hand en trok haar mee een brandgang in. Het was een brede gang aan de achterkant van een rij huizen. Hanan paste ondertussen op het kindje.

In de brandgang bleven we staan. Ze omhelsde me. 'Ik heb je zo gemist,' zei ze.

'Ik hou nog steeds van je, schat,' fluisterde ik. Ik hield haar stevig vast en kuste haar op de mond. Teder en vol passie. Even leek het alsof ik vloog.

Dilara vertelde me dat ze volgende maand naar Turkije zou gaan en dat ze zich daar moest verloven met een neef van haar. Ze wilde absoluut niet, maar ze had geen keus. Haar ouders leidden haar leven, niet zij.

Ik deed mijn shirt omhoog en liet mijn nieuwe tatoeage zien. Ze las hardop de tekst voor en barstte vervolgens in huilen uit. 'Ik heb hier geen woorden voor. Het is prachtig!' snikte ze. Ze kuste me. 'Ik hou zo veel van jou.'

We maakten een afspraak voor de volgende week. Zelfde dag, zelfde tijd, zelfde plek. Ze wist niet zeker of ze kon komen, maar zou haar best doen. Daarna moest ik weer afscheid van haar nemen. Elke keer moest ik weer afscheid van haar nemen. En elke keer deed het weer pijn.

* * *

De maandag erop stond ik met Hanan op dezelfde plaats. Het was bijna twaalf uur, ze zou er zo aan moeten komen.

Tien minuten later zag ik een kinderwagen de hoek om komen. Daarachter liepen Dilara en een jonge Turkse vrouw die ik nog niet kende. Dilara liep naar me toe en stelde me voor. Het bleek de vrouw van haar broer en dus de moeder van het kindje te zijn. Ze was pas uit Turkije overgekomen en sprak nog geen woord Nederlands. Dilara zei dat haar schoonzus te vertrouwen was. We liepen een stukje vooruit om even alleen te kunnen zijn. Ik kuste haar en hield haar vast.

'Wat moeten we doen om samen te kunnen zijn?' vroeg ik haar. Ze stelde voor om nog een poging te doen om weg te lopen, dit keer zou ze haar paspoort meenemen en dan zouden we direct naar het buitenland vluchten. Met de trein of met de bus konden we overal binnen en zelfs buiten Europa komen. Ze zou er wat uitgebreider over nadenken deze week en haar keuze de maandag erna aan me doorgeven. Na dit gesprekje moest ze al weer gaan.

'Wacht!' riep ik toen ze terug wilde lopen naar haar schoonzus. Ik wenkte Hanan, die me een tasje bracht waar ik een cadeautje uithaalde. 'Dit is nog voor je verjaardag die ik gemist heb,' zei ik terwijl ik haar het pakje overhandigde.

Voorzichtig opende ze het en haalde er een Dolce&Gabana-horloge uit. Op de achterkant had ik 'Dolfijnoog' laten graveren, haar bijnaam voor mij. 'Neem het horloge mee naar Turkije en zeg tegen je ouders dat je die daar op de markt zelf hebt gekocht,' zei ik met een knipoog.

Ze lachte, knikte en omhelsde me innig. Ik graaide in mijn broekzak en haalde een babyfotootje van mezelf tevoorschijn. 'Ook voor jou, zodat je me bij je kan houden,' zei ik terwijl ik het in haar jaszak liet glijden.

★ ★ ★

De maandag erop stond ik er weer, dit keer met Hanan, Faisel en Appie, maar Dilara was nergens te bekennen. Hanan haalde pizza's, die we op de bankjes bij het speeltuintje opaten. Pas een uur na de afgesproken tijd kwam ze de hoek om. Helemaal alleen. Ze vertelde dat ze maar heel even kon blijven.

'Heb je er nog over nagedacht?' vroeg ik meteen. Ze zei dat ze diezelfde nacht nog zou proberen te ontsnappen. Ze zou niks meenemen, behalve haar paspoort.

Ik kuste haar en zei dat ze er geen spijt van zou krijgen.

'Dat weet ik. Anders doe ik zoiets heus niet,' antwoordde ze met een glimlach.

Nog een kus en ze rende snel terug naar huis. Ik ging terug naar mijn vrienden en vertelde hen dat ik meteen alles moest gaan regelen omdat het vannacht zou gebeuren.

Allereerst ging ik naar mijn werk om met de baas te praten. Ik vroeg hem per direct om ontslag, zonder opzegtermijn. Dat kon en ik mocht zelfs als er iets mis zou gaan mijn ontslagbrief nietig laten verklaren zodat ik meteen weer zou kunnen komen werken. Vervolgens ging ik de stad in om inkopen te doen. Kleren, ondergoed, make-up, toiletspulletjes en schoenen voor Dilara. Voor dergelijke noodgevallen had ik een spaarrekening en dat kwam nu erg goed van pas. Ten slotte pakte ik thuis mijn koffer in. Er was niemand, dus afscheid kon ik niet nemen.

Die avond werd ik opgehaald door Ramses. We reden naar Dilara's wijk om haar op te wachten. Mijn vriend zou ons naar België brengen, waar we de bus of trein naar een ander land konden pakken. Ik had een zwart gewaad over me heen zodat niemand me zou herkennen en was erg zenuwachtig.

Na een hele tijd ging plotseling de voordeur open. Het was Dilara. Nog geen seconde erna gingen alle lichten in het huis aan. Ze was betrapt bij de deur. Snel startten we de auto en scheurden weg. Haar broer kwam als een gek naar buiten rennen, achter ons aan. Maar we waren te snel. Hij pakte een auto en zette de achtervolging in. Ik begon mijn vriend te instrueren. 'Hier links! Hier rechts! Sneller!' schreeuwde ik onrustig. Mijn vriend slaagde erin hen af te schudden en ik liet me naar Hanan en Faisel brengen, waar ik veilig zou zijn en een beetje uit zou kunnen rusten.

Met stokkende ademhaling vertelde ik Hanan het verhaal. Ik voelde me verschrikkelijk, want ik wist dat Dilara nu nog meer problemen zou krijgen. En dat ik haar nu wellicht écht nooit meer zou zien. Bovendien was het vanaf nu weer heel gevaarlijk voor mij op straat. Mijn vriend en ik bleven bij Hanan slapen.

* * *

Ik bedacht een nieuw plan om haar te laten weten dat ik er nog steeds voor haar was. Een graffiti in haar straat. Die zou ze zeker zien en het was veilig. Ik liet een vriend van me, Lucas, een graffiti zetten op de muur achter haar huis. Haar slaapkamerraam keek daar precies op uit. Lucas was een ware graffitifreak en deinsde allerminst terug voor mijn verzoek. Hoe groter, hoe beter, wat hem betrof.

Samen gingen we midden in de nacht naar de desbetreffende muur. Terwijl ik op de uitkijk stond, bewerkte Lucas de bakstenen. Hij schreef met enorme letters: Dolfijnoog. Na een klein uurtje was hij klaar en het resultaat was prachtig en erg duidelijk. Dit zou ze zeker vanuit haar slaapkamerraam zien.

Ook in het daglicht was hij erg mooi, zag ik de volgende dag. Maar toen ik twee dagen later weer ging kijken was hij weggehaald. De gemeente had het kunstwerk verwijderd. Meteen belde ik Lucas met het verzoek om er diezelfde nacht nog een te zetten. 'Met plezier,' antwoordde hij.

Dit keer schreef hij 'Belalim benim'. We gingen ook naar het speeltuintje bij haar in de buurt en maakten daar nog een aantal kleine tekeningen. Overal schreef hij 'Dolfijnoog' bij. Hier zou ze zeker komen als ze met haar kleine neefje buiten ging spelen.

Elke dag van de week die volgde ging ik kijken. Dit keer lieten ze het kunstwerk staan.

★ ★ ★

Ik wist niet precies wanneer Dilara zou vertrekken, maar reed vaak met Ramses zo onopvallend mogelijk door haar straat om het in de gaten te houden. Op een dag zagen we haar familie het busje inladen. Nu wist ik dat ze een dezer dagen zou vertrekken.

Van een afstand kon ik Dilara zien. Eindelijk. Maar ik zag geen mogelijkheid om haar te laten weten dat ik daar was. Haar familie was overal om haar heen. Het deed verschrikkelijk pijn om haar zich te zien voorbereiden op haar vakantie. Ze ging weg van mij, op weg naar een andere vent. Op weg naar haar neef.

★ ★ ★

Ik werkte de hele vakantie keihard en nam slechts tien vakantiedagen op. Die bracht ik met mijn vrienden door, aan het meer of thuis in de tuin. Mijn familie was het land uit dus ik had het huis voor mij alleen. Verder dan mijn huis en het meer kwam ik niet. Mijn gedachten waren alleen maar bij Dilara en haar verloving.

Na een lange werkdag kwam ik om halftwee 's nachts vermoeid thuis. Ik wilde net de deur openen, toen ik zag dat de gordijnen dicht waren. Ik wist zeker dat ik ze had opengelaten. Wie had dit kunnen doen? Niemand had de sleutel. Er klopte iets niet.

Binnen zag ik meteen de keukendeur aan het einde van de gang openstaan. Ik liep erheen en zag dat het kleine keukenraampje was ingeslagen. Nu pas drong het tot me door dat er was ingebroken. Er waren vreemde mensen in mijn huis geweest.

Ik liep de tuin in naar de achterpoort. Ook die stond open. Snel liep ik naar de huiskamer en zag dat alles nog in orde was en dat er niks was weggehaald. Ik liep naar boven en checkte de kamers. Die waren stuk voor stuk tiptop in orde. Als laatste liep ik naar de zolderkamer, mijn slaapkamer. Ik opende de deur en schrok me kapot. Al mijn kleren waren uit de kast gerukt en lagen verspreid over de grond. De gigantische lijsten met de foto's van Dilara waren stukgeslagen. Mijn dure projector en de computer waren weg.

Ik gooide de troep van de bank, ging zitten en stak een peuk op. De vernielde lijsten pakte ik op om ze vervolgens weer terug op de grond te gooien. Ik belde de politie. Ruim een halfuur later arriveerde die en kon ik aangifte doen.

Een uur later was ik weer alleen thuis. Ik ging mijn kamer binnen en viste mijn pyjama uit de enorme rotzooi op de grond. Vervolgens liep ik naar beneden en ging in pyjama op de bank liggen. Daar bracht ik de nacht door, zodat ik alert kon blijven op mogelijke indringers.

13

Het was dinsdagmiddag, twee uur en we waren met z'n drieën op Hanans scooter op weg naar maatschappelijk werk. Hanan reed, Aselya zat in het midden en ik achterop. Het paste maar net maar dit hadden we veel liever dan het openbaar vervoer. Met onze helmen op voelden we ons veel minder kwetsbaar.

Een knappe Zuid-Amerikaanse vrouw van middelbare leeftijd deed voor ons open. We stelden onszelf voor en liepen door naar binnen. De vrouw, Karen, vroeg ons plaats te nemen. Haar assistent schonk thee voor ons in terwijl Karen haar papieren erbij pakte.

Aselya begon te vertellen, van A tot Z. Met veel moeite noemde ze ook het huiselijk geweld bij haar thuis. Karen schrok toen ze Aselya's rug zag; die zat onder de striemen. We vertelden dat we tijdelijk een veilig onderduikadres hadden geregeld en dat we weinig vertrouwen in de politie hadden omdat die de situatie totaal verkeerd had ingeschat. Ook maakten we duidelijk dat Aselya absoluut niet in een opvang geplaatst wilde worden tenzij we samen konden blijven, en vertelden we dat we zo snel mogelijk wilden trouwen, omdat ons samenzijn dan voor de islam gerechtvaardigd zou zijn. Aselya vroeg Karen of ze haar aan een identiteitskaart of paspoort kon helpen, en Karen zei dat ze eerst opvang zou regelen en dat daarna pas het trouwen aan de orde zou komen.

Ze belde meteen met vrouwenopvang en maakte nog voor diezelfde dag een afspraak voor ons met het Advies en Steunpunt Huiselijk Geweld. Vervolgens belde ze de politie, die al wist dat Aselya weg was van huis – haar familie had haar als vermist opgegeven – en het nodig vond een gesprek met haar en mij aan te gaan. Er werd een afspraak gemaakt voor de volgende dag. Ze zouden ons hier in dit kantoor ontmoeten. Ze adviseerden Aselya zo snel mogelijk naar huis te bellen om haar familie gerust te stellen.

Karen pakte de telefoon en zette deze voor haar neer. Bang keek Aselya me aan. Ze durfde niet te bellen. Karen probeerde haar over te halen en uiteindelijk lukte dat. Ze belde. Haar vader nam gelijk op. Eerst durfde Aselya niets te zeggen, toen raapte ze al haar moed bij elkaar en begon te praten. In het Turks.

'Maak je geen zorgen, papa. Ik ben uit eigen wil weggegaan. En ik ben goed opgevangen door maatschappelijk werk. En ik heb al contact met de politie gezocht. Dus maak je alsjeblieft geen zorgen,' zei ze met trillende stem.

Haar vader bleef een tijdje stil en zei toen: 'Heb je geld nodig? Als je geld nodig hebt, dan stuur ik je dat wel.'

Ze zei dat ze geen geld nodig had, dat er goed voor haar gezorgd werd.

Plotseling kreeg ze haar moeder aan de lijn. Huilend vroeg

ze Aselya om naar huis te komen. Op de achtergrond klonk ook het gehuil van haar zusje. Aselya hield de hoorn enkele seconden bij zich vandaan. Toen ze hem weer tegen haar oor drukte hoorde ze haar vader weer. Hij klonk wrevelig en begon weer met zijn dreigementen aan mijn adres. Ze vroeg hem daarmee op te houden, maar dat weigerde hij.

'Als ik die jongen vind, dan gaat hij eraan. Ik maak 'm dood!'

Ze had geen behoefte om hiernaar te luisteren, dus zei ze haar vader gedag en verbrak de verbinding.

Karen vroeg of ik mijn familie nog wilde bellen, maar ik zei haar dat ik dat niet wilde. Ik wilde ze pas spreken als ik alles had geregeld; in deze situatie had ik geen behoefte aan een confrontatie. Heel mijn leven was plotseling een puinhoop en dat wilde ik gewoonweg niet toegeven. Ik was iemand die alles altijd netjes op een rijtje had.

We gingen naar het Advies en Steunpunt Huiselijk Geweld. Zelfs met de scooter was het nog een aardig eindje, maar we waren op tijd. In het kantoor werden we gelijk opgevangen door Hayat, een lieftallige Marokkaanse dame. Ze liet ons de wachtkamer binnen en bracht ons koffie en thee. Ze kwam naast ons zitten en meteen begon Aselya haar verhaal te doen. Toen Hayat inzag dat dit een nogal ernstige situatie was riep ze haar meerdere erbij. Met z'n vieren gingen we een kamertje binnen waar we plaatsnamen aan een grote, witte vergadertafel.

Opnieuw deden we ons verhaal. Toen Aselya ook hier haar rug liet zien, adviseerde de vrouw ons om er een rapport van te laten maken in het ziekenhuis. Er werd meteen een afspraak voor ons gemaakt voor de volgende dag.

Toen we na een lange dag terug naar huis gingen deed Hanan nog even boodschappen, terwijl Aselya en ik alvast naar huis gingen. Doodmoe waren we. Aselya pakte een zak aardappelen en schilde deze terwijl we in de huiskamer napraatten over onze drukke dag. Hanan zou runderhaaspuntjes van de slager meenemen. Ik lag ondertussen onderuit voor de tv. Een documentaire over orka's had mijn aandacht. Ik vond die beesten als klein jongetje al razend interessant. Ik had zelfs zeebioloog willen worden speciaal om orka's te kunnen bestuderen, terwijl mijn klasgenoten dachten aan brandweerman of kapster.

Hanan kwam tegelijk met Yassine binnengelopen. Ze zette de zware tassen in de keuken en plofte naast mij op de bank. Samen keken we de documentaire. Yassine zocht meteen de badkamer op om te gaan douchen.

Aselya zette het plateau met aardappelschijfjes in de keuken en deed ze in een pan. Terwijl de aardappelen bakten, marineerde ze het vlees. Ik stond op om haar een handje te helpen.

Even later, toen we nog maar net aan tafel zaten, ging de deurbel. We schrokken ons dood. Niemand durfde door het raam naar buiten te kijken om te zien wie er beneden aan de deur stond. Uiteindelijk stond Yassine op. Hij opende het raam en stak zijn hoofd naar buiten, waar hij twee jonge, hoofddoek dragende vrouwen zag staan. Hij herkende ze als kennissen van de oorspronkelijke bewoners. Hij groette ze vanuit het raam en vertelde dat de bewoners nog steeds in het buitenland waren. Met een brede lach ging hij daarna weer aan tafel zitten. 'Niks aan de hand. Jullie maken jezelf gek. Niemand vindt jullie hier!' zei hij.

We waren vreselijk opgelucht. Verschrikkelijk die constante spanning!

★ ★ ★

Appie was na twee maanden teruggekomen van vakantie. Hij was nog maar net een uurtje thuis, toen Ercan en zijn vrienden hem een bezoek brachten. Ze vroegen hem om in de auto te stappen. Hij had nog geen idee wat er aan de hand was en keek Ercan verbaasd aan.

'Het is beter als je nu instapt,' zei Aselya's neef alleen maar.

Zijn vrienden zaten nog in de auto en keken dreigend zijn kant op. Appie deed wat hem gevraagd werd en Ercan kwam naast hem zitten.

Zodra de auto gestart was haalde Ercan een pistool tevoorschijn en zette die tegen Appie's hoofd.

'We weten dat je nog maar net bent teruggekomen van vakantie, en dus niet kunt weten waar mijn nicht is. Maar ik weet ook dat jij de autosleutels en papieren van Sheriefs BMW hebt.'

Ercan drukte het vuurwapen hard tegen zijn slaap. Appie zweette. Hij had nog nooit eerder een pistool tegen zijn hoofd gehad en kon wel in zijn broek plassen van angst.

'In mijn jaszak,' zei hij met trillende stem.

Ercan graaide en vond de sleutels. 'En de papieren?' vroeg hij.

Appie keek paniekerig om zich heen. Hij zocht oogcontact met de buitenwereld, maar niemand kon zien wat er in de auto aan de gang was.

'In mijn broekzak. In het mapje van mijn rijbewijs,' zei hij heel snel. Hij zag geen andere optie dan hen te geven waar ze om vroegen. Voorzichtig pakte hij het mapje en haalde de juiste papieren eruit. Ercan griste ze uit zijn handen.

'Ziezo. Die auto is nu van mij,' zei hij met een vals lachje.

'Nu zijn er twee opties. Of je brengt me nu naar zijn auto of ik haal de trekker over,' zei hij doodserieus.

Appie slikte. 'Ik breng je wel,' antwoordde hij met schorre stem.

Ercan legde voorzichtig het pistool tussen zijn benen en Appie stuurde de auto naar het huis van mijn kennissen.

De BMW-cabrio stond op de oprit. Ze parkeerden een stukje verderop, zodat ze niet opgemerkt zouden worden.

'Je gaat alleen naar binnen. Als ik merk dat je iets flikt, ga je eraan. En na jou je familie! Laat ze alleen weten dat je de auto komt ophalen, daarna vertrek je direct,' zei Ercan.

Appie stapte uit en liep naar de voordeur. Hij zag vanuit zijn ooghoeken dat de jongens waren uitgestapt om hem in de gaten te houden. Hij belde aan, een vrouw deed open.

'Jij komt zeker voor de auto?' vroeg ze.

Appie knikte.

Mijn kennis glimlachte. 'Sherief heeft me zo'n drie weken geleden al opgebeld om te zeggen dat een van jullie zou langskomen voor de auto.'

Appie lachte schaapachtig. Hij draaide zich om en stapte de BMW in. Hij startte de wagen en reed de straat uit, gevolgd door de andere auto, die voor hem ging rijden en hem enkele straten verderop tegenhield. Appie stapte uit en liet Ercan achter het stuur plaatsnemen.

'Kom naast me zitten!' commandeerde Ercan.

Appie liep om de voorkant van de auto heen naar de passagiersplek. Hij stapte in en Ercan reed met piepende banden weg. Zijn vrienden volgden hem.

Onderweg kwam er een politieauto achter de BMW rijden. Hij knipperde met zijn lichten ten teken dat Ercan langs de kant moest gaan staan. De politieauto parkeerde langzaam achter hen. Ercan gooide het pistool dat hij weer tussen zijn benen had gelegd haastig onder zijn stoel.

'Als je ook maar één poging doet de agent te waarschuwen, ga je eraan. Ik zweer dat ik jou en je familie dan te grazen neem!' siste hij paniekerig.

Er kwamen twee jonge agenten naar de auto gelopen. 'Rijbewijs en papieren alstublieft!' zei een van hen.

Ercan pakte zijn rijbewijs en de autopapieren en gaf deze aan de man.

'De auto heb ik geleend van een vriend van mij,' zei hij.

De politieagent knikte. Appie durfde geen kik te geven. De andere agent was intussen met een zaklantaarn naar binnen aan het schijnen. Vooral de achterbank werd goed bekeken. Maar toen bleek dat de papieren in orde waren hield hij daarmee op.

'Jullie kunnen gaan,' zeiden ze.

Opgelucht startte Ercan de auto weer. Zijn vrienden, die een eindje verderop gestopt waren, volgden hem.

'Dat heb je goed gedaan,' zei Ercan tevreden.

Appie zei niets.

'We brengen je naar huis. Ik kom je morgen weer opzoeken.'

Appie bleef stil. Toen ze bij zijn huis waren, stapte hij uit en liep meteen naar de voordeur.

Ercan bracht de auto naar een van zijn ooms, die een eigen autogarage had waar de auto veilig gestald kon worden.

★ ★ ★

Mijn moeder zat thuis op de bank toen haar telefoon ging. Ze nam op en hoorde aan de andere kant van de lijn alleen iemand ademen.

Toen zei een barse mannenstem: 'Ik zou maar goed op je dochters passen. Een dochter voor een dochter!' Daarna werd de verbinding verbroken.

Mijn moeder stormde de trap op om bij mijn zusjes te kijken. Die waren zoet aan het spelen. Ze belde meteen haar contactpersoon bij de politie om melding te maken van het akelige telefoontje en van het feit dat haar dochtertjes mogelijk het doelwit waren van een Koerdisch-Turkse familie.

* * *

De volgende dag kwam Ercan zoals aangekondigd opnieuw bij Appie langs. Ze namen hem mee naar de garage van zijn oom, waar Ercan en Appie in mijn BMW stapten en wegreden, opnieuw gevolgd door Ercans vrienden. Ze gingen langs verscheidene autogarages in de buurt om de BMW te verkopen. Toen ze de hoogste bieder gevonden hadden verkochten ze mijn auto diezelfde dag nog.

'Duizend euro is voor jou,' zei Ercan toen de deal gesloten was. Hij telde het geld dat hij gekregen had, haalde het genoemde bedrag ertussenuit en gooide het op Appie's schoot.

Appie keek verbaasd van hem naar het vuurwapen op Ercans schoot.

'Zonder jou was dit nooit gelukt. Ik sta erop dat je die rug aanneemt. De rest is voor mij.'

Appie vouwde de briefjes in elkaar en stopte ze in zijn broekzak. Hij zei nog altijd niets.

'Ik breng je naar Aselya's vader. Hij wil met je praten.'

Appie keek angstig voor zich uit terwijl de auto richting het huis van Aselya's vader scheurde. Die stond al te wachten. Appie stapte uit en bleef op de stoep staan terwijl Ercan en zijn vrienden verderreden, op naar het casino met hun nieuwe buit.

Aselya's vader kwam op hem af. Appie kreeg het erg benauwd. Aselya's vader liep Appie voorbij zonder hem aan te kijken, stapte in zijn eigen auto en zei hem in te stappen. Appie deed zonder aarzelen wat hem gevraagd werd.

'Wij gaan even een eindje rijden samen.'

Appie slikte. Hij dacht dat het gedaan was met hem, dat hij nu geliquideerd zou worden. Ongerust keek hij om zich heen. Ze reden en reden en stopten op een verlaten parkeerplaats.

'Niet bang zijn!' zei de vader meteen. 'Als jij precies doet wat ik zeg, heb je niks te vrezen.'

Met grote ogen keek Appie hem aan. Hij bleef stil en luisterde aandachtig.

'We gaan jou gebruiken om mijn dochters vriendje te lokken. Wanneer hij jou belt, wil ik dat je een afspraak met hem maakt. En tijdens die afspraak komen wij in actie.'

Appie schrok, maar wist meteen dat verzet zinloos was. Hij moest wel meewerken, anders zou hij een kogel door zijn hoofd krijgen. 'Oké,' antwoordde hij zachtjes.

Verder was er niets te bespreken. Appie werd voor zijn huis afgezet. De deur deed hij achter zich op slot. Hier zou hij voorlopig blijven. Buiten was het niet veilig meer. Als ze erachter kwamen dat hij eigenlijk niet mee wilde werken, zouden ze hem pakken. Hij lichtte zijn ouders in en vertelde ze dat ze moesten zeggen dat hij niet thuis was als er iemand voor hem aan de deur kwam. Nu zat hij opgesloten in zijn eigen huis.

★ ★ ★

Appie zat al een paar dagen binnen en Ercan was al twee keer aan de deur geweest. Op de derde dag besloot Appie naar buiten te gaan. Een klein stukje maar. Naar de supermarkt op de hoek.

Nog in zijn eigen straat kwam er een auto langzaam naast hem rijden. Appie had er niet aan gedacht dat ze zijn huis continu in de gaten zouden houden. Het raampje werd omlaag gedraaid en Ercans hoofd verscheen.

'Stap in!' riep hij.

Een van zijn vrienden stapte uit en hield de deur voor hem open. Appie stapte in.

'Je had gezegd ons te helpen, maar je probeert er onderuit te komen,' zei Ercan.

'Nee. Echt niet. Ik...uhhh...was ziek. Daarom bleef ik binnen. Ik voel me echt beroerd de laatste dagen.'

Ercan keek hem aan. Hij geloofde er duidelijk geen bal van. Ze reden naar een leegstaande garagebox en daar parkeerde Ercan de auto op straat. Hij pakte snel wat touw uit de kofferbak en liep naar de garagedeur. Appie keek er bevreesd naar. Bovendien ontdekte hij een pistool in Ercans achterzak. Het ene angstaanjagende scenario na het andere schoot door zijn hoofd.

Ercan opende de deur met een sleutel. De box was leeg, de vloer erg vies en stoffig. Er stonden alleen twee stoelen in de ruimte. Een van de stoelen werd in het midden van de ruimte neergezet.

'Ga maar zitten!' zei Ercan tegen Appie terwijl hij aan een lampje draaide.

Appie ging zitten en werd door Ercans vrienden vastgebonden.

'We hebben het eerst op een nette manier geprobeerd, maar

dat werkte niet,' verklaarde Ercan.

Appie keek benauwd toe hoe de mannen hem knevelden.

'Als jij ons nu helpt, dan laten we je gaan,' zei Ercan toen ze klaar waren.

'Ik doe alles wat jullie van me vragen,' piepte Appie.

Ercan pakte Appie's mobiel, toetste mijn nummer in en hield het toestel tegen het oor van Appie. Ik was op dat moment samen met Aselya op het balkon van de zon aan het genieten.

'Hee man, met Appie. Ik ben net terug in Nederland. Mo vertelde me wat er is gebeurd. Echt ernstig. Kan ik je helpen?'

'Ik weet niet. Ik heb alleen zo snel mogelijk mijn geld nodig. Je weet wel, het geld dat ik jou heb geleend.'

Appie keek om zich heen en zijn ogen vielen opnieuw op het pistool dat een stuk uit Ercans broek stak.

'Ik zorg ervoor dat ik het geld deze week voor je heb. Dan kom ik het persoonlijk afgeven.'

Op dat moment wist ik dat er iets niet klopte. Appie kon nooit zo snel mijn geld al bij elkaar hebben. Bovendien klonk hij vreemd. Ik besloot dat het het verstandigste was om het spelletje mee te spelen. Voor nu dan.

'Ik bel je volgende week op. Dan maken we tegen die tijd een afspraak, want ik weet nu nog niet wanneer ik precies tijd heb.'

Ik bleef even stil om erachter te komen of Appie alleen was. Ik hoorde niets, maar was er toch zeker van dat Ercan bij hem was.

'Oké,' zei mijn vriend. 'Zie ik je volgende week.' Daarna werd de verbinding verbroken.

De mannen waren tevreden over Appie's optreden en verlosten hem zodra hij had opgehangen.

'Erg goed gedaan. Je bent slim. Jij kiest voor je eigen leven,' zei Ercan terwijl hij klaarstond om de garagedeur naar boven te schuiven.

Appie werd thuis afgezet, waarna de rest doorreed naar Aselya's vader om verslag te doen.

* * *

Nadat Ercan en zijn vrienden Appie die week opnieuw hadden opgehaald gingen ze bij mijn neefje langs. Die schrok toen hij zag dat Appie, mijn vriend, bij hen was.

'We geven jou een laatste waarschuwing! Als we erachter komen dat jij Sherief op welke manier dan ook helpt, ga je eraan. En waag het niet naar de politie te stappen,' zei Ercan op agressieve toon.

'Waar slaat dat op? Ik heb hem niet eens gesproken, niet gezien of wat dan ook,' antwoordde mijn neefje in alle onschuld.

Ercan draaide zich om en liep terug naar de auto, gevolgd door de rest. Mijn neefje probeerde nog oogcontact te zoeken met Appie, maar die ontweek zijn blik.

* * *

Hayat had mij een nieuwe simkaart gegeven. We zouden mijn nieuwe nummer alleen aan alle instellingen geven waarmee we nu te maken zouden krijgen en aan de mensen die we echt konden vertrouwen. In Aselya's kringen was dat niemand, want iedereen die ze kende kon onder druk van haar familie komen te staan.

Om tien uur 's ochtends hadden we een afspraak in het ziekenhuis. De arts stelde Aselya een aantal vragen aan de hand van de wonden die hij observeerde. Tijdens het gesprek barstte ze in huilen uit. Mij en Hanan werd verzocht de kamer te verlaten. Aselya vertelde later dat de arts een rapport had opgesteld.

Nog altijd huilend kwam Aselya de kamer weer uit; Hanan en ik deden ons best haar te troosten.

We hadden om twaalf uur een afspraak met maatschappelijk werk, waarbij ook de politie aanwezig zou zijn. Toen we binnenkwamen zagen we twee agentes aan tafel zitten. Karen stelde ze aan ons voor. Een van hen, een blonde vrouw van 26 jaar, vertelde dat ze gestuurd was door het korps van onze stad. De andere agente was een eerwraakspecialiste, Turkse van afkomst. Ze had een westers uiterlijk en was een jaar of 28. Het was voor beiden hun eerste zaak.

Aselya begon opnieuw het verhaal te vertellen. Inmiddels ging dat haar gemakkelijk af. Ze liet ook weten dat ze woedend was dat de agenten haar niet op waren komen halen toen ze daarom gevraagd had. De agenten zeiden dat de politie de situatie totaal verkeerd had ingeschat, dat ze dit niet hadden verwacht. Daar hadden we geen flikker aan, het was nu al te laat.

De agenten drukten ons op het hart om aan niemand ons onderduikadres te geven. Zelfs niet aan hen; zelfs het politiestelsel was niet waterdicht, het was mogelijk dat er via hen geheime informatie naar buiten zou lekken. Aselya en ik keken elkaar met grote ogen aan toen we dat hoorden.

Ik vertelde over de doodsbedreigingen die ik van haar vader en neef kreeg, maar de eerwraakspecialiste bleek er vooral voor Aselya te zijn. Mij schonk ze eigenlijk weinig tot geen aandacht. Ze praatte ook veel Turks met Aselya, waardoor ik hun gesprek niet kon volgen.

Aan het einde van het gesprek werd ik nog even apart genomen door de blonde agente om een verklaring tegen haar familie af te leggen. Ze las alle berichten die haar familie aan mij had gestuurd en schreef ze over in haar rapport.

Ondertussen probeerde de eerwraakspecialiste Aselya over te halen om naar huis terug te keren. Ze vroeg haar of ze besefte dat ze haar familie had achtergelaten en dat ze als ze niet snel terug zou keren nooit meer welkom zou zijn thuis. En ze zei dat ze had vernomen dat haar vader, moeder en zusje haar heel erg misten. Ze pakte het slim aan; ze speelde in op haar schuldgevoel en onderstreepte dat het nog steeds denkbaar was dat ze naar huis ging. En dat haar familie mij met rust zou laten zodra ze weer thuis was. De specialiste zei ook dat ze haar erg sterk vond in deze periode, maar dat ze in de toekomst uiteindelijk toch naar haar moeder terug zou willen keren.

'Een grotere liefde dan de liefde tussen moeder en dochter bestaat er niet. En daarom kan je maar beter nu meteen teruggaan. Dat zou voor iedereen beter zijn.'

Het belangrijkste doel van dit gesprek was om erachter te komen of Aselya onder dwang van mij stond of geheel uit eigen wil van huis was weggegaan. Het bleek de prioriteit van de politie te zijn om het meisje terug naar huis te krijgen. Zo snel mogelijk. Maar Aselya gaf niet toe.

'Ik hou van hem,' maakte ze de specialiste duidelijk.

Daarmee was het afgedaan.

Na anderhalf uur waren we klaar. De agenten zouden later in de week weer langskomen. We wisselden telefoonnummers, zodat we elkaar konden bereiken mocht dat dringend nodig zijn. Beide partijen zouden vierentwintig uur per dag bereikbaar blijven. Vervolgens namen we de bus naar het Advies en Steunpunt Huiselijk Geweld. Hanan had onderweg Hayat al gebeld om te laten weten dat we eraan kwamen.

We gingen weer aan de grote witte tafel zitten. Hayat en haar collega zaten voor ons. We lieten het rapport zien dat in het hospitaal was opgesteld en Hayat las het door. Haar collega vertelde ondertussen dat het moeilijk was om opvang te vinden waar ook mannen terecht konden, maar dat ze het nog niet hadden opgegeven.

Na een klein uurtje was ons dagprogramma eindelijk afgelopen. Hanan zei dat ze ons even mee wilde nemen naar een vriendin van haar in de buurt.

'Neem Aselya maar mee. Ik wacht wel buiten,' zei ik. Uit mijn ooghoeken had ik in de straat een speeltuintje gezien; daar kon ik wel even op ze wachten.

'Ga gewoon mee, joh,' zei Hanan.

'Nee. Ik heb echt geen zin. Ik wacht wel in dat speeltuintje daar. Het is toch lekker weer.'

'Ik blijf wel bij jou, aşkim,' zei Aselya.

'Nee, dat hoeft niet. Ga gezellig met Hanan mee. Ik zie jullie wel over een uurtje.'

Aselya gaf me een dikke zoen op mijn mond en liep met Hanan verder.

Ik liep op mijn gemak naar het speeltuintje. Er stonden vier houten picknicktafels op het plein. Ik zocht de tafel uit met de meeste zon. Ik sloot mijn ogen en genoot van de warme stralen op mijn gezicht. Met mijn rug tegen de tafel aan leunde ik achterover. Ik hoorde spelende kinderen om me heen, maar hield mijn ogen gesloten.

Plotseling hoorde ik Aselya's stem. 'Wakker worden, lekker ding.'

Ik opende mijn ogen en zag haar naast me zitten. Hanan stond bij de uitgang van het speeltuintje.

'Is dat uurtje al voorbij?' vroeg ik slaperig.

'We zijn zelfs anderhalf uur weggeweest. Heb je al die tijd geslapen hier?'

Ik knikte en pakte haar hand. We liepen naar Hanan. Met mijn andere hand pakte ik mijn mobiel uit mijn broekzak. Het werd tijd dat ik mijn werk weer eens belde. Ik kreeg de secretaresse aan de lijn.

'Ik wilde even laten weten dat ik nog steeds ziek ben en voorlopig niet kan komen werken,' zei ik.

'We hebben vernomen dat je ondanks je ziekte niet op je adres aanwezig was en om die reden ben je op staande voet ontslagen.'

'Maar dat kan ik uitleggen. Ik ben echt ziek. Maar ik heb problemen thuis en ben dus bij een kennis van me. Hier kan ik rustig uitzieken.'

Aselya giechelde zachtjes.

'Sorry. De ontslagbrief is al op de post gedaan.'

'Nou ja zeg! Ik heb de afgelopen vijf jaar uitstekend werk verricht en nu word ik zomaar ontslagen?' We waren inmiddels bij ons huis aangekomen, Hanan opende de deur en we volgden haar naar binnen.

'Het spijt me. Het is niet aan mij. De nieuwe eigenaar heeft dit beslist.'

'Ik ben het hier echt totaal niet mee eens. En ik weiger om mijn ontslagbrief te ondertekenen. Zeg dat maar tegen de nieuwe baas!' Woedend was ik. Ik voelde me belazerd.

'Het spijt me echt. Ik ken je goed. En als het aan mij lag, was het niet zo besloten.'

'Bedankt in ieder geval,' zei ik nog en verbrak de verbinding.

Nu was ik ook nog mijn baan kwijt door dit alles. Kutzooi! Ik had er op de zondagen willen blijven werken als ik bij de politie in opleiding was.

Aselya zag aan me dat ik op ontploffen stond en liet me even alleen om uit te razen. Zelf was ze uitgeput en misselijk en zocht meteen haar bed op.

Een tijdje later ging ik ook naar de slaapkamer om even rustig met haar te kunnen praten. Mijn ontslag probeerde ik voorlopig uit mijn hoofd te zetten; dat was al vol genoeg.

Ze kwam tegen me aan liggen en vertelde wat ze allemaal besproken had met die specialiste.

'Ze willen gewoon dat ik terugga naar huis,' zei ze verontwaardigd.

Ik kuste haar op de wang en zei: 'Maak je niet druk. Je hebt alles zelf in de hand. Laat je niet gek maken door hen.'

'En nu ben jij ook nog eens je baan kwijt,' zei ze. 'Wordt dit alles ooit wel beter?'

'Natuurlijk!' zei ik terwijl ik daar helemaal niet zeker van was. Dat ik ook twijfelde hoefde zij helemaal niet te weten.

Na een paar minuten sloot ze haar ogen en doezelde weg in mijn armen. Niet veel later viel ik ook in slaap.

Twee uur later bonsde Hanan op de deur.

'Eten!' riep ze vanuit de gang.

Het rook lekker in huis. Aselya en ik stonden op en met onze ogen halfdicht liepen we als twee zombies de huiskamer in. Toen we wilden gaan zitten rende Aselya plotseling de badkamer in omdat ze moest overgeven. Ze was vaak misselijk de laatste dagen. Vanwege de spanning, dachten we. Toen ze even later aan tafel kwam zitten zag ze er beroerd uit. Ze schepte weinig op.

Na het eten zochten we meteen de slaapkamer weer op. Ik haalde Aselya over om voordat we gingen slapen samen onder de douche te springen. Onder de douche kamde ze haar haren goed uit, en daarna de mijne. Ik was in de badkuip gaan zitten zodat ze er beter bij kon.

'Zullen we naar bed gaan, schat?' vroeg ze terwijl ze met de kam een laatste keer door mijn haar ging.

'Ga jij maar vast; ik kom er zo aan. Nog eventjes,' antwoordde ik. Het hete water deed me goed.

* * *

De volgende dag hadden we eindelijk geen afspraken op de agenda. Het was heerlijk weer en we reden met z'n allen naar het Nieuwe meer om te picknicken. Hayat ging ook mee en we vertrokken met z'n allen in haar auto. Ze parkeerde aan de rand van het bos en vandaaruit gingen we lopen. Yassine en Hanan hadden twee grote tassen met eten bij zich. Ik droeg een rugtas met badhanddoeken erin en Aselya had een groot kleed in haar armen. Als een groepje scouts volgden we het pad door het prachtige bos. Alles om ons heen was in volle bloei. Het was een lange route naar het meer en we kwamen veel wandelaars tegen, ook het enorme grasveld bij het meer lag aardig vol met zonnende mensen.

Aselya spreidde het kleed en ging zitten, Hanan pakte meteen alle etenswaar uit: crackertjes, kaas, chips, nootjes, chocolade en nog meer. Daarna trok ze haar kleren uit, waaronder ze haar bikini al aanhad. Ze pakte Aselya bij de arm en trok haar mee naar het water. Samen liepen ze een houten steiger op en Hanan sprong er als eerste in. Het water was warm, zei ze. Aselya twijfelde nog. Ze had geen bikini bij zich en wist niet of ze wel met haar jurkje aan het water in wilde. Toen Hanan haar zag twijfelen trok ze zichzelf de steiger weer op, rende op Aselya af en gaf haar een flinke duw. Gillend viel Aselya in het water. Hanan dook erachteraan.

Ik hoorde ze in het water spartelen en roepen: 'Kom erin,

het is heerlijk!' Met een harde aanloop sprong ik erin. We zwommen een stukje, maar hadden er al snel genoeg van. We kropen het grasveld weer op. Aselya zag eruit als een verzopen katje in haar doorweekte jurk; Hanan hield het niet meer van het lachen.

We gingen op het kleed liggen om op te drogen. Aselya had haar hoofd op mijn borst gelegd en ik sloeg mijn arm over haar heen. Ik keek om me heen. Iedereen zag er zo gelukkig uit. Zo tevreden. Zo vrij. Ook ik voelde me eindelijk weer goed. Het leek alsof we even aan de realiteit waren ontsnapt. Weg van alle ellende.

Aan het einde van de middag gingen we de stad in. Aselya en ik liepen hand in hand door de straten. Dat voelde heerlijk, in onze eigen stad hadden we dat nooit kunnen doen. Wel merkte ik dat ik voortdurend achterom keek.

Aselya daarentegen zag er zorgeloos uit. Deze dag had haar goed gedaan, ze leefde helemaal op. En haar goede humeur was aanstekelijk.

★ ★ ★

De volgende dag zaten we aan een tafel met Karen naast ons en tegenover ons twee agenten: de blonde van de vorige keer en de contactpersoon van Aselya's familie, een norse Joegoslavische man van een jaar of vijfendertig.

De mannelijke agent haalde een grote sporttas tevoorschijn. 'Deze hebben je vader en moeder voor je ingepakt,' zei hij terwijl hij haar de tas overhandigde. Hij had ook een tas met spullen voor mij bij zich.

De contactpersoon stond op en vroeg Aselya hem te volgen.

Ze gingen in een klein kamertje naast ons zitten. Hij sloot de deur achter zich. Ik bleef achter met de andere agent.

'Wil je niet je familie bellen om ze te bedanken voor de tas?' vroeg ze.

Ik keek naar Karen, die nog steeds naast me zat. Daarna keek ik weer naar de agente. 'Nee, dat is niet nodig,' zei ik. Ik was ervan overtuigd dat ze mij met mijn familie wilde laten praten om me emotioneel te breken en hield voet bij stuk.

'Wat zijn jullie toekomstplannen?' vroeg ze.

Ik vertelde haar dat we zo snel mogelijk wilden trouwen en dat we samen in een opvanghuis wilden worden geplaatst. Vandaaruit zouden we hulp krijgen om een eigen woning en ook werk te vinden. Ook vertelde ik dat ik van plan was mijn auto te verkopen om wat geld te hebben de komende tijd.

'Dat is ons plan,' eindigde ik terwijl ik haar strak aankeek.

'Maar Aselya zal uiteindelijk toch weer haar moeder gaan opzoeken,' was haar reactie.

Ik keek naar de grond en dacht even na. Daarna keek ik haar weer aan en zei: 'Dat vind ik geen probleem. Ze weet zelf heel goed dat ze moet uitkijken met het vrijgeven van informatie over onze verblijfplaats. Het is niet zo dat ik tussen haar en haar moeder in sta. Ik moedig haar zelfs aan om na verloop van tijd weer contact te zoeken.'

'Maar dan heeft haar familie haar al verstoten!'

'Ik weet het anders ook niet. Ik denk dat een moeder altijd open zal staan voor contact met haar dochter.'

De agente zweeg.

In het kamertje naast ons werd Aselya ondertussen ook gevraagd of ze haar ouders wilde bellen om ze te bedanken voor de tas en te laten weten dat alles nog steeds goed met haar ging. Ze probeerden bij haar hetzelfde als bij mij; alleen zij trapte erin. Ze belde het mobiele nummer van haar vader.

'Ik heb de tas net ontvangen. Dank je wel, papa,' zei ze. Ze hoorde haar vader zwaar ademen.

'Kom naar huis, lieverd. We missen je. Je moeder en ik slapen niet meer. Als ik slaap, dan slaap ik in jouw bed met jouw pyjama in mijn armen.'

Ze begon te huilen. 'Sorry, papa. Maar ik hou van hem en ik wil bij hem zijn.'

'Hier is je moeder,' zei hij.

Ze kreeg haar huilende moeder aan de lijn. 'Aselya! Aselya! Kom naar huis! Je kleine zusje mist je en ik ook. Je vader drinkt elke dag, hij is zichzelf niet meer. Je tantes, zusje en ik zitten iedere dag beneden voor het raam, wachtend tot jij aan de deur zal komen. We missen je zo!'

Aselya begon nog harder te snikken. 'Ik hou van je, mama. Vergeet dat nooit. Ik moet nu ophangen,' zei ze ontdaan.

Haar moeder wilde nog iets zeggen, maar voordat ze de kans kreeg, had Aselya al opgehangen.

De agent benadrukte nog eens dat haar ouders haar enorm misten en dat het daarom voor iedereen beter zou zijn als ze terug naar huis ging. Hij vertelde dat hij meerdere malen bij hen thuis was geweest en dat hij daar verschrikkelijk leed zag. Ook probeerde hij haar gerust te stellen door haar wijs te maken dat ze niet meer bang hoefde te zijn voor de klappen van haar vader, want het gehele gezin zou onder toezicht komen te staan van Jeugdzorg en die zouden ervoor zorgen dat er gecontroleerd zou worden op huiselijk geweld binnen het gezin.

Maar Aselya keek de agent aan en zei: 'Nee! Ik ga niet terug naar huis! Ik hou van hem en blijf bij hem. Punt uit!'

Na het gesprek kwamen ze het kamertje weer uit. Ook ik was net klaar.

'Mogen we nu gaan?' vroeg Aselya.

Karen knikte. 'Het zit er vandaag weer op voor jullie. Ik bel binnenkort weer voor een nieuwe afspraak.'

Hanan stond in de foyer te wachten. Ze had ondertussen Hayat opgebeld en haar uitgenodigd om te komen eten vanavond. Ze zou ons hier op komen halen. We liepen alvast naar buiten om te roken.

Vijf minuten later stond Hayat al voor onze neus. In de auto vertelde Aselya wat er allemaal gezegd was tijdens het gesprek tussen haar en de agent. Verbaasd keek Hayat over haar schouder.

'In plaats van dat ze jullie helpen, probeert de politie je alleen maar naar huis te krijgen,' zei ze misnoegd.

In het appartement gingen Hanan en Aselya de keuken in om te koken. Yassine was net klaar met werken en zat voor de tv. Hayat en ik gingen bij hem zitten en Hayat vertelde over haar werk in de vrouwenopvang. Ze zei dat er dagelijks meiden hulp bij hen zochten en dat ze niet blij was met het beperkte aantal opvanghuizen voor eerwraakvluchtelingen. Ik luisterde aandachtig naar haar verhaal en hoorde ondertussen Hanan en Aselya giechelen in de keuken.

Even later kwam Aselya op mijn schoot zitten.

'Ik ben moe lieverd,' fluisterde ze in mijn oor.

'We gaan vroeg slapen vandaag, oké?' was mijn reactie.

Ze knikte. 'We zijn nu al een week van huis. Dat gaat echt snel.'

Inderdaad, dat had ik niet eens in de gaten gehad.

Ze ging van mijn schoot af en kwam naast me zitten. Ze vertelde Hayat in geuren en kleuren hoe we elkaar hadden leren kennen. Ik luisterde mee en voegde af en toe iets toe aan het verhaal.

Hanan zette het eten op tafel. Stoofpot. Tijdens het eten bleef Hayat maar kletsen. Het was erg gezellig, maar toen het op was wilden we meteen gaan slapen. Gelukkig had Hayat door dat we erg moe waren en vertrok ze vroeg. Wij wensten onze huisgenoten welterusten en zochten onze slaapkamer op.

Daar bekeken we eerst nieuwsgierig onze tassen. Aselya vond een stapel kleren met bovenop een trui van haar vader. Er zat ook een envelop tussen, waarin wat geld zat en een brief. Met vochtige ogen begon ze voor te lezen:

Lieve Aselya,

We missen je. Je moeder huilt dagelijks nu je er niet meer bent. Zij en je zusje zijn kilo's afgevallen, ze eten nauwelijks. Kom terug bij ons. Vergeet die jongen gewoon en leef je leven met je familie. Je hoort hier. Bij ons!

Ik slaap elke dag in jouw bed. Met jouw pyjama in mijn handen. We hebben je nodig. Je moeder heeft je nodig...

Daarna stopte ze met voorlezen en las in zichzelf verder.

'De rest is onbelangrijk. Hij herhaalt voortdurend dat ik terug moet komen,' zei ze met een benepen stemmetje.

Ik sloeg mijn armen om haar heen. 'Ik weet dat dit moeilijk voor je is. Maar we redden ons wel,' zei ik zachtjes.

Ze keek me diep in de ogen en kuste me op mijn voorhoofd. 'Ze moeten gewoon begrijpen en accepteren dat we van elkaar houden.'

Ik knikte. Verder vond ze een snoepzak en een foto van haar zusje. Daarna stopte ze alles weer terug in de tas en ging met een diepe zucht op bed liggen.

Nu opende ik mijn tas. Hij zat vol met kleren, maar ergens aan de zijkant zag ik iets roods liggen. Ik pakte het eruit en zag dat het een rood hartje was, van glas. Dat had ik jaren geleden van mijn moeder gekregen. Ook vond ik nog een briefje. Ik vouwde het open en begon ook hardop te lezen.

Lieve zoon,

We vinden het enorm knap dat jij vecht voor je liefde. Maar wij zijn je nu kwijtgeraakt. Je zusjes zijn hun broer kwijt. Ik hoop dat dit alles het waard voor je is. En als je iets nodig hebt, kun je ons altijd bellen. Wij staan achter je. We houden ontzettend veel van je. En we wensen jou en Aselya alle geluk van de wereld. Jullie verdienen het! (...)

De brief ging nog een stukje door, maar ik wilde niet meer verder lezen. Tranen rolden over mijn wangen. Onder aan de brief hadden mijn zusjes een paar hartjes getekend. Ik besefte nu pas dat ik mijn familie miste. Ik deed de brief snel terug in de tas en ging ook met een zucht liggen.

Aselya had haar kussen rechtop gezet. Met haar rug tegen de muur zat ze in bed. Ik deed hetzelfde en kroop dicht tegen haar aan.

Ze stak een peuk op en zei: 'Ik moet je iets vertellen, schat.'

Nieuwsgierig keek ik haar aan.

'Ik denk dat ik zwanger ben,' mompelde ze zachtjes.

Mijn ogen werden groot; ik kon niets uitbrengen van de schok.

'Ik had het eerder willen vertellen, maar ik wilde je niet nog meer zorgen aan je kop geven,' zei ze.

Plotseling leefde ik op. 'Dit is geweldig nieuws, lieverd! Ik weet dat het misschien niet het beste moment is om een kindje te krijgen, maar we redden ons wel,' zei ik opgetogen.

Aselya keek me stralend aan toen ze zag hoe blij ik was met dit nieuws. Ik tastte naar mijn pakje sigaretten dat ergens onder het bed lag en stak een peuk op.

'Wow!' jubelde ik.

'Ik weet het zelf ook nog maar een paar dagen. Pas nadat ik al van huis weg was,' zei ze.

Ik kuste haar op de mond en zei dat ik haar de gelukkigste mama van de wereld zou maken. Met een brede glimlach kuste ze me hartstochtelijk terug.

'En ik maak jou de gelukkigste papa,' antwoordde ze.

Op dat moment bonkte Hanan op de slaapkamerdeur om te vragen wat er aan de hand was. Ze had mijn luide kreet gehoord. Ik opende de deur en liet haar binnenkomen.

'Aselya en ik zijn in verwachting,' zei ik trots.

Verbaasd keek ze Aselya aan. 'Ben je zwanger?'

Met een grote glimlach op haar gezicht knikte Aselya.

Hanan sprong als een dolle door de slaapkamer. Ze kraaide van blijdschap. 'Wow. Ik ben zo blij voor jullie. Dit is geweldig!' riep ze uit. Ze rende zo snel ze kon de kamer uit om Yassine het geweldige nieuws te vertellen.

'Aselya is zwanger! Aselya is zwanger!'

Hij kwam de slaapkamer binnengelopen en feliciteerde ons. Hanan kwam achter hem aan gesprongen.

'Hoe lang al?'

Aselya haalde haar schouders op en zei haar dat ze dat niet precies wist. 'In ieder geval al voordat ik van huis wegliep. Ik ben al ver over tijd, terwijl ik dat nooit ben. En ik ben vaak moe en misselijk. En ik heb gemerkt dat mijn urine heel geel is. En als je mijn buik voelt... die is keihard,' zei ze.

Hanan en ik deden tegelijk onze handen op haar buik.

'Je bent zwanger, meid,' zei Hanan terwijl ze haar buik betastte.

Aselya keek mij aan en zag me glunderen.

Ze glimlachte trots naar me.

Yassine en Hanan lieten ons weer alleen. Ik deed de deur achter hen dicht en ging meteen weer op bed zitten. Ik kuste haar.

'Ik ben zo blij. Dit wordt ons liefdeskindje,' zei ik.

Ze kreeg tranen in haar ogen.

'Ik wil dit wel onder ons houden. We zeggen het tegen niemand. Niet tegen de politie, niet tegen de maatschappelijk werkers en al helemaal niet tegen onze ouders. Niemand!' zei ze.

Ik knikte.

'Alleen Hayat kunnen we het nog wel vertellen,' zei ze.

'Is goed,' antwoordde ik. Ik ging liggen, Aselya schoof dicht tegen me aan.

'Deze mama is gek op jou,' fluisterde ze zachtjes.

Ik giechelde. Dat klonk geweldig.

Ze kwam op me liggen en zoende me in mijn nek. Ze wilde me verleiden. Ik sloeg het dekbed helemaal over ons heen en samen verdwenen we onder de dekens.

★ ★ ★

De volgende ochtend gingen Aselya en ik brood halen bij de Turkse bakker in de buurt. In de ochtendschemering liepen we naar het winkelcentrum. Het was nog erg stil op straat. Aselya praatte Turks met de bakker. Naast de toonbank zagen we een klein baby'tje slapend in een zitje. Het kindje zag er adorabel uit. Ik rekende het brood af terwijl Aselya op de baby afliep. Ze boog zich over hem heen en aaide hem voorzichtig over zijn bol.

'Wat een schattig ding,' zei ze in het Turks tegen de bakker.

De bakker keek apetrots uit zijn ogen. 'Nog maar vijf maanden oud.'

Aselya glimlachte.

Later die dag gingen we opnieuw naar het meer. Dit keer met z'n vieren. Aselya en ik lagen op het kleed terwijl Yassine en Hanan een boswandeling aan het maken waren. Het was al laat in de middag en er waren geen mensen meer om ons heen. Iedereen was al vertrokken. Etenstijd. We hoorden alleen het tsjilpen van de vogels.

Ik keek goed om me heen en ging toen op Aselya liggen. Ik rolde ons in het kleed. Hartstochtelijk kuste ik haar. Ik voelde haar tepels hard worden. Haar handen gleden naar beneden en deden haar broekje omlaag. Ik deed mijn korte broek ook omlaag. Met moeite lukte het me in deze krappe positie om haar te nemen. Daar, midden op het grasveld. Steeds opnieuw schoof ik naar binnen, terwijl ze met haar vingers haar string opzij hield.

Aselya probeerde zo weinig mogelijk geluid te maken en legde haar hand op haar eigen mond om haar genotkreten te smoren. Ik stak af en toe mijn hoofd uit het kleed om de omgeving in de gaten te houden. Zo kwam het dat ik Yassine en Hanan net op tijd zag aankomen. Snel ging ik uit haar en trok mijn broek weer omhoog. Aselya had hen nu ook gezien en deed ook snel haar broek weer omhoog. Ik rolde ons uit het kleed en ging naast haar liggen, alsof er niks was gebeurd.

Even later waren we onderweg naar de bushalte en kwam Aselya naast me lopen. Zachtjes fluisterde ze in mijn oor: 'Ik druip helemaal. Ik ben zó geil. Ik wil dat je me dadelijk meteen neemt.'

Ik pakte haar hand. 'Opschieten dan!' zei ik lachend.

Toen we bij de flat aankwamen stuurden we Yassine en Hanan door naar de supermarkt voor wat boodschapjes. Nu hadden we het rijk alleen. Meteen sleurde ze me de slaapkamer in om onze vrijpartij af te maken.

14

*D*ilara was in Turkije, in een klein dorpje ergens in de bergen. Deze zomer moest ze trouwen met haar bloedeigen neef: de zoon van het jongste broertje van haar moeder. Ze had geen keuze. Wel had ze kunnen voorkomen dat er een bruiloftsfeest kwam; voor haar viel er niets te vieren. Ze hielden alleen een kleine ceremonie in aanwezigheid van een imam.

Daar stond ze dan. Ze trouwde met een man om wie ze niets gaf. Tijdens de ceremonie waren haar ogen gericht op het horloge om haar pols, dat ze in haar ouders veronderstelling hier op de markt had gekocht maar in werkelijkheid van mij had gekregen. Haar gedachten en haar hart waren bij mij.

Eerst trouwden ze alleen voor de islamitische wet; later zouden ze voor de Nederlandse wet trouwen, zodat haar familielid zijn felbegeerde verblijfsvergunning zou krijgen.

De huwelijksnacht werd een rampzalige belevenis. Haar leven lang had ze zich haar huwelijksnacht voorgesteld als een bijzondere en intieme nacht met een man van wie ze hield; in plaats daarvan was de nacht van haar verbintenis een ware verkrachting. Als een mak lammetje ging ze op bed liggen, zodat haar neef haar kon nemen. Ze wilde zichzelf absoluut niet aan hem geven, maar wat kon ze anders? Ze wilde hem niet in de ogen kijken en concentreerde zich daarom op het crèmekleurige behang naast zich terwijl haar nieuwe man zich in haar ramde. Toen zijn behoeftes bevredigd waren, liet hij zich uitgeput naast haar op het bed vallen en begon te snurken.

Dilara begon zachtjes te huilen. Ze voelde zich vies en gebruikt. Haar maagdelijkheid was haar afgenomen. Ze nam een lange douche om zijn lichaamsgeur van zich af te wassen.

Een paar dagen later liep ze nog altijd zeer bedroefd over de levendige Turkse markt. Het was zonnig en heet maar ze droeg een lange zwarte jurk en een zwarte hoofddoek om haar bezwete hoofd. Ze was alleen.

Ze moest wat boodschappen halen voor haar familie. Toen ze bij een groentekraampje stond af te rekenen kreeg ze het gevoel dat iemand haar in de gaten hield. Vanuit haar ooghoeken zag ze een oudere man naar haar kijken. Ze pakte haar tas met paprika's en aubergines en liep snel weg. De vreemde man volgde haar. Ook hij versnelde zijn pas.

Plotseling stond hij vlak achter haar en fluisterde in haar oor: 'Schreeuw niet om hulp, anders doe ik je wat!'

Dilara was doodsbang. Ze werd bij de arm gepakt en meegetrokken, weg van de markt, weg van de drukte. Hij had kort zwart haar en een zwarte snor die iets te groot was voor zijn gezicht.

'Wat wil je? Wil je geld?' vroeg ze angstig.

Maar de man zweeg en sleurde haar verder.

Bij een verlaten paardenstal stopten ze. Hij duwde haar naar binnen en ze viel op de grond midden in een lage hooiberg. Ze keek beducht om zich heen en zag toen nog zes andere volwassen mannen in een kring om haar heen staan. Ze bogen zich over haar heen en betastten haar. Huilend vroeg ze hen te stoppen, maar de mannen lachten alleen maar; hoe vaker ze het vroeg hoe harder ze lachten.

'Wil je niet lekker genomen worden door ons?' vroeg een van hen.

'Laat me gaan. Alsjeblieft?' smeekte ze terwijl de tranen over haar wangen rolden.

In plaats daarvan werd ze vastgegrepen door verscheidene armen. Ze trokken haar kleren uit. Ze krabde een van de schurken in het gezicht en trapte met haar benen in de rondte. Ze probeerde zich los te slaan, maar verzet was zinloos. Ze hielden haar stevig vast en spreidden haar benen. Een voor een neukten ze haar. Alsof ze een hoer was. Ze huilde en huilde, maar niemand kon haar horen. Ze schreeuwde van de pijn, maar de mond werd haar gesnoerd. Bij elk geluid dat ze maakte werd ze in het gezicht geslagen. Met afschuw wendde ze haar blik af en probeerde zich te concentreren op de felle zon die door een klein kozijn in haar ogen scheen. Ze liet zich verblinden. Toen iedereen klaar was sloeg de man die haar naar de stal had gebracht haar bewusteloos.

Toen ze bijkwam had ze overal pijn. Met moeite probeerde ze overeind te komen. Ze keek naar de rafels om haar lichaam en begon te huilen. Ze voelde zich zo vies. Ze had geen idee waar ze was en vroeg voorbijgangers de weg. Als ze maar op de markt zou uitkomen, vanaf daar wist ze het wel. Met tranen in haar ogen liep ze in de enorme hitte in de richting die haar gewezen werd. Waarom heeft Allah mij verlaten? galmde het door haar hoofd.

Thuis vertelde ze het afschuwelijke verhaal aan haar moeder. Die lichtte meteen haar man en haar zoon in. Zij trommelden wat mannelijke familieleden op en gingen direct op zoek naar de daders met de bedoeling hen te doden. Dilara moest mee om hen te identificeren, ook al wilde ze dat absoluut niet. Ze had ook geen flauw idee meer hoe ze eruitzagen. Ze wilde naar haar slaapkamer, in eenzaamheid en ellende wegkwijnen.

Er volgde een lange zoektocht die nergens toe leidde; de daders waren niet te traceren.

De dagen erop bleef Dilara erg veel pijn in haar buik voelen. Haar moeder belde de dokter en nog diezelfde week kreeg ze een inwendig onderzoek. Enkele dagen later gingen ze samen terug en kregen de vernietigende uitslag te horen: ze was zo gewelddadig gepenetreerd dat haar baarmoeder was aangetast en ze hoogstwaarschijnlijk geen kinderen meer kon krijgen.

Dilara wist niet waar ze moest kijken toen ze dit verschrikkelijke nieuws te horen kreeg. Ze voelde woede, verdriet en schaamte en barstte in huilen uit. Ook haar moeder kon haar tranen niet inhouden. Snikkend verlieten ze het ziekenhuis. Haar moeder probeerde haar gerust te stellen door haar erop te wijzen dat ze in Nederland nog eens naar het ziekenhuis zouden gaan voor een second opinion. Dilara zweeg en keek voor zich uit. Ze wilde niet meer leven. Ze wilde weg uit deze ellende. Waarom heeft Allah mij verlaten? dacht ze opnieuw, terwijl ze haar ogen ten hemel hief.

Enkele dagen later gingen ze terug naar Nederland. Haar moeder wilde niet te lang wachten met een second opinion, waar alle hoop nu op gevestigd was. Dilara's nieuwe man bleef voorlopig in Turkije.

In Nederland moest Dilara regelmatig voor onderzoeken naar het ziekenhuis. De Nederlandse artsen konden niet met zekerheid vaststellen dat ze geen kinderen meer kon krijgen. Wel dat haar baarmoeder was aangetast, maar niet precies hoe ernstig. Dat was een enorme opluchting.

Maar tijdens al deze ziekenhuisbezoeken constateerden de artsen ook dat ze een vorm van borstkanker had. Bij dat nieuws stortte Dilara in. De gevolgen van haar ziekte bleken al snel. Ze kreeg ernstige moeilijkheden met ademhalen en moest drie tot vier keer per week naar het ziekenhuis. Ze kreeg een zuurstof-maskertje mee naar huis, dat ze elke avond even op moest zetten voordat ze ging slapen.

De dokters adviseerden haar om voor een operatie te kiezen. Op deze manier konden ze de kanker nog verwijderen; daarvoor was het nog niet te laat want er waren geen uitzaaiingen gevonden. Ze had nog kans op totale genezing. Ze vertelde de artsen dat ze erover na wilde denken, maar raakte in een enorme depressie en kon alleen nog maar denken aan doodgaan. Waarom zou ze zich laten opereren als ze toch niet meer wilde leven?

★ ★ ★

Maanden later had ik nog altijd niets van haar gehoord. Het was maandag en er was weer een nieuwe werkweek begonnen. Aan het einde van onze eerste werkdag die week sloten Léon, de receptioniste en ik het pand af. Het was halfeen 's nachts. Léon en ik zaten ongeduldig bij de receptie te wachten, terwijl zij nog bezig was met geld tellen. Ze was nog maar jong, een jaar of twintig. Toen ze haar taak eindelijk had volbracht, stopte ze het geld in een envelop en de saunacadeaubonnen in een tweede. Met de twee enveloppen liep ze naar de voordeur. Ik toetste de alarmcode in en liep haar achterna, gevolgd door Léon.

Vlak naast de ingang was het huis van de eigenaar, in wiens brievenbus de envelop met geld elke avond moest worden gedeponeerd. Toen de receptioniste vlak voor de brievenbus stond, sprong er uit de struiken een man tevoorschijn. De receptioniste gilde.

Hij was geheel in het zwart gekleed en had een capuchon over zijn hoofd. Ik meende te kunnen zien dat het een Turkse man was van rond de dertig. Mijn hart bonkte in mijn keel. *Hij komt me vermoorden. Hij is familie van Dilara.* Ik bleef stokstijf staan.

Hij pakte het meisje bij de keel. 'Geef me het geld!' riep hij en zwaaide met een grote stiletto. Huilend van schrik overhandigde ze hem zonder aarzelen de enveloppen. Nu pas drong het tot me door dat het hier om een ordinaire overval ging.

Op het moment dat hij even niet goed oplette, rende Léon naar hem toe en gaf hem een kopstoot. De overvaller viel op de grond. Het mes viel uit zijn handen en schoof weg. Ook de twee enveloppen lagen nu op de grond. Het meisje rende snel van hem weg en kwam achter mij staan. Ik liep richting de overvaller en zette mijn rechterschoen op een van de enveloppen. De overvaller was inmiddels weer overeind gekomen en had het mes weer in zijn handen. Léon deinsde terug. Snel greep onze belager de envelop die los lag en maakte dat hij weg kwam. Op verzet had hij duidelijk niet gerekend.

Ik tilde mijn voet op en liet de envelop zien aan de ontredderde receptioniste.

'Kijk eens!' zei ik lachend. Ik vermoedde dat het de envelop met geld was, maar voor de zekerheid maakte ik er een klein scheurtje in om het te controleren.

'De envelop met geld!' zei ik trots.

Léon begon te lachen.

'Hij heeft de cadeaubonnen!' lachte nu ook het meisje.

Binnen belde zij de politie om aangifte te doen, terwijl Léon en ik bij de receptie op een bankje gingen zitten wachten. Ik was allang blij dat hij niet voor mij was gekomen, de rest kon me niet zoveel schelen. Twintig minuten later arriveerde de politie.

★ ★ ★

Het was Suikerfeest, het vasten zat er weer op. Helaas had ik geen vrij kunnen krijgen op deze feestdag. John, een collega van me en tevens een bekende volkszanger in mijn stad met meerdere cd's op zijn naam, vertelde me dat hij een nummer had geschreven toen ik hem mijn verhaal had gedaan. Hij had het net uitgebracht. Ik was waanzinnig vereerd. Hij haalde een cd te voorschijn en gaf die aan mij. 'Deze is voor jou, jongen.'

Ik keek naar de cd-hoes, waarop een foto van John prijkte. Er bleken vier nummers op de cd te staan. 'Welk nummer is het?'

'Het eerste.'

Ik keek naar de titel: 'Daar sta je dan'. Het was ook de titel die voor op de hoes stond. Mijn ogen glinsterden. Ik liep meteen naar de kantine, waar een oude cd-speler stond, stak een sigaret op en drukte op 'play'.

'Daar sta je dan. Met je trouwjurk om je schouders...

Je trouwt met een man om wie je eigenlijk niets geeft...

Je had geen keus, het was beslist door beide ouders...'

Mijn ogen vulden zich met tranen terwijl ik het nummer af-luisterde. De tekst was prachtig en sloeg helemaal op haar en mij. Ik werd er stil van. Ik drukte mijn peuk uit en ging terug naar mijn werkplek, intens verdrietig. Gelukkig Suikerfeest!

★ ★ ★

Ik zat thuis op mijn slaapkamer rustig wat muziek te luisteren, toen ik werd gestoord door het rinkelen van mijn mobiel. Het was Hanan.

'Hé... uhh... alles goed?' begon ze aarzelend.

'Jawel hoor. Met jou?

'Ook wel goed. Ik moest aan je denken.'

'Lief van je. Heb je trouwens nog iets van je ex-man ge-hoord?' Ik was niet zo geconcentreerd, want ik werd afgeleid door de soulmuziek die opstond.

'Ik heb niets meer van die eikel gehoord. Ik heb hem de scheidingspapieren opgestuurd, maar hij weigert te tekenen.'

'Hmmm. En nu?' Ik wist eigenlijk niet goed wat ik moest zeggen, ik was er niet bij met mijn hoofd.

'Weet ik ook niet. Ik heb het uit handen gegeven aan mijn advocaat.'

'Oké. Dan zal het wel goed komen.'

'Insh'Allah.' Ik klakte met mijn tong. Stilte.

'Ik moet je iets vertellen. Maar je moet me beloven dat je niet boos wordt,' zei ze toen.

Ik klakte nogmaals met mijn tong.

'Je zal het misschien niet door hebben gehad, maar ik heb al die jaren van je gehouden. Ik wil niet alleen maar vrienden met je zijn. Ik wil meer. Jij bent degene met wie ik de rest van mijn leven wil doorbrengen.'

Ik wist niet wat ik hoorde. Dit kwam als een totale verrassing voor mij. Ik wist niet zo goed wat ik kon zeggen zonder haar te kwetsen.

'Wow. Ik sta perplex. Dit komt totaal onverwacht. Luister, ik wil jou niet kwijt als mijn beste vriendin. We kunnen altijd bij elkaar terecht, laten we dat niet kapotmaken. Maar als meer dan een goede vriendin zie ik jou niet. Dat moet je echt begrijpen en... accepteren.'

Hanan bleef stil. Ik hoorde haar diep ademhalen. 'Weet je waarom ik jou met Dilara heb geholpen?' vroeg ze.

'Nou?'

'Omdat ik zo veel van je hou. En omdat ik je alleen maar gelukkig wilde zien. Ik was met Faisel getrouwd omdat ik het toch niet zag gebeuren tussen ons.' Ze klonk haast verontwaardigd.

'Sorry. Ik weet verder ook niet wat ik moet zeggen, meid.'

Hanans toon sloeg helemaal om. Na wat kinderachtig gekibbel over en weer, verbrak ze ineens de verbinding.

Koppig als we beiden waren, zochten we hierna maandenlang geen contact meer met elkaar.

15

We waren helemaal alleen in het huis; Yassine en Hanan waren aan het werk. Het was midden op de dag en we lagen op bed. We probeerden een middagdutje te doen maar hadden te veel zorgen aan ons hoofd om in slaap te vallen.

De stilte werd verbroken door het geluid van mijn telefoon. Aselya nam op. Het was onze contactpersoon bij de politie. 'Jullie moeten onmiddellijk het onderduikadres verlaten waar jullie op dit moment zijn,' zei de agente in één adem. Daarna hing ze op. Aselya's gezicht was helemaal wit weggetrokken toen ze mij vertelde wat er aan de telefoon gezegd was. Ik sprong uit bed en graaide wat spulletjes bij elkaar. Aselya belde ondertussen Hayat, die ons direct op zou komen halen in een straat achter de onze. Aselya propte nog een plastic tasje vol met spullen en tien minuten later stonden we op straat. Schuilend achter geparkeerde auto's liepen we naar de straat achter de onze, waar we haastig bij Hayat instapten en zo snel mogelijk de buurt uit reden. Aselya barstte in tranen uit, van de spanning. Ze vertelde Hayat dat we niet wisten waar we heen moesten.

'Jullie kunnen vandaag wel bij mij thuis blijven,' stelde Hayat voor.

We reden richting haar woning.

Bij Hayat thuis belde ik meteen Hanan om te vertellen wat er gebeurd was. Toen ik had opgehangen belde de agente weer. Ik zette de luidspreker aan. Ze vertelde dat ze via de Criminele Inlichtingendienst te horen had gekregen dat de Turkse gemeenschap wist waar we zaten. Ze had het zekere voor het onzekere moeten nemen door ons daar onmiddellijk weg te roepen.

Die avond kwam Hanan langs met de scooter. Wij zaten bij Hayat thuis op de bank te speculeren over hoe dit had kunnen gebeuren. We twijfelden aan de waarheid van het gerucht aangezien ons onderduikadres op geen enkele manier aan ons te linken was. En omdat Aselya en ik ons daar toch het veiligst voelden, besloten we tegen het advies van de politie in terug te gaan naar het appartement.

* * *

Later die week kwam Hayat ons opnieuw ophalen om iets te gaan drinken in de stad. We waren de dag ervoor bij maatschappelijk werk geweest. We vertelden Hayat het slechte nieuws: het hele land werd afgebeld, maar een mannenopvang bestond simpelweg niet. Er zou doorgezocht worden naar een alternatief; in de tussentijd moesten we op ons onderduikadres blijven.

Het was vroeg in de avond toen we bij Hayat in de auto zaten. Hanan was ook mee en zat voorin. Yassine was deze zaterdagavond vrij en reed met de scooter achter ons aan, zodat hij een beetje zijn eigen gang kon gaan. We reden wat rond in de stad en Aselya vertelde Hayat dat ze zwanger was. Hayat was enorm blij en feliciteerde ons van harte.

Toen we bij een tankstation stopten, zag Hanan een donkerblauwe personenauto naast de benzinepomp geparkeerd staan. Hij zag er verdacht uit zoals hij daar stond. Toen we erlangs reden om te kijken wie erin zaten zagen we Ercan zitten, samen met vier andere Turkse mannen.

'Geef gas!' riep Hanan tegen Hayat, wat niet meteen lukte omdat onze chauffeur van de schrik even met het gaspedaal worstelde. Aselya keek terwijl we wegreden schichtig door de achterruit om te checken of ze ons zouden volgen en dat bleek inderdaad het geval. Hayat gaf nog meer gas terwijl Hanan door het zijraampje naar Yassine gebaarde dat we gevolgd werden. Onze achtervolgers gaven nu ook meer gas. Bij een kruising stapte Hanan snel de auto uit en sprong achter op de scooter bij Yassine, omdat ze hem niet alleen wilde laten.

'Rij naar het politiebureau! We zien jullie daar wel!' riep ze nog toen ze wegreden.

Vrezend voor ons leven reden we als gekken dwars door de stad op weg naar het politiebureau, rood negerend, slalommend om onze achtervolgers kwijt te raken, maar wat we ook probeerden, zij deden gewoon hetzelfde. Aselya zat gebukt, zodat ze haar niet zouden kunnen zien. Ook ik dook weg en legde mijn hoofd op haar schoot.

Toen we eindelijk bij het politiebureau aankwamen stopte Hayat de auto midden op de rijbaan. Hysterisch renden we naar binnen. De achtervolgers waren nu ook bij het bureau aangekomen, maar reden er langzaam voorbij. We troffen Yassine en Hanan aan in gesprek met een agent en gingen erbij staan. Hayat vroeg hem om haar auto ergens te parkeren, aangezien deze nu midden op de weg stond en zij zelf niet meer naar buiten durfde.

Na ons verhaal namen de agenten meteen contact op met onze contactpersonen bij de politie. Wij werden in een wachtkamer gezet, waar we zelf koffie en thee konden pakken. Aselya, Yassine en ik staken meteen een sigaret op. Aselya had met mij overlegd dat ze zou stoppen met roken nu ze zwanger was, maar pas zodra de rust in ons leven was weergekeerd. Even later kwamen er twee agenten naar ons toe die aankondigden dat ze steeds één iemand zouden oppikken uit de wachtkamer om een verklaring af te leggen.

Hanan was als eerste aan de beurt. Niet veel later werd Hayat meegenomen door een andere agent. Daarna volgden Aselya en Yassine. Hanan was inmiddels weer terug en vertelde me dat het om een simpele verklaring ging. Niets bijzonders. Ik wachtte nog steeds tot ze mij zouden roepen.

Na een tijdje was iedereen weer terug in de wachtkamer, terwijl ik nog zat te wachten. Dat vond ik nogal vreemd dus ik liep naar een agent toe. 'Waarom word ik niet gehoord?' vroeg ik. 'Omdat we al genoeg weten. Het heeft geen zin meer om jou nu te horen,' zei hij. Ik draaide me om en liep verbaasd terug naar het wachtkamertje.

We wachtten en wachtten, en in de tussentijd liep Hanan een beetje rond door het gebouw en zag ze bij de balie twee Turkse mannen staan. Ze konden haar niet zien; zij hun wel. Ze droegen beiden een net pak en waren helemaal in het zwart. Hanan luisterde het gesprek met de baliemedewerker af en hoorde de mannen zeggen dat ze verdwaald waren en om de weg vragen. Toen Hanan ons vertelde wat ze gezien had pakte Aselya stevig mijn hand vast.

'Dat zijn ze,' zei ze meteen.

Ik keek nerveus om me heen. Toen Hanan nog eens ging kijken, waren ze weer weg.

Na anderhalf uur kwam er eindelijk een agent naar ons toe. We waren inmiddels afgepeigerd door alle emoties.

'We achten de situatie zodanig gevaarlijk dat we Aselya en haar vriend willen onderbrengen in de gevangenis. Voor hun veiligheid,' zei de agent terwijl hij ons allen om beurten ernstig aankeek.

'De gevangenis?' vroeg Aselya vertwijfeld.

De agent knikte.

'Maar ik wil wel samen met hem blijven!'

De agent zei dat hij zou navragen of dat mogelijk was en liep weer weg.

Even later kwam hij ons vertellen dat het kon.

'En de rest? Wat gebeurt er met ons?' vroeg Hayat.

De agent zei dat ze voor hen niks konden doen. 'We hebben een surveillancewagen in de buurt rondrijden en die vertelde ons dat in deze omgeving geen gevaar meer dreigt.'

Hayat was kwaad dat ze aan haar lot werd overgelaten, maar werd genegeerd.

'Jullie kunnen nu afscheid nemen. Over tien minuten komen we jullie halen,' zei de agent, draaide zich om en liep weg.

We namen haastig afscheid van onze vrienden. Omdat ik mijn telefoon waarschijnlijk af zou moeten geven schreven we snel nog even wat telefoonnummers op een papiertje, dat Aselya in haar bh stopte.

Ik vond dit allemaal eigenlijk maar niets. Ik moest de hele tijd denken aan het feit dat Aselya zwanger was. Een zwangere vrouw in de gevangenis, dat kan toch niet? ging er door mijn hoofd. Maar ik kon niets doen.

Precies tien minuten later kwam de agent terug met een grote deken in zijn handen. 'Aselya eerst,' zei hij. Ze liep naar hem toe en kreeg de deken over zich heen zodat ze niet herkend zou worden. De agenten begeleidden haar voorzichtig de trappen af en via de achterdeur van het bureau naar buiten, waar ze haar in het gevangenisbusje stopten. Ze mocht de deken nog niet afdoen; ze kon al die tijd niets zien. Er kwamen twee politieagenten bij haar achterin zitten en het busje kwam in beweging. Pas in de gevangenis werd de de deken van haar afgehaald.

Het gebouw waar ze nu voor stond was reusachtig. Langs de gehele ingang stonden imposante houten wanden zodat niemand kon zien wie er naar binnen ging.

Ze brachten haar naar een grote wachtkamer met aan de voorkant een glazen wand. In de hele ruimte stond alleen één lange bank. Een agente van het bureau zou bij haar blijven. Bibberend zat Aselya op het houten bankje. Ze was bang. Een gevangenisbewaarder bracht haar thee en een sigaret.

Aselya zei niet veel, het enige wat uit haar mond kwam was: 'Waar is hij? We zouden toch samen blijven? Hij komt toch wel hierheen, hè?' Ze was bang dat ze mij ergens anders zouden onderbrengen.

De agente stelde haar gerust en vertelde dat ik er zo aan zou komen. Het busje was al weer onderweg naar het bureau om mij op te halen.

Mij verging het precies hetzelfde als Aselya. In de gevangenis werd ik door een bewaarder naar de ruimte geëscorteerd waar Aselya ongeduldig zat te wachten. Toen ze me door de glazen deur zag aankomen, stond ze onmiddellijk op en rende me tegemoet. Ik omhelsde haar en kuste haar op de mond.

De agente die bij Aselya was gebleven zei: 'Zie je nou wel?'
De agente stelde ons voor aan twee gevangenisbewaarders die
naar eigen zeggen te allen tijde voor ons klaar zouden staan.
Zijzelf zou ook in het gebouw blijven, maar niet op onze afde-
ling. De twee gevangenisbewaarders namen ons mee en gaven
ons een rondleiding door de gevangenis. Het was al nacht, dus
we zagen alleen de afgesloten ijzeren celdeuren en geen gevangenen.

Ze lieten ons de doucheruimte en de rookruimte zien en
brachten ons ten slotte naar onze cel. Een gezinscel, zodat we
samen konden blijven. Er lagen twee matrasjes op de grond tegen de muur en in het midden stond een heel klein tafeltje.
Ook was er een ijzerkleurige wc en een klein beeldscherm met
veel knoppen eromheen. Ze legden ons uit waar die voor dien-
den; er waren knoppen voor de temperatuur in de cel, voor de
tv, de radio, de wc en een knop om de bewaarders te roepen.
Die konden we gebruiken als we wilden roken of als er iets aan
de hand was. We moesten onze bezittingen, zoals mobiel en
sleutels, afgeven. Over twintig minuten zouden ze ons een
maaltijd komen brengen.

Die bleek te bestaan uit aardappelpuree met kipfilet en een
plastic bekertje thee. We gingen aan het miezerige tafeltje zitten, de celdeur ging op slot. Het eten smaakte zo afschuwelijk
dat we het na een paar happen lieten staan. Ik drukte op de
knop en hoorde een vrouwenstem door de cel galmen: 'Zeg
het maar.'

'We willen roken,' riep ik in de richting van de luidspreker.

'Ik kom eraan,' zei de stem.

Kort erna ging de cel open. De vrouw liep met ons mee de
rookruimte in, gaf ons beiden een sigaret en stak er zelf ook

een op. We zagen een houten bank staan en een vreemd betegeld wandje aan de zijkant van de kamer.

'Waar is dat voor?' vroeg ik terwijl ik naar die wand wees en we op de houten bank gingen zitten.

De vrouw lachte. 'Achter die wand is een gat dat als toilet dient. En die wand geeft wat privacy als men daar bezig is.'

Ik lachte ook, want het klonk grappig. Aselya zat naast me en pakte mijn hand vast. Haar vingers streelden mijn handpalm.

De vrouw tikte de as van haar sigaret op de grond en ik volgde haar voorbeeld. We raakten aan de praat. Ik vertelde over de zware politietesten die ik nog niet zo lang geleden had afgelegd en legde haar uit wat elk onderdeel precies inhield. Ze was erg geïnteresseerd, want ze was zelf ook van plan ooit bij de politie te solliciteren.

Toen onze sigaretten op waren, stonden we op om terug te gaan naar onze cel, die zodra we binnen waren weer op slot werd gedraaid.

Aselya was erg moe en ging op het matrasje liggen. Ze kleedde zich uit maar hield haar ondergoed aan. Ik verhoogde de kamertemperatuur en deed ook mijn kleren uit, behalve mijn boxershort.

'Kom bij me liggen,' zei ze zachtjes.

Het was erg krap. Ik trok de deken tot aan onze kinnen omhoog, want het zou nog even duren tot we iets van de temperatuurstijging zouden merken. Aselya kwam op me liggen en warmde zo mijn lichaam op met het hare.

Aselya begon te giechelen. 'Weet je wat spannend zou zijn?' vroeg ze ondeugend.

Ik keek haar aan. 'Nou?'

Ze giechelde weer. 'Als we het hier in de cel zouden doen!'

zei ze brutaal. De gedachte deed haar ogen twinkelen.

'Dat doet niemand ons na,' zei ik.

'Nee!'fluisterde ze en begon me gepassioneerd te kussen terwijl mijn handen naar haar borsten gingen. Ze verdween onder de deken. Haar warme mond om mijn geslacht. Het droevige interieur om me heen maakte me enorm opgewonden. Ik trok haar onder de deken vandaan en legde haar onder me neer. Haar huid gloeide. We trokken ons ondergoed uit, ik duwde haar benen uit elkaar en schoof voorzichtig in haar. Ze kreunde zachtjes. Toen duwde ze me van zich af en ging rechtop zitten. Vervolgens bereed ze haar geliefde en bepaalde zelf haar tempo – steeds sneller, steeds heviger, steeds intenser.

Ik kreeg maar geen genoeg van haar; de vonken spatten ervan af. Ik voelde haar spieren samentrekken.

'Ik kom! Ik kom!' schreeuwde ze terwijl ze met haar nagels over mijn borst kraste. Ik kwam bijna tegelijkertijd tot een orgasme.

Uitgeput liet ze zich voorover vallen. Zo ontpopte de nacht in het huis van bewaring zich tot een van de heetste nachten van ons leven.

De volgende ochtend werd ik wakker van de zon, die door een minuscuul raampje naar binnen scheen. Aselya lag nog te slapen, haar hoofd nog altijd op mijn borst. Ik maakte haar wakker, drukte op de knop en vroeg de vrouw naar de tijd, want ik had geen flauw idee hoe laat het was. Ook vroeg ik haar of we mochten roken.

'Tien uur. Ik kom jullie kant op,' klonk uit de speaker.

We kleedden ons snel aan. We moesten dezelfde kleren en hetzelfde ondergoed aantrekken als gisteren, want we hadden niets schoons bij ons.

De bewaarder opende de celdeur en gaf ons beiden een sigaret. We liepen achter haar aan naar de rookruimte. De agente die de hele nacht beneden was gebleven kwam nu ook de kamer binnengelopen. Ze vroeg of we langer in het gevang wilden blijven of terug naar ons onderduikadres wilden. Dat was geen moeilijke keuze voor ons. We hadden een vurige nacht achter de rug, maar wilden hier geen dag langer blijven. We waren liever in het gezelschap van vrienden dan in de gevangenis met criminelen om ons heen. Dus begeleidde ze ons naar beneden, waar al een gevangenisbusje klaarstond om ons terug te brengen naar het politiebureau. Bij de uitgang kregen we onze persoonlijke bezittingen terug.

In het busje waren drie kooien. Aselya nam plaats in de voorste en werd opgesloten. Er was nog een plek naast haar vrij, maar de chauffeur zei tegen me dat iedereen apart moest zitten. Ik riep een gevangenisbewaarder bij me en zei hem dat ik het belachelijk vond dat ik in een aparte kooi moest zitten. Hij zou met de chauffeur praten om te kijken wat hij voor me kon regelen. Na een paar minuten kwam hij met een grote bos sleutels aangelopen en maakte Aselya's kooi weer open om mij binnen te laten.

Het busje bleef nog lange tijd stilstaan en wij begonnen net ongeduldig te worden toen er een gevangene werd binnengeleid. Hij werd in de achterste kooi opgesloten. Aselya vond het behoorlijk eng om met hem in één busje te zitten, maar er was niets aan te doen. Voordat de bewaarder het busje verliet, controleerde hij of alle kooien goed op slot zaten. Eindelijk reden we weg.

Op het politiebureau werden we begeleid naar een cel waar we moesten wachten op onze contactpersonen.

'Weer een cel!' mompelde Aselya.

Ook hier mochten we gelukkig samenblijven. Het was een

hok van vier bij vier, achterin stond een klein houten bankje en er was een grote glazen deur, waarachter we gevangenen voorbij zagen lopen. De ruimte was een stuk kleiner dan de vorige cel, zeer benauwend. Ik kreeg al meteen een verstikkend gevoel en wilde er weg.

Na anderhalf uur vond ik dat ik echt genoeg geduld had getoond en bonkte ik op het glas van de deur. Er kwam een agente aanlopen.

'Kunnen jullie ons niet ergens anders opvangen dan in deze cel?' vroeg ik haar.

'Sorry, dat kan echt niet. En als jullie iets willen vragen, kunnen jullie op het knopje drukken,' zei de agente wijzend op het knopje aan de muur. Vervolgens ging de deur weer op slot.

'Ja ja, het verlossende knopje,' zei ik geërgerd terwijl ik mijn vriendin aankeek.

Ze glimlachte meewarig.

Tien minuten later drukte ik op het knopje aan de muur, omdat ik naar de wc moest. Er liep een agent met me mee. Ze bleef voor de deur staan wachten tot ik klaar was, alsof ik van plan was om te ontsnappen.

Terug in de cel had ook Aselya het gehad.

'Dit kan toch niet!' jammerde ze.

Ik klakte met mijn tong.

Eindelijk werd de celdeur geopend en we zagen onze twee contactpersonen staan: de blonde vrouw en de norse Joegoslaaf. Ze kwamen de cel binnenlopen en gaven ons een hand.

'We nemen eerst Aselya even mee voor verhoor,' zei de agente.

'Kan ik buiten wachten?' vroeg ik.

De agente schudde haar hoofd. 'Jij moet zolang nog even hier blijven.'

Aselya en de agenten verdwenen in de verhoorruimte tegenover mij; mijn cel werd weer op slot gedaan. Woedend sloeg ik met mijn rechtervuist tegen de muur.

'Schandalig!' riep ik zo hard ik kon. Niemand die me hoorde.

Na een tijdje op het bankje te hebben gezeten, begon ik te ijsberen. Ik had het echt benauwd en moest eruit. Ik had frisse lucht nodig.

Pas een halfuur later kwam een agent mij een sandwich en koffie brengen, waarna de cel opnieuw werd afgesloten. Aselya was nog steeds in het kamertje tegenover me en ik vroeg me af waar ze het allemaal over hadden. Ik ging voor de glazen deur staan om de gang in te kunnen kijken. Ik verveelde me kapot.

Na een gesprek van twee uur kwam Aselya eindelijk de kamer uit, vergezeld door de agenten. Ik zag hen aankomen en stond direct op, klaar om te vertrekken. 'Nu ik?' vroeg ik aan de agenten toen ze de deur openden. 'Nee, niet nodig. Jullie kunnen gaan. Het is niet meer onveilig,' kreeg ik te horen. 'Hoe moeten we naar ons adres dan?' Ik begreep er niets van. De agente dacht een moment na en zei toen: 'Bij de receptie kunnen ze jullie vast en zeker wel helpen.'

Onze contactpersonen verlieten het bureau via de achteruitgang; wij liepen naar de hoofdingang. Bij de receptie legde ik de agent uit dat we een rit nodig hadden. Hij wist van onze zaak, maar kon ons niet helpen.

'We hebben daar niet genoeg personeel voor en we zijn ook geen taxibedrijf!' waren zijn argumenten.

Vuile klootzak! Dit kun je niet menen! Het liefst had ik hem achter de balie vandaan getrokken om hem even als boksbal te gebruiken, maar ik hield me in.

'Jullie kunnen toch gewoon met het openbaar vervoer gaan?' vroeg de agent op cynische toon.

Nu lukte het me niet langer om rustig te blijven. 'Zijn jullie gek geworden? Wij zijn in deze buurt gisteren nog achtervolgd en nu zetten jullie de deuren van het bureau open!' schreeuwde ik. Woedend was ik, en teleurgesteld in hen. De politie, je vriend in tijden van nood.

'Zou ik even gebruik mogen maken van uw telefoon?' vroeg ik vervolgens heel beleefd, maar nog altijd pisnijdig. Ik belde Hanan en vroeg haar of ze ons van het bureau kon ophalen, omdat we geen vervoer hadden. Ze zei dat ze alleen met de scooter kon komen.

'Kom maar gewoon,' zei ik en gooide de hoorn erop. Ik liep naar Aselya, die op een stoel drie meter verderop zat te wachten. Ze had alles gehoord.

'Kom, we roken buiten een sigaret,' zei ik.

We bleven voor het bureau staan want we durfden de straat niet op. Gelukkig kwam Hanan al snel aangereden. Ik vertelde haar dat de politie ons zomaar op straat had gezet. Ook Hanan ontplofte toen ze dit hoorde. Ze stormde het bureau binnen.

'Waar zijn jullie mee bezig? Deze mensen zijn niet veilig op straat en jullie laten ze gewoon aan hun lot over,' schreeuwde ze.

De agent zei opnieuw dat hij niks voor ons kon doen.

'Dan neem ik ze wel mee op de scooter. Maar als we aangehouden worden omdat we er met drie man opzitten, is het jouw schuld!'

Alle aanwezigen keken haar kant op. De agent zweeg.

'Nou?' vroeg ze nog eens.

De agent zei dat hij zou navragen of er iemand beschikbaar was om ons weg te brengen.

Niet veel later kwam hij terug met een andere agent.

'Deze man zal jullie wegbrengen,' zei hij.

Hanan gaf ons een triomfantelijke blik en liep naar haar scooter. 'Ik zie jullie thuis wel!'

Aselya en ik volgden de agent naar een undercoverwagen: een groenkleurige Golf. Het bleef stil in de auto. De agent vroeg alleen waar we afgezet wilden worden.

'Doe maar op dat drukke plein met die friettent en die bankjes,' antwoordde ik. Ik had geen idee wat de naam van het plein was; ik was hier verder niet bekend. In vliegende vaart reden we door de stad. Deze wetsdienaar hield zich niet bepaald aan de snelheidsregels.

In het appartement zocht Aselya na een korte samenvatting van onze nacht in de cel – ons avontuurtje niet inbegrepen – meteen de badkamer op. Ze voelde zich vies. Ik vroeg haar de deur niet op slot te draaien, want ik zou ook zo komen. Hanan vroeg me eerst nog de kleren van het lijf. Ik gaf haar zo kort mogelijke antwoorden om zo snel mogelijk bij Aselya onder de douche te kunnen springen, wat eindelijk lukte toen Hanan iets lekkers voor ons ging klaarmaken.

Na het douchen namen we in onze heerlijke schone kleren plaats aan tafel. Ik legde mijn hand op Aselya's buik.

'Ik voel nog niks,' zei ik onnozel.

Aselya schoot in de lach en zei: 'Het duurt nog een tijd voordat je de baby kunt voelen, schat.' Ze legde haar hand op de mijne en streelde mijn vingers.

Hanan zette het eten op tafel. Yassine was inmiddels ook thuisgekomen en kwam bij ons zitten. Ik schepte rijkelijk op, want Hanan had spaghetti gemaakt en daar was ik gek op. Aselya had zichzelf heel weinig opgeschept. Ik pakte haar bord en deed er een paar scheppen bij.

'Je moet goed eten. Je eet nu voor twee,' zei ik trots.

Na het eten dronken we Marokkaanse thee en kletsten nog wat na. Hanan vertelde over een huisje dat vrij kwam te staan in de buurt; ze dacht dat Aselya en ik daar misschien in konden trekken. Ik legde haar uit dat ik daar nog helemaal niet aan toe was. Eerst wilde ik via maatschappelijk werk en vrouwenopvang proberen iets te vinden.

Aselya zocht al gauw haar bed op; ik bleef nog even in de huiskamer zitten. Hanan deed de afwas, Yassine zette een rustig muziekje op en ging onderuit op de bank liggen. Rustgevende vioolklanken klonken door de huiskamer. Even later maakte ook ik aanstalten om te gaan slapen en trof Aselya aan in een diepe slaap. Zachtjes kleedde ik me uit en voorzichtig ging ik naast haar liggen. Ik kuste haar op haar blote schouder en sloeg mijn arm om haar heen. Dicht tegen haar aan viel ik in slaap, dromend over mijn zwangere aşkim. Mijn God, wat was ik gelukkig met haar zwangerschap. Hiep hiep hoera, ik word vader!

De volgende ochtend werd ik vroeg wakker. Aselya sliep nog. Ik moest naar de wc, gooide het dekbed van me af en zag dat het onder het bloed zat. Ik schrok en maakte snel Aselya wakker. Ze ging rechtop zitten en gooide de deken op de grond: het hele bed zat onder het bloed. Ze begon hysterisch te gillen. Hanan kwam de kamer binnengerend.

'Oh, mijn God,' zei ze toen ze al het bloed zag. Aselya liep de badkamer in, ook haar benen waren helemaal rood. Met een nat washandje veegde ze zich zo goed mogelijk schoon. Versteld keek ik Hanan aan.

'Wat is dit?' vroeg ik haar.

Hanan keek naar het bloed op het bed. 'Ze heeft vannacht

een miskraam gehad, denk ik,' fluisterde ze me toe.

Ik kon het haast niet geloven. Het was te erg om waar te zijn.

Aselya kwam huilend de slaapkamer weer binnengelopen. 'Een miskraam,' snikte ze.

Ik omhelsde haar en veegde haar tranen weg. Ik keek vragend over mijn schouder naar Hanan, maar die was de kamer al uitgelopen.

Aselya kon zich niet meer beheersen; al haar emoties kwamen er nu uit. Ik pakte haar stevig vast en probeerde haar tot kalmte te manen.

'Sorry, lieverd. Ik weet hoe graag je dit kind had gewild. Het spijt me zo,' jammerde ze. Ze voelde zich schuldig.

Ik had inmiddels ook tranen in mijn ogen. 'Geen sorry zeggen, aşkim. Jij kan hier helemaal niets aan doen,' zei ik zachtjes. Het is niet jouw schuld, allerliefste, maar de schuld van je kutfamilie! Zij hebben ons kindje gedood! dacht ik bij mezelf.

De pijn was haast ondragelijk, voor ons beiden. Aselya zakte in elkaar op de grond. Ik wilde haar helpen opstaan, maar ze wilde daar blijven zitten dus ging ik naast haar zitten. Ik nam haar stevig in mijn armen.

'Ik wil mijn kindje terug,' krijste ze terwijl ze met haar vuisten op mijn borstkast trommelde.

Het deed me pijn om haar zo te zien. Zo zwak. Zo verdrietig. Zo kapot. Ik kon er niet meer tegen, stond op en liep de gang in. Ik werd helemaal gek. Ik begon nerveus op en neer te lopen en stak een peuk op. Toen barstte ook ik in huilen uit. Hanan kwam naar me toe en omhelsde me. Ik duwde haar van me af. Ze liep de slaapkamer in.

Ik ging voor een kleine wandspiegel in de huiskamer staan. Een seconde twijfelde ik, daarna sloeg ik mijn hand door het glas heen. Mijn beeld viel in diggelen, de scherven kletterden op de grond. Hanan hoorde het en rende weer naar mij. Ze trof me aan met glasscherven aan mijn voeten en mijn hand onder het bloed. Hanan pakte mijn hand om te kijken of er geen glas in zat, maar ik duwde haar opnieuw van me af en liep de keuken in. Ik zat niet te wachten op haar medelijden. Ik waste mijn hand boven de wasbak, pakte een schone theedoek uit de keukenkast en wikkelde deze eromheen om het bloeden te stelpen.

Toen ik een halfuur later in de badkamer stond met mijn nog hevig bloedende hand, kwam Aselya binnengelopen. Ze keek heel even naar mijn verwondingen en vertelde me dat ze samen met Hanan naar het ziekenhuis zou gaan. Ze wachtte tot ik klaar was en ze de badkamer voor zichzelf had. Ze wilde douchen, onder stromend water staan.

In de huiskamer trof ik Hanan telefonerend aan. Ze belde met het ziekenhuis. Aselya kon die middag nog komen. Ze zouden haar daar onderzoeken en van binnen schoonmaken.

'Ik weet waarom ze een miskraam heeft gehad,' zei Hanan tegen mij. 'Dat komt door alle stress die ze heeft. Eerst die achtervolging, toen de gevangenis in en ga zo maar door.'

'Dit is de schuld van haar familie,' zei ik woest. 'Als haar familie niet zo overdreven gereageerd zou hebben, dan waren Aselya en ik nu getrouwd en was ze nog steeds zwanger.'

Hanan knikte.

Na een halfuur kwam Aselya gedoucht en wel de woonkamer binnen. Hanan stond op en ging zich ook snel omkleden. Aselya kwam naast me zitten en begon weer te huilen. Ze zag er echt slecht uit. Ik schrok ervan; zo had ik haar nog nooit gezien. Ik gaf haar een sigaret, die ze met bibberende handen opstak.

'Dit is gebeurd omdat je geen rust hebt gehad,' zei ik.

Aselya knikte. 'Weet ik,' snikte ze.

Hanan kwam de kamer binnen. Ze gingen de deur uit; ik zou hier thuis wachten. In de huiskamer luisterde ik naar het droevigste nummer dat ik kon vinden: Yakup Ekin met *Unutamam*. In elkaar gezakt zat ik op de bank, eenzaam in mijn verdriet verdrinkend.

Aan het einde van de middag waren ze weer terug. Aselya liep zwijgend naar de slaapkamer. Ik zat in de huiskamer en had nog maar net ons bed verschoond. Hanan vertelde dat de arts haar had onderzocht en bevestigd had dat ze zwanger was geweest. Na het onderzoek hadden ze haar van binnen schoongemaakt.

'Ze zogen alle rotzooi eruit,' vertelde Hanan.

Ik begon te huilen en liep de kamer uit, naar Aselya toe. Toen ik zag dat ze op bed lag, besloot ik haar even met rust te laten.

Kort daarop werd ik gebeld. Het was Karen. Ik deed alsof er niks aan de hand was. Dat was moeilijk, maar het lukte. Ze had nog slecht nieuws ook: er was in het hele land geen opvang waar we samen konden blijven, sterker nog, Nederland kende niet eens een mannenopvang. Ze vertelde dat Aselya alleen geplaatst zou moeten worden en dat er daarna voor mij verder zou worden gezocht. Overmorgen wilde de politie een definitief besluit van Aselya. Of de opvang in, zonder mij, of terug naar huis. De politie weigerde langer te wachten en dreigde Jeugdzorg in te schakelen, waar ze nog minder geduld zouden tonen.

Ik zei dat ik het er met Aselya over zou hebben en dat ze ons beiden overmorgen kon verwachten.

Toen ik het Hanan vertelde zei ze: 'Dus morgen is jullie laatste dag samen?'

Ik knikte treurig. 'Daarna gaat ze een opvang in. Zonder mij.' Ik wilde het pas morgenochtend aan haarzelf vertellen, niet op deze al zo afschuwelijke dag.

Hanan belde Yassine op om hem te vragen of hij eten wilde halen bij de Chinees. Ze wilde vandaag niet koken. Een uurtje later kwam Yassine thuis met het eten. We vertelden hem nog niks. Ik haalde Aselya met moeite over om bij ons in de huiskamer te komen. Ze wilde niet aan tafel en ging op de sofa zitten. Ik schepte een bord voor haar vol en zette het voor haar op de salontafel. Zwijgend at ze het leeg en daarna ging ze direct terug naar bed.

Nu pas vertelde Hanan Yassine wat er aan de hand was.

Ik liep weg om bij Aselya te kijken en zag haar huilend op bed liggen met haar hoofd in het kussen gedrukt. Ik deed de deur achter me dicht en ging naast haar liggen.

'Schat, gaat het een beetje?' vroeg ik. Ik wist dat het helemaal niet goed met haar ging, maar kon niets anders bedenken om te zeggen.

Ze tilde haar hoofd van het kussen en keek me verslagen aan. 'Ik wilde dit kindje zó graag,' snikte ze.

'Dat weet ik, lieverd. Maar je wordt heus wel opnieuw zwanger. We gaan nog heel veel kinderen krijgen,' zei ik. Ik probeerde haar een beetje te troosten, maar het lukte niet echt. Ze bleef hartverscheurend huilen. Ik kuste haar op de wang en liep de kamer weer uit.

Hanan en Yassine stonden op het punt de deur uit te gaan. Ze hadden met Dalia afgesproken in de stad. Ik liep de huiskamer in en zette een cd op. Opnieuw droevige Turkse muziek. Met mijn armen over elkaar ging ik verdrietig zitten wezen.

Door de muziek hoorde ik Aselya niet meer huilen. Ik staarde voor me uit en dacht alleen maar aan ons verloren kindje. Zou het een meisje of een jongen zijn geweest? ging er constant door mijn hoofd. Ik werd er helemaal gek van en barstte opnieuw in huilen uit. Omdat ik niet wilde dat Aselya mij zou horen zette ik de muziek nog harder. In haar ogen wilde ik te allen tijde sterk lijken.

Een uurtje later lag ik onderuit gezakt op de bank. Ik had mijn tranen weggeveegd toen ik Aselya op de gang hoorde lopen. Plotseling kwam ze de kamer binnengerend en sprong ze boven op me. Met haar vuisten timmerde ze krachtig op mijn borstkas.

'Ik wil ons kindje terug! Ik wil ons kindje terug!' schreeuwde ze.

Ik ging rechtop zitten en hield haar stevig vast.

'Ik kan dit allemaal niet meer aan,' zei ze.

Ik zei dat ze moest proberen sterk te blijven, vooral in deze periode.

'Dit is me gewoon allemaal te veel,' snikte ze.

Ik knikte. Het was ook allemaal te veel. Zo'n tegenslag konden we nu niet gebruiken. Ze huilde en huilde van verdriet en onmacht. 'Ik begrijp dat je het kindje terugwilt. Maar op een dag word je opnieuw zwanger,' zei ik.

Ik trok haar over me heen en ging liggen. Stevig klampte ik me aan haar vast.

'We redden het wel,' zei ik. Ik kuste haar.

Snikkend keek ze me aan, nog steeds erg onrustig.

'Laten we naar bed gaan. We hebben onze slaap nodig,' stelde ik voor. Ik nam haar mee naar de slaapkamer.

'Probeer wat te slapen, aşkim,' fluisterde ik.

Dat lukte haar al na een minuut of tien, uitgeput en gebroken als ze was. Ikzelf daarentegen bleef lang wakker. Ik was te onrustig en mijn hand klopte nogal.

Toen ik na een paar uur eindelijk was ingesluimerd werd ik ergens wakker van. Ik keek naast me en zag dat Aselya in haar slaap lag te trillen. Voorzichtig probeerde ik haar wakker te maken, maar dat lukte niet. Ik sloeg mijn arm over haar heen om het trillen tegen te gaan, maar ook dat lukte niet. Daarom stond ik op en deed in een nieuwe poging haar wakker te krijgen het licht aan. Ik bukte naast haar.

'Lieverd! Wordt eens wakker! Schat!' riep ik zachtjes.

Langzaam opende ze haar ogen. Het trillen stopte. 'Wat is er?' vroeg ze.

Ik vertelde haar dat ze enorm bibberde in haar slaap en dat ik haar daarom had gewekt. Ze herinnerde zich er niets van en viel vrijwel meteen weer in slaap. Ze was nog altijd doodmoe.

Ik deed het licht weer uit en dook het bed weer in, maar ze begon meteen weer te trillen. Ik keek of ze al sliep. Met mijn vingers streelde ik over haar zachte armen, maar ze bleef trillen, dus maakte ik haar opnieuw wakker.

'Wat? Trilde ik weer?' vroeg ze verbaasd.

Ik knikte.

'Ik weet niet hoe dat komt, maar probeer gewoon te slapen. Laat me maar,' zei ze zachtjes. Ze draaide zich om in bed en kuste me.

'Seni seviyorum,' mompelde ze.

'Ik ook van jou,' antwoordde ik.

Ze draaide zich om en viel weer in slaap. Ik ging op mijn buik liggen, met mijn handen onder het kussen.

★ ★ ★

De volgende ochtend zaten we samen op de sofa tv te kijken. We hadden net ons ontbijtje op. Aselya zag er beroerd uit, haar verdriet was nog geen spatje minder geworden.

'Karen heeft gisteren gebeld. Ze wil dat we morgen langskomen,' vertelde ik haar met grote tegenzin terwijl ze tegen me aan lag op de bank.

'Komt de politie ook weer?' vroeg ze.

Ik knikte. 'Ze willen dat je morgen een definitieve beslissing neemt. Ze zei dat ze geen gezamenlijke opvang konden regelen en dat je dus alleen geplaatst zal worden.'

'Morgen al?' vroeg ze angstig.

'Ja. De politie wil niet langer wachten, ze willen weten wat je plannen zijn.'

Aselya bleef stil.

'Ik had het je gisteren eigenlijk al moeten vertellen, maar vond dat niet de goede dag ervoor,' zei ik vervolgens.

'Dat maakt niet uit.'

Hanan was inmiddels wakker geworden en kwam de kamer binnen.

'Goedemorgen,' zei ze met een kom cornflakes in haar handen.

'Goedemorgen' zeiden we in koor, Aselya met een wat gekunsteld glimlachje.

Ik stond op en ging douchen. Toen ik onder de douche stond, hoorde ik mijn telefoon gaan. Aselya nam op. Toen ik na het douchen met een handdoek om de huiskamer in liep om te vragen wie er gebeld had, zat Aselya nog steeds aan de telefoon. Ze praatte Turks. Ik ging naar de slaapkamer om me om te kleden.

Hanan kwam achter me aan en stelde voor om die dag te gaan picknicken, wat mij een goed idee leek.

In de huiskamer was Aselya intussen nog steeds in gesprek. Ik ging naast haar zitten en hoorde aan de andere kant van de lijn een vrouwenstem. Kort daarna hing ze op.

'Wie was dat?' vroeg ik meteen.

'Die eerwraakspecialiste van de politie.'

'Wat wilde ze dan? Zo'n lang gesprek!'

'Ze wilde gewoon weten hoe het met me ging en vertelde me dat ik morgen een besluit moet nemen.'

'Was dat alles?' vroeg ik achterdochtig.

Aselya knikte. We maakten ons klaar om voor een laatste keer naar het meer te gaan.

Het was weer erg warm. Het grasveld lag vol met mensen die van de zon genoten. Aselya en ik lagen op het kleed en genoten van elkaar. We hadden afgesproken om vandaag niet meer over de miskraam te praten. Het was onze laatste dag samen en die wilden we niet laten verpesten door verdrietige gedachten. We waren weer even in ons eigen wereldje, even ontsnapt aan het onderduiken, aan het opgesloten leven. Yassine en Hanan zaten ondertussen op de steiger pootje te baden.

'Ik ben bang,' zei Aselya na een tijdje. 'Morgen worden we van elkaar gescheiden.'

'Ik weet het lieverd. Maar maak je geen zorgen. Je wordt goed opgevangen door vrouwenopvang. En na een aantal weken hebben we weer contact.'

'Een aantal weken?'

'Ja. De eerste weken mag je geen contact met derden.'

Ze keek me verontrust aan. 'Maar dan ben ik helemaal alleen. Weet je hoe moeilijk dat voor me is?'

'Dat weet ik, lieverd, maar het kan even niet anders. Gewoon de eerste paar weken hard doorbijten en daarna zijn we weer samen. Daar gaat het om. Als we uiteindelijk maar samen zijn.'

'Dat is zo. Maar ik vind het wel doodeng. Ik weet niet of ik dat wel aankan zonder jou.'

'Denk aan onze toekomst. Nu krijg je het moeilijk, maar later heb je er baat bij. Dan hebben we ons eigen huisje ergens en kunnen we eindelijk trouwen.'

'En waar blijf jij intussen? Ik wil niet dat je bij Hanan blijft hoor! Je weet dat ik haar niet vertrouw. Volgens mij is ze nog steeds verliefd op je.'

Ik lachte en zei: 'Ik beloof je dat ik niet bij haar zal blijven. Maar ik weet nog niet precies waar ik wel heenga. Maatschappelijk werk vertelde me dat er in het hele land geen opvang voor mannen is, dus op hulp van hen hoef ik blijkbaar niet te rekenen. Ik heb nog wel wat kennissen waar ik terecht kan.'

'Oké.'

'Je moet nu geduld hebben, aşkim. Dan komt alles goed. En zorg goed voor je tatoeage!'

Ze glimlachte en zei: 'Doe ik!' Ze bedolf me onder de kusjes. 'Ik hou van jou tot de dood. Vergeet dat nooit!' zei ze.

Ik giechelde en kuste haar terug.

'Mocht alles mislopen, dan vertrekken we samen naar het buitenland. Dan hebben we toch niets aan de Nederlandse instanties gehad en bouwen we ons leven daar op,' zei ik nog.

'Dat kan ook nog inderdaad.' Ze klonk enthousiast.

Hanan en Yassine kwamen bij ons op het kleed zitten. Hanan haalde een zak met broodjes tevoorschijn en deelde uit. Na mijn broodje te hebben verorberd vroeg ik Aselya of ze zin had in een boswandeling. Enthousiast stond ze op en pakte mijn hand. We liepen het pad op. Alles was zo groen en mooi.

Zo romantisch. De bloemen om ons heen waren in volle bloei. Onderweg plukte ik langs het pad een grote paarskleurige en gaf deze aan haar. Ze haalde een stuk van de steel af en zette hem achter haar rechteroor.

'Dank je,' zei ze zachtjes en gaf me een zoen.

Ik stak een sigaret op.

'Ik moet constant aan mijn miskraam denken,' zei Aselya terwijl ze ook een peuk uit mijn pakje haalde.

Ik kneep stevig in haar hand en zei: 'Dat begrijp ik, lieverd. Het is verschrikkelijk. Ook ik ben er kapot van. Geloof me.'

'Dat weet ik ook wel. Ik weet hoe graag jij dat kindje ook had gewild.'

Het bleef stil. We hadden afgesproken het er niet over te hebben vandaag. Langzaam wandelden we terug naar het meer, maar toen we Hanan en Yassine in elkaars armen op het kleed zagen liggen besloten we nog een rondje te lopen.

★ ★ ★

Hanan en Aselya waren in de keuken druk bezig met het eten, terwijl Yassine en ik intussen de woonkamer opruimden. Het was een ontzettende bende. Na de huiskamer deden we ook meteen maar de slaapkamers. Ik ruimde de rommel op en hij ging er met de stofzuiger overheen.

Een uurtje later gingen we aan tafel. De meisjes hadden shoarma klaargemaakt, alleen al de geur was om van te smullen. Aselya vulde een broodje voor mij. Met grote happen werkte ik het naar binnen. Zelf had ze niet veel honger. Ze maakte zich grote zorgen over de volgende dag.

Yassine zorgde voor afleiding door flauwe grappen te vertellen. Sommige waren wel leuk en het deed me goed om Aselya meerdere malen in de lach te zien schieten.

Na het eten pakte Yassine een velletje papier en een pen.

'We gaan geesten oproepen,' zei hij.

Aselya en ik keken elkaar verbaasd aan.

'Wat?' vroeg ze.

'Geesten oproepen,' herhaalde Yassine. Hij lachte.

Hanan had ondertussen een plastic bekertje uit de keuken meegenomen. Ze schreef de letters van het alfabet in een grote kring op het papier en zette het bekertje ondersteboven in het midden. Ze legde uit dat we allemaal onze wijsvinger heel losjes op het bekertje moesten leggen en dat er dan een vraag aan de geest gesteld moest worden. Aselya en ik geloofden er niet in maar besloten toch maar mee te doen.

Eerst vroeg Hanan aan de geest of we überhaupt vragen mochten stellen. Ook wilde ze er zeker van zijn dat het een goede geest was, die onze vragen zou beantwoorden. Zij legde voorlopig alleen haar eigen vinger op het bekertje, dat meteen begon te schuiven. We konden het bijna niet geloven.

'Word ik nu voor de gek gehouden?' vroeg ik aan Aselya.

'Ik zou het echt niet weten,' zei ze schouderophalend.

Het bleek een goede geest en we mochten onze vragen stellen. Nu pas konden we echt beginnen.

Hanan begon. Ze vroeg iets over haar werk. Plotseling bewoog het bekertje met onze vier wijsvingers erop van de ene naar de andere kant. Het was een woord aan het spellen.

Nu was Aselya aan de beurt. 'Zou mijn kindje een meisje of jongen zijn geworden?' vroeg ze.

Ik keek haar bedenkelijk aan, want ik vond deze vraag maar niks. Ik wilde het antwoord niet eens weten. Maar het bekertje begon weer te bewegen. Mijn ogen volgden elke millimeter en zagen het langzaam spellen: M – E – I ... Toen pakte ik het bekertje op en gooide het van tafel. Het papier scheurde ik in tweeën.

'Wat een klotespel!' riep ik uit.

De anderen keken me geschrokken aan. Aselya rende met tranen in haar ogen de huiskamer uit. Ik hoorde de slaapkamerdeur met een klap dichtvallen.

'Ik geloof hier niks van. Allemaal flauwekul,' zei ik.

Hanan was ervan overtuigd dat het werkelijkheid was. 'Ik heb dit vaker gedaan en het klopt altijd!'

Yassine knikte.

'Toch geloof ik het niet. Aselya en ik geloven hier gewoon niet in.' Yassine ruimde intussen de bende op.

'Ga naar haar toe. Ze heeft je nodig!' zei Hanan.

Deze raad volgde ik maar al te graag op. Aselya lag huilend op bed.

'Ik word helemaal gek, aşkim. Zou je denken dat het echt een meisje geweest zou zijn?' vroeg ze me snikkend.

Ik ging naast haar liggen en sloeg mijn arm over haar heen. 'Ik weet het niet. Daar moet je niet over nadenken, zo maak je jezelf alleen maar gek.'

Ze keek me aan en veegde haar tranen af aan het kussen. 'Ik mis mijn moeder,' zei ze ineens.

'Dat weet ik, lieverd. Het is een moeilijke periode voor je. Maar we komen er wel uit. Je moet gewoon sterk blijven.'

Ze knikte. 'Je hebt gelijk. Ik moet sterk zijn. Kom, zei ze, we gaan weer in de huiskamer zitten.' Ze veegde haar tranen weg en liep de woonkamer in.

Yassine en Hanan zaten voor de tv.

'Gaat het?' vroeg Hanan.

Aselya knikte. We gingen op de sofa een film zitten kijken. Ik zakte onderuit en Aselya kwam tussen mijn benen liggen met haar hoofd op mijn borst. Ik probeerde de film geconcentreerd te volgen, maar dat lukte slecht. Ik kreeg het merkwaardige voorval niet uit mijn hoofd.

Die nacht was wederom verschrikkelijk. Aselya bleef maar trillen in haar slaap. Ik probeerde het weer tegen te gaan door haar stevig vast te houden, maar tevergeefs. Ik maakte haar meerdere malen wakker, maar zodra ze dan weer sliep, begon het trillen weer. Ik was erg bezorgd en kon niet slapen. Mijn gedachten gleden steeds weer af naar de miskraam. Ik werd er gek van. Ik voelde me zo verdrietig, zo lamlendig. En morgen zou ze ook nog eens de vrouwenopvang ingaan en dan kon ik er niet meer voor haar zijn wanneer ze mijn steun nodig had.

Pas rond vier uur 's nachts kwam ik tot rust. Aselya was eindelijk opgehouden met bibberen.

Om tien uur 's ochtends werden we wakker. Aselya bleef aanvankelijk liggen en zei dat ze niet naar de afspraak wilde. Ze voelde zich niet lekker en had een slecht voorgevoel. Ik zei dat we echt aanwezig moesten zijn, omdat we anders problemen met de autoriteiten zouden krijgen. Dus Aselya raapte haar krachten bij elkaar, douchte en maakte zich mooi. Niemand hoefde te weten dat ze zwanger was geweest en een miskraam had gehad. Dit bleef ons geheim. Toen ze klaar was zei ze weer dat ze echt liever hier wilde blijven, maar ik maakte haar duidelijk dat we geen keus hadden. Ze moest mee van mij, al begreep ik haar angst maar al te goed.

16

einig op ons gemak kwamen we het kantoor van maatschappelijk werk binnen. Karen ging ons voor naar de vergaderzaal, waar vier agenten zaten; de Turkse eerwraakspecialiste, onze twee contactpersonen en een naargeestige man van eind dertig die we niet eerder gezien hadden. Hij kwam ons tegemoet en stelde zichzelf voor als de hoofdagent van het korps in onze stad. We hadden zijn naam wel eens horen vallen tijdens onze gesprekken met de politie. Ik voelde me nu nog minder op mijn gemak en merkte aan Aselya dat zij hetzelfde had. Waarom waren er zo veel agenten aanwezig?

Ze wilden eerst met Aselya praten. Ze verdween in een klein kamertje met alle vier de agenten terwijl ik in de wachtkamer bleef wachten.

Aselya werd nogmaals verteld dat er geen opvang mogelijk was voor haar en mij samen, maar dat ze als ze wilde diezelfde dag nog in haar eentje geplaatst kon worden.

'Ik wil niet de opvang in zonder hem!' jammerde ze steeds.

'Je moet nu beslissen wat je gaat doen,' drong de hoofdagent aan.

Aselya dreigde dat ze met mij naar het buitenland zou vertrekken.

'Waar ga je dan heen? Hoe ga je leven? Denk aan je familie!' zeiden de vier aanwezigen hierop. Ze drukten haar ook op het hart dat ik gevaar zou blijven lopen zolang zij weigerde naar huis te gaan. Wij zouden ons leven nooit zeker zijn. Ze zeiden dat het alleen al om die reden beter was om naar huis te gaan.

'Als jij naar huis gaat, is hij pas veilig. Dan pas laten ze hem met rust,' hielden de agenten haar voor. 'Als je van hem houdt, dan wil je toch dat hij veilig is?'

Aselya knikte.

'Dan zul je echt terug naar huis moeten.'

Huilend kwam Aselya na tien minuten het kamertje uitgelopen. De hoofdagent kwam achter haar aan en vroeg mij binnen te komen. Hij ging precies tussen Aselya en mij in staan, zodat we geen kans kregen om oogcontact te maken, laat staan een woord met elkaar te wisselen.

In het kamertje ging ik tegenover de vier mij aanstarende agenten zitten.

'Aselya heeft besloten naar huis te gaan,' zei de hoofdagent na een paar seconden.

Ik voelde de grond onder me wegzinken. Dat kan niet waar zijn, dat zou Aselya nooit doen. Niet mijn Aselya. We hadden het er regelmatig over gehad en ze was er altijd fel op tegen geweest. Hoe kon dit? Wat had haar in godsnaam tot deze beslissing gebracht?

'Ik geloof het niet,' zei ik radeloos.

De Turkse agente vertelde me dat het toch echt zo was. 'Ze mist haar familie,' verklaarde ze.

'Bullshit!' zei ik. 'Als ze niet in haar eentje de opvang in durft, dan neem ik haar mee naar het buitenland. Ik heb het daar al met haar over gehad en ik ben er absoluut zeker van dat ze dat wil,' zei ik.

Ze keken me uitdrukkingsloos aan. 'Nee. Het staat vast. Ze gaat naar huis. En als zij terug thuis is, ben jij ook weer veilig. Dan laat haar familie jou met rust. We nemen haar nu meteen mee,' zei de hoofdagent, met een valse glimlach op zijn pokdalige gezicht.

Deze enorme eikel wilde niet luisteren naar wat ik te zeggen had. Zijn zaak was immers opgelost: het weggelopen meisje keerde terug naar huis. Einde verhaal voor hem. Dat de jongen alleen achterbleef kon hem niet schelen; dat was voor deze gevoelloze diender hooguit een vermakelijk detail. Wat een lul! Wat een klootzak! En ik dan, kankerlijer? Wat moet ik nu doen dan?

Ik had niets meer te zeggen en liep de kamer uit. In de vergaderzaal zag ik Aselya zitten. Ze huilde nog steeds. Karen zat naast haar en probeerde haar te troosten. Toen ze mij zag, stond ze snel op.

'Mogen wij even afscheid nemen?' vroeg ik aan de agenten.

De hoofdagent keek ons om beurten aan en zei toen: 'Jullie kunnen hier afscheid nemen.'

Ik schudde mijn hoofd. 'Ik bedoel zonder anderen erbij,' zei ik.

Hij maakte ons duidelijk dat dat niet tot de mogelijkheden behoorde. Ik wist niet wat ik hoorde. Dan maar helemaal geen afscheid, dacht ik. Ik merkte dat Aselya oogcontact zocht, maar ik ontweek haar. Ik begreep haar besluit niet en voelde me in de steek gelaten. Emoties wisselden elkaar in hoog tempo af: verdriet, woede, angst. Ik wist gewoon niet wat ik moest denken.

Ik werd door de Joegoslaaf mee naar buiten genomen om een sigaret te roken. Even later volgde Aselya samen met Karen. Zij liepen de andere kant op. Vanuit mijn ooghoeken zag ik haar staan, terwijl de agent tegen me aanpraatte. Het lukte me niet langer mijn emoties te bedwingen, ik voelde te veel pijn. Het was alsof mijn hart letterlijk brak. Ik barstte zonder geluid te maken in huilen uit.

De agent stak nu ook een sigaret op. 'Ik vind het verschrikkelijk om te zeggen, maar je kunt niet terug naar huis,' begon hij hakkelend. 'Ook al gaat Aselya nu naar huis, we kunnen jouw veiligheid niet garanderen,' zei hij. Ik trok steeds harder aan mijn sigaret terwijl de tranen bleven komen.

Ze spraken zichzelf tegen. Met man en macht haalden ze haar over om naar huis te gaan voor mijn veiligheid, maar vervolgens zeiden ze tegen mij dat ik niet naar mijn stad terug kon, omdat het te onveilig was.

Aselya en Karen waren inmiddels terug naar binnen gegaan.

'Dus wat ben je van plan?' vroeg hij.

Ik haalde mijn schouders op. 'Geen idee,' antwoordde ik.

Aselya werd meegenomen door de politie. Die avond zou ze wederom in de gevangenis doorbrengen, ditmaal alleen. Maatschappelijk werk en politie wilden eerst uitzoeken of het thuis echt veilig voor haar was.

Ik bleef achter met Karen en haar assistent, die even verbaasd over Aselya's besluit waren als ikzelf. Ik belde Hanan en zij zou me komen ophalen. Ik ging met Karen aan een tafel zitten wachten. Moeizaam probeerde ik alles te relativeren en praktisch te zijn. Ik zei dat ik ervoor zou zorgen dat Aselya's spullen deze week hier afgeleverd zouden worden, maar zodra ik dat had gezegd barstte ik alweer in huilen uit. Mijn verdriet baande zich een weg omhoog; het lukte me niet langer het tegen te houden dus liet ik me maar gaan. Het kon me niets meer schelen.

De politie belde mijn moeder op om haar in te lichten over Aselya's thuiskomst.

'En mijn zoon dan? Waar is hij?' vroeg ze meteen.

'Hij is met de staart tussen z'n benen vertrokken. We weten niet waarheen.'

Deze lompe formulering besloot mijn moeder maar te negeren. 'Kan hij niet terugkomen naar huis?'

'Dat is niet verstandig, mevrouw. Voor zijn eigen veiligheid is het beter dat hij voorlopig niet naar huis terugkeert.'

Uit het veld geslagen hing mijn moeder op.

Ik pakte mijn spullen. De volgende dag zou ik naar een andere stad vertrekken, ik voelde me niet veilig meer op het onderduikadres. Aselya kon thuis onder druk komen te staan en het adres vrijgeven. Hanan wilde graag dat ik bij hen zou komen wonen, maar ook dat wilde ik niet. Ik wilde rust, en weg uit deze stad waarin alles me aan haar zou herinneren.

Zelfs aan Hanan vertelde ik niet waar ik heen zou gaan. Iedereen kon onder druk worden gezet, het was beter niemand meer te vertrouwen.

Die avond belde Hanan in paniek mijn moeder op. Ze zei dat ik de volgende dag zou vertrekken en dat ze zich zorgen over me maakte.

Ik ging vroeg slapen die avond, maar het lukte weer slecht. Ik lag onrustig te woelen en dacht aan haar...

De volgende ochtend vertelde Hanan me toen ik wakker werd dat mijn moeder en zusjes onderweg waren.

Ik was nog maar net aangekleed toen ze de kamer binnen kwamen lopen. Huilend vloog ik mijn moeder in de armen.

'Sorry. Sorry voor alles,' bracht ik uit.

Ook mijn moeder begon te huilen. Ze sloeg haar armen om me heen en hield me stevig vast. Mijn kleine zusjes trokken intussen aan mijn trui. Ik nam ook hen in mijn armen. Ze vertelden dat ze hun spaarvarken hadden omgekeerd om een knuffel voor mij te kunnen kopen. 'Dan blijf je altijd aan ons denken,' zeiden ze terwijl ze me het beest gaven.

Mijn moeder mocht ook niet weten waar ik heenging. Voor haar eigen veiligheid en die van mijn zusjes. Die gingen op verkenningstocht in het huis terwijl ik op de bank in de huiskamer mijn moeder vertelde wat er allemaal gebeurd was.

Twee uurtjes later nam ik afscheid van iedereen. Ik omhelsde mijn familie nogmaals en zei dat het allemaal goed zou komen. Daarna bedankte ik Hanan voor alles wat ze voor ons had gedaan en gaf haar een dikke kus op de wang.

Met twee grote sporttassen stapte ik even later op de trein. Aselya's tas stond bij Hanan klaar om door Hayat te worden opgepikt. Zij zou hem op het politiebureau droppen.

De eerste week kon ik bij een kennis van me logeren, daarna moest ik op zoek naar een nieuwe tijdelijke verblijfplaats. Van stad naar stad zou ik moeten reizen. Op de vlucht. Mijn toekomst was totaal onzeker.

★ ★ ★

De volgende dag werd ik vroeg wakker in het huis van mijn kennis. Ik miste Aselya. Ik miste mijn leven. Mijn familie. Mijn vrienden. Mijn werk.

Nog wat slaperig ging ik achter de computer zitten. Ik had mijn MSN nog maar net opgestart toen Aselya online kwam. Zo hadden we het afgesproken: mocht er iets gebeuren, dan zouden we via MSN contact zoeken. Ze schreef dat ze spijt had van haar beslissing, dat de politie haar onder druk had gezet. Ze zei dat ze puur voor mijn veiligheid was teruggegaan, voor niets anders. Het was voor haar niet meer hetzelfde thuis. Ondanks dat iedereen erg blij was dat ze terug was gekomen, was er ook nog veel woede jegens haar. Ze zei dat ze van plan was opnieuw weg te lopen wanneer alles rustig was. Ze wilde bij mij zijn. Niets anders.

Het was een verschrikkelijk gesprek. Ze voelde zich vreselijk schuldig en ik miste haar nu nog meer. Ik gaf haar nog eens mijn telefoonnummer, zodat ze me altijd kon bereiken.

Later die week stuurde ze me de ene hartstochtelijke e-mail na de ander.

Van: Aselya
Aan: Sherief

Hey schatje. Je weet zelf heel goed dat ik met jou ben begonnen en met jou zal eindigen. We zijn hier samen ingegaan en we komen er samen uit. Mijn gevoelens voor jou zijn nog altijd hetzelfde: jij hebt mijn hart en ik dat van jou. Heb vertrouwen in me, schat. Ik weet dat je veel hebt meegemaakt en dat je hier al die tijd bang voor was.

Ik voel me hier thuis niet op mijn gemak. Ik was het liefst bij jou gebleven. Ik heb spijt dat ik terug ben gegaan. Er is zo veel veranderd. Dit moet je goed weten: ik heb geen spijt dat ik weggelopen was!

Ik beloof je kanjer, ik zal je bellen. Alleen is het nu niet het juiste moment, want ik word erg in de gaten gehouden.

Het doet me pijn zonder jou op te staan. Ik mis je heel erg, schat. Ik heb je geur nog op mijn huid. Ik mis je zo, maar ben puur voor jouw veiligheid naar huis gegaan. Dat weet je. Je weet hoeveel ik om je geef en van je hou. Het kan me niet schelen wat iedereen zegt, ik luister toch niet naar hen. Iedereen hier praat slecht over je, maar ik weet beter. Als het hier rustiger is, bel ik meteen. Dat beloof ik.

Ik kan niet meer zonder jou leven, aşkim. Ik probeer hier eerst het een en ander op een rijtje te zetten. Maar onthoud dit heel goed: ik sta nog steeds achter je. Wat ik heb beloofd ga ik allemaal één voor één doen: ik trouw met je en krijg kinderen van je. Misschien niet nu, maar alles gaat gebeuren, lieverd. Vertrouw op me en ook al zie ik je even niet, let goed op mijn hart! Jouw hart is verstopt bij mij en dat kan niemand, maar dan ook niemand van me afpakken.

Ik ga je bellen, schat. Ik hou van je. Kus, je vrouwtje

Van: Aselya
Aan: Sherief

Ik heb je handen nodig, schat. Ik heb je geur nodig. Dag en nacht ben ik aan het huilen. Ik voel me schuldig tegenover jou. Ik had je niet moeten achterlaten. Ik zeg het nog eens: ik heb spijt dat ik thuis ben en dat zweer ik op alles!

Zij denken allemaal dat ik jou zal vergeten en dat ik terug naar mijn eigen leven zal gaan, zonder jou. Maar ik weet beter.

Ik kan gewoon niet meer alleen opstaan uit bed. Ik denk steeds dat je achter me ligt, als ik me omdraai ben je er niet. Het doet me pijn.

Toen we naar Karen gingen, had ik je al gezegd niet te willen gaan. Ik was bang dat zoiets zou gebeuren.

Je moet me beloven geen gekke dingen te doen. Ik kan niet leven zonder jou en ik ga ook niet dood zonder jou. Als ik dood moet gaan, dan is het in jouw armen. Weet je welk liedje ik steeds luister? Dat Turkse nummer dat jij zo mooi vindt: *Ağladikça* van Ahmet Kaya. Welke kant ik ook op kijk, ik zie jou voor me. Op straat, in de spiegel, op de sofa en in bed. Vertrouw op mij, aşkim. Ik wil dat ze jou met rust laten en dat ze mij een beetje vertrouwen. Over een tijdje zal ik nog eens met mijn ouders praten.

Jij bent mijn man en dat moeten ze gewoon accepteren!

Ik heb je nog veel te vertellen, maar doe dat wel als ik je aan de telefoon heb. Let goed op jezelf en wees sterk. Ik ben van jou, jij bent van mij: er is niks veranderd. Let goed op mijn hart en geef het niet weg. Vergeet me niet, want ik zal jou nooit vergeten. Ook al zie ik je heel lang niet. Ik zal komen. Ik laat je niet alleen. Beloof me, blijf van me houden – dat is genoeg.

Dikke kus van je vrouwtje dat heel veel van je houdt.

Van: Aselya
Aan: Sherief

Sensiz olmaz, sensiz olmaz, sensiz olmaz!* Jouw gülüm** zal

* Zonder jou kan ik niet (Turks)   **Roos (Turks)

terugkeren, aşkim. Vergeet dat nooit! Ik weet nu niet precies wat mijn plannen zijn, maar ik zal komen. Dat beloof ik je. Nu ben ik zo zwak en zonder jou word ik niet gelukkig. Willen mijn ouders dan dat ik ongelukkig word? Had ik maar mijn paspoort bij me, dan konden we meteen trouwen. Ik wilde echt dat jij mijn echtgenoot zou worden. Nog steeds...

Ik hou van je. Vergeet me alsjeblieft niet. Jij leeft in mijn hart. Mijn hele leven zal ik van je blijven houden. Wat er ook gebeurt.

Jij bent mijn man.

Kus Aselya

Met tranen in mijn ogen las ik haar mails. Al mijn herinneringen aan haar kwamen naar boven. Het deed ongelofelijk veel pijn. Waarom had die familie me niet gewoon een kans gegeven? Niemand zou zo veel van haar houden als ik.

Toen ze eenmaal weer naar school ging, belde ze mij regelmatig tijdens de pauzes op. Behalve op school was ze nooit alleen. Ze kon niet eens naar het winkelcentrum zonder in de gaten te worden gehouden; ze had gemerkt dat ze constant door twee Turkse mannen gevolgd werd. Ook had ze een nieuwe simkaart van haar vader gekregen, zodat ze voor hem altijd bereikbaar zou zijn. Aselya had ook te horen gekregen dat haar familie haar wilde uithuwelijken aan Ercan, haar bloedeigen neef. Als een soort beloning voor zijn inzet. Dit was natuurlijk het laatste wat ze wilde en gelukkig had haar moeder met haar te doen. Ze haalde de familie over om Aselya bedenktijd te geven.

Ze kreeg opnieuw klappen thuis, vanwege de pijn en schaamte die Aselya in haar familie teweeg had gebracht. In de Turkse gemeenschap stonden zij nu bekend als de familie waarvan de dochter van huis was weggelopen. De eer was aangetast en Aselya moest ervoor boeten. Net als ik. Ze zouden mij blijven zoeken om hun gezichtsverlies te herstellen. Om hun eer te zuiveren.

Haar vader had inmiddels met geweld mijn telefoonnummer van Aselya losgekregen. De telefonische bedreigingen begonnen opnieuw. 'Je gaat eraan. Ik voer je aan de vissen,' zei haar vader regelmatig. 'Ik vind je wel. Ik doorzeef je met kogels,' schreef haar neef. Ik kon alleen maar slikken ten antwoord. Ook mijn moeder ontving nog altijd bedreigende telefoontjes voor haarzelf en haar twee dochters.

Ik moest nog heel wat verklaringen afleggen en werd daarom regelmatig door twee agenten opgezocht. Ze kwamen steeds naar het politiebureau in de stad waar ik op dat moment ondergedoken zat. Ik maakte de agenten duidelijk dat de doodsbedreigingen aanhielden en vroeg of mijn telefoon afgeluisterd kon worden. Dat kon. Haar vaders telefoon werd al afgeluisterd, vertelden ze mij.

Steeds opnieuw drukten deze agenten me op het hart om het contact met Aselya te verbreken. Alleen op die manier zouden de gemoederen in haar familie bedaren. Maar wij trokken ons er niets van aan en bleven bellen en mailen, gedreven door liefde. Om de een of andere reden vond de politie het nodig dat aan haar familie te vertellen, met als gevolg dat haar vader haar weer eens afranselde en haar telefoon afpakte. Bedankt politie!

Kort daarna zag Aselya toen ze bij het raam een peuk stond te roken een dikke jeep voorrijden. Een Turkse man stapte uit. Ze herkende hem. Hij was de leider, de allerhoogste van de

Turkse maffia. Snel dook ze voor het raam weg, zodat hij haar niet kon zien maar zij hem nog wel. Hij liep de voortuin in, Aselya hoorde de deurbel gaan. Haar vader deed open en bleef in de deuropening met hem staan praten. Aselya kon alles horen.

'Heb je de jongen al gevonden?' vroeg de man.

'Nog niet. Ik ben ermee bezig. Maar ik vind hem wel,' antwoordde haar vader.

'Als jij het niet aankan, regel ik het wel,' zei de bezoeker.

'Ik probeer het eerst zelf.'

De man schudde haar vader de hand, draaide zich om en liep weer naar zijn auto. Een kort, maar zeer duidelijk gesprek.

Aselya sloop naar de slaapkamer van haar zusje. Daar had ze een mobiel op het nachtkastje zien liggen. Snel stuurde ze mij een berichtje:

Kijk uit lieverd! De
Turkse maffia was hier
net aan de deur. Ik
wil niet dat je nog
naar buiten gaat!

Vervolgens sloop ze weer geluidloos over de gang terug naar haar eigen kamer.

Vanaf dat moment sloot ik mezelf op in huis.

Later die avond luisterde Aselya nog een gesprek af. Er kwam een man op bezoek die Dilara's vader bleek te zijn. Beide vaders gingen in de woonkamer zitten. Ze spraken over hoe ze mij te pakken konden nemen. En in eerste instantie, hoe ze mij konden opsporen. Aselya was nu nog angstiger geworden en stelde mij opnieuw op de hoogte.

Nu Aselya's telefoon weer was afgepakt, kon ik haar niet meer bereiken en er zat niets anders op dan dagelijks op haar belletje te wachten. Het maakte me gek. Als ze één dag niet belde, maakte ik me meteen ernstige zorgen om haar – met slapeloze nachten als gevolg. Ook haar bestaan werd een ware hel. Ze leefde aan een hondenriem en wilde weg. Zo snel mogelijk.

$$\star \star \star$$

Ik zat voor de tv en zapte langs een programma over raceauto's. Plotseling dacht ik aan mijn eigen auto, en meteen belde ik mijn kennis meteen om te zeggen dat ik die binnenkort zou komen ophalen.

'Maar die heeft Appie vorige week al opgehaald!' antwoordde ze verbaasd.

'Wat?' schreeuwde ik verbouwereerd in de hoorn.

'Ja. Appie was hier vorige week aan de deur en heeft je auto meegenomen. Hij had de sleutels bij zich. Is er iets?' vroeg ze.

Ik vertelde haar dat Appie zonder mijn medeweten de BMW had opgehaald. 'Maar het komt wel goed,' zei ik daarna. Ik wilde haar niet opzadelen met mijn problemen.

Ik was woedend en verdrietig tegelijk. Ik dacht meteen aan mijn verzekering, die ik had stopgezet net voordat ik op vakantie ging, en baalde gigantisch dat ik die niet opnieuw had laten ingaan op het moment dat ik was teruggekomen.

Appie's telefoon stond uit. Ik liet verschillende berichten achter, maar hij belde niet terug. Ik probeerde ook zijn huistelefoon, maar kreeg van zijn moeder voortdurend te horen dat hij er niet was. Ik geloofde haar niet. Ik wist dat hij me ontweek en ik vroeg haar of ze haar zoon wilde vragen naar mijn geld en mijn auto. Ze bleek niets te weten over het geleende bedrag, haar zoon had haar zelfs verteld dat ik geld van hem had geleend om eerder terug naar Nederland te kunnen. Opnieuw stond ik versteld van het gedrag van mijn beste vriend. Hij had me verraden. Ik hing op, belde direct de politie en deed aangifte van autodiefstal.

Later die week belde hij me eindelijk terug.

'Als je me nog één keer belt, dan kan je lachen. Je geld kun je sowieso vergeten. Als jij eens wist wat ik allemaal heb moeten doorstaan door jou. En vergeet niet dat je zusjes hebt!' zei hij. Daarna hing hij op, mij met mijn mond vol tanden achterlatend.

Ik kon niet geloven dat mijn eigen vriend zoiets had durven zeggen. Hij had het inderdaad moeilijk gehad door mijn toedoen, maar dit ging te ver. Eigenwijs belde ik hem meteen weer. Hij nam niet op. Ik belde nog eens. Weer nam hij niet op. Hij liet niets meer van zich horen. Hij was er met mijn geld en auto vandoor. Dat beschouwde hij zeker als compensatie voor alles wat hij had doorstaan.

$$\star\ \star\ \star$$

Later die week nam ik contact op met een politieagent uit een andere regio, die ik via een vriend van me had leren kennen. Ik vertelde hem het complete verhaal en vroeg of hij erachter kon komen of de Turkse maffia daadwerkelijk op de hoogte was van Aselya en mij. De agent had een 'mannetje' binnen de Turkse maffia werken en zou hem direct bellen om het uit te zoeken. Later die dag belde hij me terug en bevestigde mijn vermoeden. Hij adviseerde mij me voorlopig niet op straat te begeven. Ook vertelde hij dat ze op de hoogte waren van mijn gestolen auto. Ze wisten te vertellen om wat voor auto het ging en dat hij was doorverkocht. Ik schrok. Als ik al deze informatie zo gemakkelijk kon verkrijgen, wat waren de mogelijkheden voor een organisatie als de Turkse maffia dan wel niet?

Later die dag stuurde de agent mij een mail.

Van: Politie
Aan: Sherief

Ik heb net nog met een collega Jeugdzaken gesproken. Die vielen van hun stoel over hoe de politie te werk is gegaan. Zij adviseren je om toch het land uit te gaan, en jouw vriendin moet thuis gelijk weg. Ze kan het beste meteen naar een opvanghuis gaan. Zo ver mogelijk hiervandaan. Vandaaruit moeten jullie verder kijken. En mochten jullie naar het buitenland willen, vertrek dan zo spoedig mogelijk...

Hij had gelijk. We moesten met veel haast handelen. Ik besefte dat de enige veilige oplossing samen naar het buitenland vluchten was. In Nederland werden we niet geholpen: de politie wilde haar alleen maar naar huis brengen en werkte ons voortdurend tegen.

Aan de telefoon vertelde ik Aselya over het plan om naar het buitenland te gaan. Ze twijfelde geen moment.

'Ik ben ervoor in!' zei ze.

We bleven contact houden terwijl ze plannen maakte om opnieuw weg te lopen. Maar een maand na haar thuiskomst hoorde ik plotseling niks meer van haar. Ik kon haar nog altijd niet bellen en probeerde een aantal Turkse vriendinnen van haar, maar geen van allen wilde met mij praten. Ze vreesden voor hun leven. Ik wist niet meer wat ik nog kon doen, er zat niets anders op dan te wachten.

★ ★ ★

Vijf weken na de thuiskomst van Aselya greep de politie dan eindelijk in. Haar vader en haar neef werden opgepakt. Tijdens de arrestatie vonden ze twee vuurwapens in het huis van haar vader. De politie lichtte mij meteen in. Een rechtszaak volgde. Omdat het een risicozaak was, mochten de aanwezigen elkaar niet zien. De Turkse families werden gescheiden van mijn moeder, stiefvader en slachtofferhulp, die tezamen mij vertegenwoordigden. Ze zaten achter donker glas in een aparte ruimte. Aselya was er niet bij. Ik ook niet.

Tijdens de rechtszaak werd duidelijk dat de Koerdisch-Turkse familie wraak op mij had gezworen en dus ook na de thuiskomst van Aselya nog wraak wilde nemen.

Een afgeluisterd telefoongesprek maakte de bedoelingen van haar vader duidelijk. 'Als alles tot rust gekomen is, stop ik hem in de molen. Ik voer hem aan de vissen. Ze zullen geen stukje van hem terugvinden,' zei Aselya's vader hierin tegen een kennis. Justitie liet ook een gesprek horen waarin haar vader met een andere kennis de ontvoering van een klein meisje, hoogstwaarschijnlijk één van mijn kleine zusjes, plande. Voor mijn moeder was dit alles vanzelfsprekend niet gemakkelijk om naar te luisteren. Niet alleen haar volwassen zoon maar ook haar kleine dochtertjes werden hier met de dood bedreigd.

Aselya's neef kwam juichend de zaal binnen, met gebalde vuist de lucht in. Hij was trots op zijn daden en zag zijn celstraf als een offer om hun naam in de Turkse gemeenschap te zuiveren. Hij nam alle schuld op zich, bekende vrijwel alles.

Haar vader daarentegen sprak tijdens de rechtszaak plotseling geen woord Nederlands. Hij vertelde, via een tolk, dat hij dacht dat ik een loverboy was en dat hij daarom deze klopjacht had ingezet. Volgens hem was ik een grote drugsbaron. Mijn BMW-cabrio versterkte dat vermoeden.

'Ik zag mijn dochter al achter het raam zitten,' zei hij tegen de rechter. De tatoeage met mijn naam op haar borst noemde hij illustratief. Hij beschreef zijn dochter als 'een mooi, naïef en makkelijk te beïnvloeden kind van zeventien'.

Zijn advocaat pleitte dat de stress die deze nare gedachten veroorzaakten ervoor gezorgd had dat de vader overspannen had gereageerd op het vertrek van zijn dochter. Hij vroeg ontslag van rechtsvervolging wegens psychische overmacht. Ook zei hij dat Aselya onvrijwillig met haar vriend was meegegaan. Ze zou zelfs aangifte hebben gedaan dat ze door mij werd gestalkt.

Wat de advocaat niet wist, was dat de tegenpartij haar hartstochtelijke e-mails had onderschept.

De aanklachten waren de doodsbedreigingen aan mijn adres en dat van bekenden van mij, de diefstal en doorverkoop van mijn auto en het bezit van twee vuurwapens. De officier van justitie eiste drie jaar tegen Aselya's vader en dezelfde straf tegen haar éénentwintigjarige neef, die de klopjacht feitelijk had uitgevoerd. Ze benadrukten dat Aselya vrijwillig van huis op de vlucht was en al die tijd gedreven werd door liefde. Uiteindelijk werden beiden veroordeeld tot twee jaar cel, waarvan acht maanden voorwaardelijk. Ze hoefden slechts een bepaald percentage van de dagwaarde van mijn auto terug te betalen.

Ik was zeer ontdaan toen ik later hoorde dat Aselya daadwerkelijk een aanklacht wegens stalking tegen mij had ingediend. Maar ik was ervan overtuigd dat ze zwaar onder druk had gestaan en alles in werking had moeten stellen om het goed te maken met haar familie. Met de aanklacht had ze waarschijnlijk gehoopt haar opgesloten vader te kunnen helpen.

* * *

Mijn moeder ging regelmatig naar het fitnesscentrum, en op een dag zag ze vanuit haar ooghoeken een meisje bij de fietsenstalling staan, net voor de hoofdingang. Ze was bezig haar fiets op slot te zetten. Mijn moeder keek nog eens goed. Ja, het was Dilara. Op dat moment keek Dilara toevallig ook haar richting op. Alsof ze het aanvoelde. Ze herkende mijn moeder meteen en glimlachte. Mijn moeder liep naar haar toe en ze omhelsden elkaar met tranen in de ogen. Ze zagen elkaar na al die tijd en na alle ellendige gebeurtenissen nu voor het eerst weer.

Ze besloten binnen koffie te drinken om bij te kunnen praten. Er volgde een emotioneel gesprek. Dilara vertelde dat ze elke avond voordat ze ging slapen een gebedje voor mij reciteerde. Dat ze nog steeds van me hield, ook al was ze inmiddels getrouwd met haar neef. Ze woonden nog altijd niet samen. Hij zat in Turkije, zij hier. Mijn moeder vertelde haar over Aselya en dat ik op het moment ondergedoken zat. Dilara liet haar weten dat ze daar al van op de hoogte was. Het was thuis al uitgebreid besproken.

Ze bleven wel drie uur zitten en waren toen eigenlijk nog niet uitgepraat, maar Dilara moest naar huis, anders zou ze problemen krijgen. Voordat ze ging schreef ze haar nummer op een papiertje en vroeg mijn moeder met klem het aan mij te geven. Ze wilde me per se spreken.

Thuis belde mijn moeder me meteen op. Ik was op dat moment op het politiebureau in gesprek met twee agenten, maar mocht de telefoon even beantwoorden. Ik stond perplex van haar verhaal. Ik belde Dilara zodra ik klaar was op het bureau.

Ze nam niet op. Een minuut later ontving ik een berichtje:

Wie ben jij?>

Ik stuurde meteen een bericht terug:

Dolfijnoog

Ik ontving weer een bericht:

Dilara heeft Dolfijnoog
gemist.

Ik glimlachte toen ik het las en belde haar nog eens. Deze keer nam ze wel op. Twee uur lang bleven we aan de lijn.

Diezelfde dag ontving ik tientallen berichtjes. Ze was zo blij me gesproken te hebben. Ze hield nog steeds evenveel van me, na al die tijd. Mijn telefoon ging vanaf dat moment om de haverklap. Ze vertelde me alles over haar leven. Over hoe ongelukkig ze was met haar huidige man en hoe graag ze wilde scheiden. Maar hoe? Dit was allesbehalve gemakkelijk in hun cultuur.

De maandag erop spraken we af. Ik had Ramses ingeschakeld om me om zeven uur 's ochtends op te halen van het treinstation. Om acht uur zou ik haar ontmoeten en met haar naar het huis van mijn maat gaan om samen te kunnen zijn. Ik kon me nog altijd niet buiten vertonen.

Ik stapte de trein uit met een zwarte sjaal over mijn hoofd.

Daaroverheen droeg ik een afschuwelijke rode pet, zodat ik niet herkend zou worden. Mijn maat stond op het station te wachten en bracht me naar zijn auto. We reden gelijk door naar de afgesproken plek: de plek waar ik haar op was komen halen toen ze voor het eerst van huis was weggelopen.

Het was kwart voor acht. Ze was er nog niet. Ik was ongeduldig en vooral ontzettend zenuwachtig. Na anderhalf jaar zou ik eindelijk het een en ander met haar uit kunnen praten. Daar had ik zo verschrikkelijk naar verlangd. Ik stapte de auto uit en liep naar het winkelcentrum, waar ik een rode roos kocht. Snel liep ik terug naar de auto en ging achterin zitten. Ik stak een sigaret op. Mijn maat had in de gaten dat ik erg nerveus was en zie niets. Alleen de stevige trekken waarmee ik inhaleerde waren te horen.

De rust werd doorbroken door een berichtje op mijn mobiel.

Waar ben je?

Ik wilde net bellen om haar te laten weten dat ik er al was, toen ik haar aan zag komen lopen. Mijn maat toeterde om te laten weten waar ze heen moest. Ze keek richting de auto en zag mij achterin zitten. Ze opende de deur, ik legde de roos opzij en ze kwam naast me zitten.

Ik keek haar bewonderend aan; ik voelde me nog steeds erg tot haar aangetrokken. Ze pakte mijn hand en zei niets. Ik voelde gelijk de vertrouwde kou van haar handen en kuste haar op de mond. Ze beantwoordde mijn kus door vurig terug te zoenen. Mijn god, wat had ik dat gemist. Mijn vriend startte ondertussen de auto en reed weg. Dilara en ik gingen gebogen zitten zodat de mensen ons niet konden zien.

'Eindelijk,' fluisterde ze.

Ik knikte. De hele weg keek ik in haar nog altijd even fasci-nerende groene ogen. Ze zag er stukken beter uit dan de dag dat ik haar op de kermis had gezien.

'Ik heb mijn lekkertje echt wel gemist,' zei ze haar hoofd te-gen me aan vlijend.

Toen we bij Ramses' huis aankwamen, liepen we snel naar binnen. Onderweg naar de deur keek ik alsmaar om me heen om er zeker van te zijn dat we niet gevolgd werden. We namen plaats in de woonkamer. Ik schonk melk voor ons in en ging naast Dilara op de bank zitten. Ramses verontschuldigde zich dat hij meteen weer weg moest, wat Dilara en ik geen enkel probleem vonden.

We liepen naar de slaapkamer, ik wilde op bed liggen. Met haar naast me. Net als vroeger.

Roerloos lag ik daar. Dilara kwam naast me liggen en hield me stevig vast. Het voelde zo vertrouwd. Ik pakte haar vast en kuste haar. Voor deze ene dag had ik Aselya uit mijn gedachten verbannen.

'Ik heb je zo erg gemist, belalim,' zei ze met een glimlach op haar puntgave gezichtje.

'Ik wil je nooit meer uit mijn armen laten gaan,' zei ik. Dila-ra was stil en kreeg tranen in haar ogen. Mijn woorden deden haar verdriet, want ze wist dat ze aan het einde van de middag weer naar huis moest. Dat er een einde zou komen aan dit mooie moment. Ons moment.

We praatten een uur lang. Beiden hadden we het er erg moeilijk mee gehad dat we nooit de kans hadden gehad om ons verleden goed af te sluiten. Het was aan ons blijven vreten.

'Je ziet er prachtig uit vandaag,' zei ik terwijl ik haar goed bekeek.

Ze haalde haar schouders op. 'Ik ben niet knap,' zei ze.

Ik keek haar bevreemd aan, pakte haar bij de arm en sleurde haar mee de badkamer in. Ik zette haar voor de spiegel en ging achter haar staan. Ik wees naar haar gezicht.

'Dit... is pure schoonheid,' zei ik alsof ik een kunstwerk onthulde.

Ze barstte in huilen uit en pakte me stevig vast. Ik sloeg mijn armen om haar heen en bleef even zo staan. Ze veegde haar tranen aan mijn blouse af.

Ik nam haar mee terug de slaapkamer in, waar we weer op bed gingen liggen. Ze stak een sigaret op en kwam dicht tegen me aan liggen. Vervolgens deed ze mijn blouse uit om mijn tatoeages te bekijken.

'Ze zijn prachtig,' snikte ze terwijl ze ze voorzichtig aanraakte.

Ik trok haar van het bed af en duwde haar met haar rug tegen de muur. We kusten elkaar vurig. Aan haar ademhaling hoorde ik dat ze opgewonden raakte. Ze trok me mee terug het bed in, ging op haar rug liggen en trok mij over zich heen.

Plotseling stond ik op en zei dat we dit niet moesten doen. Uit respect voor haar. Ze keek me verbaasd aan.

'Maar dit is wat ik zelf wil, belalim.'

Ik schudde mijn hoofd en kuste haar op haar voorhoofd. 'Nee bebegim, we moeten dit niet doen. Je bent nota bene getrouwd!'*

'Maar ik heb al die tijd spijt gehad dat ik nooit met jou het bed heb gedeeld. Ik wil jou. Toen en nu. Voor altijd. Ik hou niet van mijn man. Ik hou van jou!'

Ik zuchtte diep en schudde mijn hoofd. Ik wilde wel, maar ik kon het gewoon niet. Vanwege Aselya.

---

* Mijn baby'tje (Turks)

Dilara hield erover op en trok zich beledigd een stukje terug. Ik pakte twee sigaretten van het tafeltje naast me, stak ze op en gaf er haar eentje. Ze schoof weer naar me toe.

Een paar weken na die bijzondere dag met Dilara belde ze me 's avonds huilend op om te vragen of ik haar zo snel mogelijk kon komen ophalen van huis.

'Wat is er aan de hand dan?' vroeg ik bezorgd. 'Kom nou maar gewoon!' zei ze. Ik belde snel een vriend van me voor vervoer. Hij kon me pas over een paar uur van het treinstation op komen pikken. Mijn mobiel ging weer. Ik wist dat het Dilara was.

'Hé, ik sta nu buiten op...' zei ze, toen viel ze weg. Ik hield mijn mobiel nog dichter tegen mijn oor, alsof ik er zo achter kon komen wat er gebeurde.

'Je gaat eraan. Met mijn zusje spelen hè? Ik vind jou wel jongen. Ik maak je dood,' hoorde ik haar broer zeggen.

Onrustig keek ik in de keuken om me heen. Mijn mobiel ging weer. Dit keer was het een geheim nummer. Ik nam op; haar broer weer. Ik zweeg, luisterde alleen.

'Ik heb hier een mes op tafel liggen dat ik heel langzaam in jou ga steken. Ik zal je geen snelle dood gunnen, maar een hele langzame. Een pijnvolle. Wij zijn geen Turken jongen, maar nog veel gevaarlijker. De PKK zoekt jou. Weet je wel wat de PKK is? Koerden maat! Wij betalen ze niet voor niks elke maand een bedrag. Ze zijn er om problemen als jij uit de weg te ruimen. Dus kijk maar uit. Al worden er een aantal opgepakt, er blijven er altijd genoeg over om je te zoeken!'

Na zijn preek hing ik op. Ik had genoeg gehoord. Nog meer mensen achter me aan. De PKK, begonnen als een marxistische Koerdische beweging, later bestempeld als terroristische beweging. Doodsbang stond ik nog steeds in de keuken. Met trillende handen stak ik een peuk op. De hele avond bleef mijn mobiel gaan, maar ik weigerde op te nemen. Ik wist wie het was. Ik belde de politie om te vragen of ze mijn mobiel weer af wilden luisteren. Ze waren mijn problemen duidelijk meer dan zat, maar beloofden het na lang zeuren toch te doen.

Na hun toezegging nam ik een aantal keren mijn telefoon op om de bedreigingen aan te horen en een aantal dagen later belde ik de politie weer.

'En? Hebben jullie de bedreigingen vastgelegd?' vroeg ik.

'Nee. We hebben nog niks,' antwoordde de agente die ik aan de telefoon had.

Daar had ik dus ook niets aan.

★ ★ ★

Aselya's vader en neef zaten nu vast. Toch besloot ik mijn beste beentje voor te zetten door haar vader een brief te schrijven.

Geachte vader van Aselya,

Met alle respect schrijf ik deze brief.

Allereerst wil ik mij verontschuldigen voor de problemen die ik u en uw familie heb bezorgd. Met alle respect.

Er zijn heel wat dingen gebeurd de laatste tijd. Ik weet dat ik dingen verkeerd heb aangepakt, maar ik wil u laten weten dat ik van uw dochter hou. Ik heb geenszins kwade intenties gehad met uw dochter. Ik ben juist altijd heel serieus met haar geweest. Ik heb haar voorgesteld aan mijn familie en in mijn moeders huis ontvangen.

Eerst wil ik mijn verhaal aan u doen.

Ik heb Aselya toevallig op straat leren kennen. Onze stad is niet zo groot. Dit was al een hele tijd geleden. We vonden elkaar meteen erg leuk. We leerden elkaar beter kennen via telefonisch contact. Ik vertelde haar mijn verleden met Dilara en zij vertelde mij haar verleden.

Na de zomervakantie vroeg ik haar met u te praten over mij. Ze was ervan overtuigd dat u mij wel zou accepteren en vertelde u dus hoopvol over mij. U accepteerde het niet, tegen al onze verwachtingen in.

Ik wilde niet zomaar een relatie met uw dochter; ik wilde nadat zij met u over mij had gepraat, serieuze stappen zetten. De bedoeling was dat zij u zou voorbereiden op het feit dat ik geen Turk ben. Daarna wilde ik met mijn vader bij u langskomen om om haar hand te vragen. Met de bedoeling ons eerst te verloven.

Dit pakte allemaal heel anders uit.

Het weglopen was voor mij ook heel moeilijk. Ook ik moest mijn familie, vrienden en werk achterlaten. Maar wat heeft het leven voor zin als je niet met je geliefde samen kunt zijn? Ik heb nooit iets kwaads in de zin gehad met uw dochter.

De verhalen die over mij rondgaan kan ik uitleggen.

Ik was lange tijd werkzaam als assistent-hoofd horeca in de sauna. De oud-eigenaar van de sauna bleek inderdaad een grote drugsbaron te zijn, maar mijn werk daar was totaal onschuldig. Dat kan ik u verzekeren. Ik ben nooit in aanraking geweest met drugs en zal dat ook nooit komen.

De auto die ik reed was een BMW-cabrio, wat misschien uw indruk heeft gewekt dat ik bezig zou zijn met illegale praktijken. Dat is echter totaal niet het geval; ik heb lang en hard moeten werken om een auto als die te kunnen betalen.

Ik heb inderdaad eerder een relatie gehad met een Koerdisch-Turkse meid uit onze stad, Dilara geheten. Eenzelfde soort verhaal als met uw familie heb ik met haar familie meegemaakt. Ook toen zagen we ons gedwongen weg te lopen. Ik heb nooit met haar geslapen en heb haar altijd met respect behandeld.

Als deze verhalen mij de stempel geven van 'loverboy', dan kan ik alleen maar lachen. Want dat is echt niet het geval. Daar heb ik ook helemaal geen tijd voor, want ik ben altijd druk aan het werk.

Er wordt ook beweerd dat ik een pooier zou zijn die uw dochter achter het raam wilde zetten. Waar dit op slaat zou ik echt niet weten. Ik hou van haar en zou me bovendien nooit met dergelijke praktijken bezighouden.

Mijn vader is moslim en ik ook. Hij komt uit Sudan, wij zijn Arabisch. Mijn ouders zijn gescheiden, maar ik zie mijn vader nog steeds, ook al woon ik bij mijn moeder. Mijn moeder is Nederlands. Ik ben gelovig, ik zeg niet dat ik heilig ben. Ik bid, niet zo vaak als eigenlijk zou moeten, maar ik bid tot Allah.

Er is nog een verklaring voor de geruchten over mij.

Zo'n tweeënhalf jaar geleden had ik ruzie met een aantal Turkse jongeren uit onze stad. Deze jongens wisten dat ik in die tijd met Dilara ging en zochten naar een mogelijkheid om mij een hak te zetten. Dus gingen zij naar haar huis om roddels over mij te vertellen aan haar familie. Dat ik een pooier, loverboy en drugsdealer zou zijn. Haar familie werd natuurlijk kwaad en zo kregen deze Turkse jongens hun zin. U kent hen stuk voor stuk. Ze wilden mij zwart maken om wraak te nemen en dat is ze goed gelukt. Kijk maar naar het resultaat: zelfs u trapt nog in hun verhalen van toen.

Ik ben nog nooit in aanraking geweest met de politie. Ik heb zelfs afgelopen jaar, net voor de zomervakantie, met succes alle testen afgelegd voor de politieacademie. Wat ik bedoel te zeggen is dat ik geen slechte jongen ben. Als ik een drugsdealer of wat dan ook zou zijn had de politie mij echt niet aangenomen. Voordat je aan de testen mag meedoen, wordt sowieso heel je verleden uitgediept. Als ze iets vinden, dan kan je het vergeten. Dat zegt toch al genoeg?

Hiervoor heb ik vier jaar lang vwo gevolgd en daarna eindexamen havo gedaan.

Ik heb al een hele tijd ruzie met uw neefje, zoals u misschien weet. Dat komt doordat hij mij een groot geldbedrag schuldig is. Hij is gokverslaafd, daar ben ik persoonlijk getuige van geweest. U kunt dit controleren, hij staat namelijk geregistreerd in de computers van allerlei casino's. Ik ben een aantal keren met hem mee geweest. Om te kijken wel te verstaan; ikzelf gok absoluut niet. Daarna ben ik uw neefje een aantal keren tegengekomen. De laatste keer zocht hij toenadering en wilde mij een hand geven. Omdat ik nog steeds erg boos was over het feit dat ik mijn geld niet terugkreeg, wilde ik niks met hem te maken hebben. Hij voelde zich beledigd. Ik weet zeker dat hij om persoonlijke redenen getracht heeft u en de familie tegen mij op te stoken.

Ik heb Aselya een gouden ring gegeven omdat ik immens veel van haar hou. Je geeft niet zomaar een ring aan iemand. Ik wilde haar, en daarna haar familie, laten zien dat ik serieus met haar ben.

Ik wilde, voordat ik met haar wegliep, met u praten over dit alles. Maar u gaf mij geen gelegenheid. U wilde mij alleen maar kapotmaken. Ik vind het echt erg dat het allemaal zo gelopen is. We hebben veel mensen pijn gedaan. Het had niet zo moeten gaan.

Het enige wat ik wil is voor uw dochter zorgen. Ik hou van haar en ik weet dat ze van mij houdt. Als ze mijn vrouw wordt, mag ze te allen tijde haar familie bezoeken. Dat beloof ik u.

En als zij kinderen krijgt zullen deze een Turkse opvoeding krijgen, aangezien zij de moeder is en zij ze grotendeels opvoedt. Ook zullen ze de Turkse taal beheersen. Daar heb ik absolute vrede mee.

Ik hoop dat u hier goed over na wilt denken en ik moedig u aan om alles wat ik hierboven heb geschreven grondig te onderzoeken. Want ik heb niks te verbergen. Neem alle tijd die u nodig heeft. U zult na uw onderzoek inzien dat alles wat ik geschreven heb, niets meer of minder dan de waarheid is. Dat kan ik u verzekeren.

Hoogachtend,

Sherief Mukhtar

Ik hoopte op een reactie, maar helaas kwam die niet. Niet per brief, niet per telefoon en ook niet op het mailadres dat ik erbij had gegeven.

★ ★ ★

Zo lag mijn hele leven in één klap totaal overhoop. Ik had geen idee hoe mijn nabije toekomst eruit zou zien. Er stond mij een opgesloten bestaan te wachten. Alles was ik kwijt: mijn ouders, zusjes, vrienden, werk, politiecarrière, auto en... mijn geliefde. Godverdomme, wat was ik eenzaam en gesloopt. Doodongelukkig.

En er was niemand in Nederland die me tegemoetkwam. Bescherming noch opvang kon ik krijgen. Politie en Justitie lieten me in de steek. Ik werd aan mijn lot overgelaten.

Twee weken na de arrestatie ben ik naar het buitenland gevlucht. Ik voelde me niet minder bedreigd na hun opsluiting; integendeel, ik vreesde nog altijd voor mijn leven. Een familie is groter dan een vader en neef alleen.

Tot op heden zit ik ondergedoken. Wanneer ik over straat loop, kijk ik voortdurend om me heen, uit angst voor mijn leven. Mijn leven, dat ooit zo mooi was. Ik had het allemaal goed voor elkaar. Ik was echt gelukkig. Nu niet meer. Ze hebben me verwoest. Geruïneerd. Dus zijn ze toch geslaagd om me te pakken.

'Mijn metgezellen! Ook bloedwraak
heb ik onder mijn voet genomen.'
Profeet Mohammed (vzmh),
grondlegger van de islam

DANKWOORD

De volgende personen wil ik bedanken, omdat ze mij ieder op hun eigen manier tegemoet zijn gekomen.

Allereerst en bovenal gaat mijn dank uit naar Khadija Arib. Voor haar persoonlijke bijdrage in de vorm van het schrijven van het voorwoord, maar ook voor haar inzet in de Tweede Kamer omtrent mijn situatie.

Verder heb ik veel steun ondervonden van Ayaan Hirsi Ali, Mieke Baars, Adelheid Roosen, Renate van der Zee, 'Dilara', 'Aselya', 'Osman', 'kale Gerie', 'Jacky', 'Divane aşuk', 'King of Latuka', Houda, Lamiae, Merlin, Leo, Mayk, Gary, Gavin, Ashraf B. en als laatste maar zeker niet minste mijn moeder.

Dank jullie wel!